Van dezelfde auteur:

Gewoon een meisje

Alex

Saskia Mulder

Alex

2009 – De Boekerij – Amsterdam

Omslagontwerp: marliesvisser.nl
Omslagfoto: Masterfile

ISBN 978-90-225-5194-3

Voor de broer van Brad Pitt, de vriendin van George Clooney,
de buurvrouw van Madonna, de kleinkinderen van Marlon Brando,
de hond van Jennifer Anniston, de dochter van Sophia Loren,
de gehele familie Spears
en bovenal
voor mijn ouders

Our deepest fear is not that we are inadequate.
Our deepest fear is that we are powerful beyond measure.
Your playing small doesn't serve the world.

Marianne Williamson

Het past niet

'Mama, Emma doet raar!'

Alexandra porde nog eens in haar zusjes zij. Ze had het net zo goed kunnen laten. Emma's ogen bleven glazig, leken kilometersver in het niets te verdwijnen, haar mond stond halfopen. Haar kleine garnalenvingertjes streelden de snaren van haar vaders contrabas.

Ditmaal prikte Alexandra wat gemener in haar zusjes flank.

Nog steeds geen reactie.

In plaats daarvan legde Emma haar roze wangetje zachtjes tegen het hout van het instrument aan, alsof ze bang was het te laten schrikken.

Alexandra kneep gemeen in het mollige armpje.

Nul contact.

Emma's hoofd gleed op en neer. Langzaam, op en neer, op en neer; alsof ze het gelakte hout kopjes aan het geven was. Nog verontrustender waren de geluidjes die haar kleine zusje voortbracht. Angstaanjagend rustig, heel klein en helder piepend.

Alexandra wist dat het niet kon, maar alles wees erop dat haar zusje een klein poesje aan het worden was. Emma was nog maar vijf, Alexandra al zeven. Het was háár kleine zusje en wat er nu ook aan de hand was, het was háár schuld. Ze ging ontzettend op haar kop krijgen, maar...

'Mamaaaaaaaaaaaa!!!!!!!!'

Eindelijk hoorde ze haar moeders voetstappen de trap op komen.

'Ja lieverd, ik kom al...'

De deur ging open onder luid gekraak. Moeders mooie kastanjekleurige haar lag onbeweeglijk op haar schouders.

'Waar is de brand?'

Alexandra schudde haar hoofd: nee, geen brand. Met angstige ogen wees ze naar haar zusje en keek toe hoe de ogen van haar moeder (Zij-die-elke-pinda-uit-je-neus-kon-krijgen, Zij-die-elke-pijn-weg-kon-kussen) vergrootten en hoe ze haar hand voor haar mond sloeg.

Voorzichtig deed moeder een klein stapje naar haar jongste dochter, gebarend naar Alexandra geen geluid te maken.

Alexandra bleef stokstijf zitten, bang om de toestand waarin haar zusje verkeerde te verergeren. In een klein schietgebedje beloofde ze dat Onze Lieve Vader in de Hemel haar mocht straffen zoals hij wilde, zolang haar zusje hier maar levend en wel, en bovenal menselijk, uit zou komen.

Ze keek op en zag haar vader in de deuropening staan. Balen. Al thuis. Onze Lieve Vader in de Hemel was niet van de halve maatregelen geweest, en dat zou die van haar ook niet zijn. Dit werd zeker weten in de hoek staan. In de hoek staan was balen.

'Ik deed het niet expres,' piepte ze.

Werden dingen minder zwaar aangerekend als ze per ongeluk waren gedaan?

Weer werd haar gemaand stil te zijn.

Ze wist niet eens wat er nou precies was gebeurd. Zij en Emma waren stiekem de studeerkamer van vader in gegaan, op onderzoek. Alexandra was dol op onderzoek. Als ware avonturier in de dop was het leven nooit spannender dan wanneer ze niet wist wat er komen ging. En gezien er op hun pleintje in Eikelscha nooit wat onverwachts gebeurde, restte haar niets anders dan haar toevlucht te nemen tot haar onbegrensde fantasie. Hoe hoger de inzet (op zoek naar dwalende spoken, loerende kinderlokkers, voortvluchtige moordenaars), hoe spannender het leven werd. Een klein struikje in de bosjes werd in een handomdraai een voet, een afgebroken tak een skelet. De mogelijkheden waren eindeloos, zolang je maar hard genoeg naar iets zocht viel het met een beetje inbeeldingsvermogen wel te vinden. Alles was een kwestie van motivatie.

Emma was het tegenovergestelde. Tenzij ze door een van haar ouders of haar grote zus werd vergezeld, weigerde ze ronduit naar buiten te gaan. Ze was gezegend met een even groot inbeeldingvermogen als haar zus, maar de spoken en boeven die zij fantaseerde zaten onder haar bed en hierdoor durfde ze 's avonds niet te gaan slapen. Ze bezat geen greintje van Alexandra's hunkering de wereld te ontdekken, laat staan de boosdoeners onder haar bed te overmeesteren.

Gelukkig bood haar fantasie niet louter uitzicht op hel en verdoemenis; Emma had een speciaal talent om in andere werelden af te dwalen. In haar hoofd kon ze zijn waar ze maar wilde. En in die denkbeeldige wereld kon ze alles doen en iedereen zijn.

Daarom was ze, zolang ze zich kon herinneren, verzot op muziek. Urenlang kon ze met haar vader in de woonkamer naar oude muziek luisteren. De woonkamer was niet groot, maar knus. De muren waren secuur afgetimmerd met houten latten en er hingen prachtige oranje gordijnen die moeder zelf had genaaid.

Vader had zijn eigen muziekkamer, boven op zolder, waar hij zijn speciale lp's bewaarde die niemand behalve hijzelf mocht aanraken. Als hij er eentje had gepakt, kwam hij met een gewichtige blik naar beneden en leek het wel alsof hij was gegroeid, vooral in borstomvang. Terwijl hij de plaat met een speciaal vilten doekje oppoetste vertelde hij haar over de muziek die ze zou gaan horen.

'Mozart werd geboren in 1756.' Hij vergat dat Emma nog op de kleuterschool zat, waar tellen tot twintig haar grootste uitdaging was.

'In 1782 componeerde hij zijn eerste concerto, het thema...'

Emma vond het prachtig. En vader had het erg naar zijn zin, dat was fijn.

Hij ging in zijn grote beige ribfluwelen vaderstoel zitten, deed zijn ogen dicht en deinde of neuriede mee, meestal een beetje uit de maat.

Emma vond het heerlijk hem zo te zien; groot en sterk, met spierballen. Veilig.

Zijzelf zat juist heel stil.

Het leuke aan muziek, vond ze, was dat het álles mogelijk maakte. Voor het slapengaan vertelde haar moeder haar verhaaltjes in woorden waarin ook alles mogelijk was, maar die kende ze vanbuiten en dus werd het nooit meer echt een verrassing.

Als ze in de huiskamer op de grond zat, met haar rug tegen haar vaders grote stoel en gevoelloze billen van de kou die vanuit de kieren tussen de houten planken op de grond heen drong, kwamen die sprookjes terug. Alleen waren ze dan slechts het begin. De muziek zweepte de verhalen op, lokte ze uit om onverwachte wendingen te laten nemen. Het tilde Emma op totdat zij ín het verhaal was, zo hoog dat niets haar meer kon raken.

Een harp werd de wind die met haar lange blonde prinsessenhaar speelde, een trombone deed de hectares grond beven die ze vanuit haar torenkamertje kon zien en een viool bezong de prins die zijn leven riskeerde voor een kus.

Dat was nog het mooiste, vond Emma, de prinsen. Als ze aan hen dacht werd haar lichaam licht en tintelend.

En zo vulden de zusjes elkaar perfect aan.

Emma had het geluk over een enorme fantasie te beschikken waardoor zij twee levens kon leiden: één echt en één imaginair.

Alexandra had de gave de werkelijkheid zo te kunnen ontkennen dat ze de wereld kon transformeren in hoe ze die ook maar wilde zien.

Als twee completerende stukjes van dezelfde puzzel.

Toen de zolderdeur die bewuste woensdagmiddag op een kier stond was de verleiding voor beide zusjes te groot om te weerstaan. Ten strengste verboden, dat wisten ze best. Het was de enige kamer in huis met een slot erop, en dat zat er niet voor niets. Dat de deur níét op slot zat was een unicum. Bibberend van de zenuwen waren ze naar de kamer geslopen. Het oude tapijt op de treden zorgde ervoor dat de trap niet al te veel kraakte en de deur had maar een zacht tikje nodig om open te gaan.

Emma's oog viel direct op het voorwerp dat vader daar al die jaren verborgen had gehouden. Het was onmogelijk te missen, zo groot was het. Het stond midden in de kamer, opgehouden door een steun, stralend in het zonlicht dat zich in een krachtige bundel door het raam een weg naar binnen baande. Eromheen stonden dozen met lp's, knipsels hingen aan de wand, alles was zorgvuldig geplaatst en duidelijk van belang, maar het leek in onbeduidendheid te verdwijnen naast de enorme houten – wat was het?

De geur in de kamer was warm en dralend, de temperatuur zacht, stofdeeltjes dreven in het invallende licht. Emma merkte het niet. Ze was gefascineerd door het object, ze wilde het leren kennen, weten wat het was dat het zo'n schoonheid verdiende. Het waren de snaren die zo aantrekkelijk waren, het volmaakte hout, de glanzende knoppen bovenaan, de trotse rondingen.

Emma stapte naar voren. Dit was het mooiste, prikkelendste wezen dat ze in haar leven had gezien. Ze wilde het aanraken, horen, voelen, liefhebben.

Het instrument was te groot om het helemaal te voelen, al gebruikte ze haar hele lichaam.

Toch versmolten ze tot één.

Haar vader hield haar moeder stevig vast. Zij wangen waren schaamteloos nat.

'Helen,' snotterende hij. 'Dit is prachtig...'

'Dit zullen we van ons leven niet vergeten...'

Zeg dat wel, dacht Alexandra. Alle drie vanochtend nog hartstikke normaal...

Ze keek nog eens goed. Haar zusje reed nog steeds tegen haar vaders grote viooldinges op, vader brulde de hele boel bij elkaar en moeder keek alsof de heilige maagd Maria zelve haar meest recente publieke verschijning op hun zolderkamer maakte.

'Jullie zijn volkomen van lotje getikt. Alle drie...'

Ze hoopte maar dat het nog goed zou komen.

Of het nou goed of slecht was, het werd in ieder geval allemaal anders. Hectisch.

Vader was zelf musicus en wat hij voor zijn ogen had zien gebeuren had hij in zijn stoutste dromen niet durven hopen. Het was het type anekdote dat hem op het conservatorium tot waanzin had gedreven: mensen die als jong kind al een natuurlijke hang naar de muziek hadden gehad. Als gewone sterveling kon je daar nooit tegenop, hoeveel je ook studeerde. Daarbij was hij wel jong begonnen, maar niet jong genoeg, en zijn ouders hadden nooit de moeite genomen om de beste leraren voor hem uit te kiezen.

Na het conservatorium was Albert niet verder gekomen dan lesgeven.

Soms kon hij het zelf nog niet geloven. Gedoemd tot het onderwijzen van ongeïnteresseerde tieners. Pubers die *Blondie* beter vonden dan Bach, het krioelde ervan op school. Puistenkoppen die zijn beminde Mozart en Beethoven uitkotsten voordat ze er zelfs maar van hadden geproefd. Respectloos, dat waren ze. Voor de muziek én voor hem. Ze wilden niks. Of ze wilden wel iets, maar niets wat de moeite waard was.

In het begin had hij het nog zo mooi kunnen uitleggen, wat hij deed voor de kost. 'Het overdragen van mijn liefde voor de muziek aan generaties na mij,' verfraaide hij zijn falen achtenswaardig.

Maar hoezeer hij zijn hoofd ook liet spreken, het schreeuwde nooit hard genoeg om de stilte in zijn hart te overstemmen.

Terwijl de massa's gilden voor The Beatles en The Rolling Stones vervlogen zijn kansen. In een periode waarin de concertzalen leegstroomden was er alleen plaats voor de uitblinkers.

Het moment waarop hij zijn jongste dochter op zijn muziekkamer kennis zag maken met zijn contrabas werd dit alles draaglijk. Zijn lijden had plotseling een functie. Zijn ervaringen zouden zijn dochters voor eenzelfde lot behoeden. Hij had zijn talent gekregen om het grotere talent van zijn kinderen te kunnen begeleiden.

Hij deed er wel degelijk toe.

Die zaterdag zat de hele familie Weijman in de auto. De auto wilde niet meteen starten, zoals gebruikelijk, en Emma keek naar buiten, naar de rijen eender gebouwde huizen waarvan de vierde rij uitliep in een slurfje dat naar een volgend pleintje leidde. In het midden van het pleintje was een plantsoen met struiken en drie prachtige elzen. De vuilnisbakken stonden op het plaatsje naast het parkeerterrein, maar verder was alles een volmaakte afwisseling van keukens en garages, keukens en garages. Het was stil. De wind waaide door de elzen, verder bewoog niets. Alles was zoals het hoorde. Toch kwam het kriebelige gevoel in Emma's maag weer opzetten. Er had iets in de lucht gehangen, de afgelopen dagen. Vader had veel aan de telefoon gezeten en noch hij, noch moeder had willen zeggen waarom. Alexandra wist het ook niet, maar ze hoopte op Duinrell.

Na een goed uur autorijden bleek de eindbestemming een grote, donkere zaal, met lange rijen houten klapstoelen. Emma zat tussen haar vader en zus op de voorste rij op het puntje van haar stoel op en neer te wippen. Ze had al wel eerder een orkest gezien, op televisie, maar nooit een met kinderen. Ze wilde naar het podium, zich tussen de jonge muzikanten mengen, maar ze werd kordaat aan haar arm teruggetrokken door haar vader. Emma vroeg zich af hoe oud je moest zijn om het podium op te mogen. Waarschijnlijk zes, schatte ze. Alles gebeurde met zes.

De kinderen op het podium waren voor de laatste maal hun instrumenten aan het stemmen, het piepte en kraste van alle kanten. Strijkstokken vlogen over snaren, wangen zwollen op, voeten drukten pedalen in, vingers huppelden vliegensvlug, Emma kwam ogen tekort.

Een meneer met een grote grijze baard beklom het podium en het kabaal verstomde.

'Is Sinterklaas nu al in het land?' giechelde Alexandra. 'Is dat de verrassing?'

Vader gebaarde haar stil te zijn.

'Dames en heren, jongens en meisjes,' sprak de meneer de toehoorders toe. 'Welkom bij de voorspeelmiddag van het strijkorkest van Kerstin von Poll.'

Een paar momenten later was er een wereld, een échte nieuwe wereld voor Emma opengegaan. Een groot meisje had helemaal alleen op de viool gespeeld. Emma was volslagen verliefd. De klank was onbeschrijfelijk mooi en het hoofd van het meisje had meegedeind op de muziek, meegedeind naar waar het maar naartoe wilde, en alle andere instrumenten waren bijgesprongen en alles was samengekomen, en het meisje was maar blijven deinen totdat het applaus losbrak en alles – het meisje, het orkest, de instrumenten, alles – samensmolt tot een groot geheel dat zich in Emma's borstkas nestelde en zo opzwol dat ze bang werd uit elkaar te knallen.

Nadat het allemaal voorbij was moest Alexandra bij moeder blijven en nam vader Emma bij de hand om gedag te gaan zeggen tegen een belangrijke mevrouw, een mevrouw die, zo bleek, de reden was van het gezinsuitje.

'Mevrouw Von Poll,' wees hij vanuit de verte naar een oudere dame, wier zilveren haren strak waren weggebonden in een knot. Het zag er pijnlijk uit, die knot. 'Die naam moet je goed onthouden.'

Emma hield haar vaders hand stevig vast terwijl ze hem door de menigte heen volgde. Twee meneren zagen haar over het hoofd en liepen haar bijna omver. Een mevrouw sloeg haar handtas in haar gezicht. Na wat een hele poos leek waren ze dan uiteindelijk bij de dame gekomen. Vader kuchte en de dame draaide zich om. Haar koude grijze ogen keken op Emma neer. Van dichtbij had ze heel veel rimpels.

'Ahhh...' sprak de dame. 'Het meisje dat het podium wilde overnemen. Jij zou wel een instrument willen spelen, zegt je vader?'

Emma huiverde. Ze was eraan gewend dat volwassenen liefjes en zacht tegen haar spraken.

Vader stootte haar aan.

'Je zou graag op muziekles willen, is het niet?'

Nog steeds durfde Emma niet te spreken, maar ze knikte van ja.

'En welk instrument dan wel niet?' vroeg de strenge dame.

Ze wees naar haar favoriet.

'De viool?' hielp haar vader.

Emma produceerde nog steeds geen geluid, maar probeerde wel zo hard mogelijk te knikken. Wonder boven wonder verscheen er een klein lachje op het gezicht van de muziekpedagoge.

'Heb je er al eens een vastgehouden?'

Ze schudde zo enthousiast van nee, dat de staartjes aan weerszijden van haar hoofd haar bijna in de ogen sloegen.

'Zullen we dan maar eens een kijkje gaan nemen?'

Emma stapte de frisse buitenlucht in met een geleende viool onder haar arm. Ze kon zich niet voorstellen dat wie dan ook ter wereld meer geluk had dan zij. Eigenlijk had ze op een wachtlijst moeten staan, op een nummer zelfs nog hoger dan twintig, maar van Kerstin had ze zo veel voorrang gekregen dat ze er direct eentje mee naar huis mocht nemen. Het enige wat ze ervoor had hoeven doen was beloven dat ze heel goed op het instrument zou passen.

Alexandra mocht ook op les, op blokfluit. Zo kon moeder hen samen brengen en ontstonden er geen scheve verhoudingen. Emma huppelde naar de auto.

'Gaan we nu dan eindelijk naar Duinrell?!'

'Alexandra Weijman, je bent al de hele middag vervelend geweest, nu houd je je mond. We gaan zeker niet naar Duinrell, en als je zo doorgaat wordt het gelijk naar bed als we thuis zijn,' gaf moeder haar een uitbrander.

De automotor pruttelde en Emma vloog weg. Ver, ver weg, in haar gedachten.

Vanaf die dag week de viool geen tel van Emma's zijde. Andere meisjes van haar leeftijd sleepten continu een pop of vieze lap met zich mee, maar zij nam haar instrument overal mee naartoe. Het was zo'n schattig gezicht, het kleine meisje met het onschuldige gezicht en vlechtjes aan weerszijden slepend met het statige instrument, dat niemand van de muziekschool er iets van zei. Daarbij was ze er zorgzaam voor. Tijdens het eten lag de viool op haar schoot, als ze liep lag hij stevig onder haar arm geklemd en rennen deed ze niet.

De enige keer dat haar werd gevraagd haar viool weg te zetten was op school. Juf Tanja duldde geen tegenspraak en zei dat het al mooi genoeg was dat de viool zijn eigen plekje in de poppenhoek had gekregen.

Emma liet zich scheiden, maar ze bleef in gedachte bij de viool. De hele schooldag hield ze haar hoofd een tikje zijwaarts, haar instrument denkbeeldig in het holletje van haar schouder geklemd. Een liniaal bleek ideaal om het vingerwerk van haar linkerhand te repeteren en met een potlood kon ze haar strijkhand oefenen. Terwijl haar klasgenootjes samen tot twintig en terug telden, tikte Emma's voet kwartnoten.

Niets weerhield haar te spelen.

In ieder geval niet in haar hoofd.

Het zag ernaar uit dat de blokfluit en Alexandra elkaar niet lagen, bedacht Emma terwijl ze naar de moeizame toonladders uit het kamertje naast het hare luisterde. Het klonk alsof de fluit langzaam werd getergd, gemarteld; hij leek om hulp te roepen.

Haar ouders schenen het niet te horen en wachtten geduldig tot

Alexandra dezelfde liefde voor muziek zou ontwikkelen die zij hadden.

'Doe het nou maar voor ons, lieverd,' moedigde moeder Alexandra aan. 'Wij houden allemaal van muziek, jij toch ook?'

Het gepiep vanuit de kamer naast die van Emma werd steeds hartverscheurender totdat zelfs hun ouders moesten toegeven dat het niks zou worden tussen Alexandra en de blokfluit. Ze waren er niet blij mee, maar ze waren grootmoedig genoeg om hun beoordelingsfout te erkennen.

'Daarbij heeft die arme fluit wel genoeg voor zijn kiezen gehad,' had vader gemompeld.

Moeder was bijna in haar sherry gestikt.

'Het Blokfluit Bevrijdingsfront!' had ze gegiecheld.

Alexandra, opgelucht dat ze het rotding niet meer hoefde aan te raken, mocht iets nieuws uitzoeken. Het verkozen instrument was een piano. Met een grote wagen werd hij naarbinnen getakeld. Met dezelfde grote takelwagen werd hij twee weken later weer weggehaald. Toen bleek dat zelfs de triangel uitliep op een fiasco werd besloten dat Alexandra geen muziekinstrument hoefde te bespelen.

Albert sloeg zijn dochters op stille momenten gade, de één acht, de ander zes. Zes jaar oud en dan al Janáček praktisch foutloos spelen. Zeker, ze had de techniek nog niet soepel in de vingers, maar ze kon het! En er sijpelde een verlangen en tederheid doorheen waarvan het een raadsel was waar een zesjarige die vandaan haalde. Het was vreselijk toe te geven, maar zijn andere dochter leek geen enkele gave te bezitten. Alexandra was zich daar zelf – naar wat hij ervan kon observeren – niet van bewust, en dat moest ook zo blijven. Moeder leek er allemaal niet zo'n oog voor te hebben; ze leek vooral blij te zijn dat de rust in huis was wedergekeerd.

Emma keek, op de weinige momenten dat haar aandacht niet op haar viool was gericht, vol bewondering naar Alexandra. Alex kon al schrijven, heel snel, met sierlijke krulletters. Ze dreunde rekentafels op zonder erbij na te denken. Ze durfde in hogere bomen te klimmen dan wie dan ook, zelfs jongens. (Niet dat ze dat had gezien, Emma was bang van jongens, maar Alexandra had het haar verteld). Als Alexandra ging jazzballetten op het pleintje vroeg ze steevast of Emma naar buiten wilde komen om te jureren. Dit was het enige waar Emma haar viooloefeningen voor wilde staken. Haar grote zus won altijd. De anderen zeiden dat het niet eerlijk was, dat ze haar zus liet winnen omdat ze... nou ja, haar zús was, maar dat was niet waar.

Alexandra was gewoon de beste.

Emma's vioolstudie werd ook onderbroken door oma's verjaardag. Emma en Alexandra hadden er al tijden naar uitgekeken. Oma werd oud (hoe oud precies wist niemand) en dat heuglijke feit werd met de hele familie gevierd. Oma Bette de Jager stond al in de deuropening van haar vrijstaand huisje aan de rand van Oostscherwoude te zwaaien. Vanuit haar voorkamer had ze een volmaakt uitzicht over de landweg waar de witte Volvo zich overheen ploeterde. Terwijl de auto haar oprit op reed en tot stilstand kwam, stond ze bijna te springen van blijdschap. De wind drukte haar dikke plooirok tegen haar benen aan. Een rood lint hield haar haar uit haar gezicht.

Alexandra gooide de autodeur open en de meisjes renden op hun oma af. Emma raakte bijna in ademnood door de enorme boezem waar ze tegenaan werd gedrukt.

'Kijk nou toch eens hoe groot jullie zijn geworden! Jullie hebben zeker een extra groot stuk taart nodig om te groeien.'

Oma liep voor hen uit de hal in.

'Kinderen, pas op waar je je voeten zet!' herinnerde ze Alexandra en Emma.

Oma was altijd bezig, waardoor ze nooit tijd had om op te ruimen. 'Het huishouden komt nou eenmaal op de laatste plaats,' zei ze altijd.

De andere visite zat al in de huiskamer.

'Geven jullie iedereen lief een handje?' vroeg moeder. 'Dan mogen jullie daarna taart.'

Emma had daar al de hele morgen tegen opgezien. Iedereen vroeg altijd 'hoe het nou ging met de familievirtuoos' of wilde haar viool zien. Emma snapte niet waarom ze er zo veel vragen over stelden, de meesten wisten overduidelijk niets van muziek.

'Da's omdat grote mensen altijd domme vragen stellen,' had Alexandra uitgelegd. 'Let maar eens op.'

'Ga je nog steeds naar school?' vroeg oom Bob, een lieve man met kleine blauwe pretoogjes met velletjes erboven die zijn zicht belemmerden.

Oom Bob woonde in hetzelfde huis als oma, maar van moeder mochten Alexandra en zij hem alleen maar oom Bob noemen, geen opa. Jammer.

'Nee,' antwoordde Alexandra, 'Ik ga niet meer. Ik vond het mooi geweest zo.'

Oom Bob moest hard lachen en trok zijn bretels met zijn duimen ver voor zijn grote buik uit.

'Blij dat te horen, kind, het moest ook eens een keer afgelopen zijn!'

De volgende domme vraag kwam al bij het volgende handje.

'Ben je altijd zo groot geweest?' kwam uit de roodgestifte mond van tante Teef (maar zo mocht je haar nooit noemen, al deed mama het ook).

'Ja, tante Teef, ik ben zo groot geboren!' antwoordde Alexandra.

Oom Bob moest nog harder lachen.

'Alexandra heeft nogal wat problemen met het uitspreken van de *s*,' zei moeder.

'Echt waar? Daar hebben mijn kinderen nooit last van gehad,' antwoordde tante Teef. 'Zeg, ik heb een artikel gelezen... Is het geen schande wat leerkrachten vandaag de dag verdienen? Nou, ik moet er niet aan dénken mijn huishouden te moeten runnen van die fooi.'

Hard geborrel klonk uit Helens buik. Emma draaide zich met schrik om, maar moeder stond keurig rechtop, ook al was het met een vreemdsoortige glimlach op haar gezicht.

'Goddank dat wíj talent hebben, en dat is niet te koop. Emma, waarom speel je niet wat Brahms voor je oma's verjaardag?'

Emma slikte. Vader had uitgelegd dat Brahms als een pianist had geschreven voor strijkinstrumenten, waardoor het zelfs voor strijkers met de meest fenomenale vingerbeheersing zeer uitdagende muziek was.

'Ga boven maar even je handen opwarmen,' knikte vader.

Eigenlijk had Emma wel uren willen oefenen, maar ze wilde oma niet al te lang laten wachten.

Toen ze weer naar beneden kwam waren de stoelen in een halve cirkel geplaatst. Vader wees naar de stoel in het midden, die voor haar was bestemd. Nerveus keek ze de kring rond in de bekende gezichten. De meeste lachten haar bemoedigend toe. Haar neef Frederic, de zoon van tante Teef, gaapte. Zijn zusje Nicole peuterde in haar neus.

Emma dwong zichzelf de foto die Kerstin in de klas had laten zien in te beelden. Het plaatje was zwart-wit, maar je kon je gemakkelijk inbeelden dat de klederdracht van de bruidsgasten rood en groen gekleurd was. De mannen stonden in een cirkel, met hun handen hoog in de lucht. Het bruidspaar stond stralend in het midden. Ze kon het rumoer van het feest horen; het gelach, het geschreeuw, de muziek die op de achtergrond klonk. Het bloed begon sneller door haar aderen te stromen. Haar benen vielen uit elkaar toen ze haar viool op haar schouder plaatste. Ze zwaaide haar stok hoog de lucht in en viel de Hongaarse dans aan.

De ene toon inspireerde de volgende. De noten werden dansende voeten die het huwelijk vierden, de fiere figuren op de foto werden levendiger met elke maat. Ze rook de wijn die werd geschonken, zag de kaarsen op de bruidstaart flikkeren terwijl die naarbinnen werd gedragen, en toen de taart werd aangesneden juichte ze hard met de andere gasten mee.

Haar oren suisden en de laatste tonen vervaagden. De Hongaarse trouwerij was meteen niets meer dan een herinnering. Ze zou het stuk gelijk weer kunnen spelen, maar het zou nooit hetzelfde zijn.

Dat was niet triest. Het was alleen maar anders.

Ze opende haar ogen en vond zichzelf terug op een ander feest. Een halve cirkel van familie juichte haar toe.

'O!' bracht Bette beide handen naar haar volle boezem. 'Wie had er toch gedacht dat ik zo'n kleinkind zou krijgen! Prachtig!'

Vader fluisterde in haar oor dat ze nog nooit zo goed had gespeeld. Moeder glunderde van trots. Alle anderen gingen door met klappen. Toen ze uit de cirkel stapte kwam iedereen om haar heen staan en daarna feliciteerden ze ook haar ouders en Alexandra.

Oom Bob riep dat het tijd was de cadeautjes open te maken.

Emma's ogen dwaalden de kamer af naar haar zus. Ze zat wat verderop naast tante Teef, die een vreemdsoortige theorie uitte dat 'de viool zo'n moeilijk instrument was omdat het maar vier snaren had'. De blikken van de zusjes vonden elkaar. Alexandra rolde met haar ogen en Emma moest haar best doen het niet uit te proesten. Alexandra had zoals altijd gelijk: volwassenen zeiden vaak domme dingen.

En wat niet past, krijg je er ook niet in

Het wachtzaaltje naast de repetitieruimte van Kerstins Jeugd Strijkorkest was niet de meest gemoedelijke ruimte. Op de houten banken na die tegen de muren waren aangeschroefd was het leeg en koud. Stofdeeltjes draalden door de lucht. Emma vond ze prachtig, de stofjes. Ze maakten haar rustig, vlak voor een repetitie. Ze deden haar denken aan de dag dat ze vaders contrabas had ontdekt. Emma probeerde ze altijd uit de lucht te plukken, maar hoe snel ze ook was, ze ontglipten haar steeds weer.

'Zal Musicolini blij mee zijn, dat haar lievelingetje begint door te slaan,' zei de moeder van Violette Hogehorst.

'Nou, Musicolini, dat kun je wel zeggen, vorige week was ze weer bezig,' slaakte de moeder van Brecht de Knaap. 'Kan iemand haar niet informeren dat het hier om tieners gaat die gewoon een instrument willen bespelen?'

'Emma is nog maar negen, hoor,' corrigeerde moeder.

De andere moeders draaide zich naar Emma toe. Emma kreeg het er warm van. Zelf wist ze ook wel dat ze uitzonderlijk jong was om nu al bij het Jeugd Strijkorkest te zitten.

'Ik zou wel eens met mijn hele gezin op vakantie willen in plaats van haar altijd maar op muziekreis te laten gaan,' zuchtte de moeder van Brecht weer.

Violettes moeder knikte.

'Helemaal nu we tóch allemaal weten wie keer op keer de solo krijgt toebedeeld.'

Weer voelde Emma zich verlegen onder de blikken die op haar waren gericht. Ze voelde zich er ongemakkelijk onder als het over haar talent ging. Ze bofte dat ze zo veel natuurlijke gave had, maar ze zag niet in hoe ze daar zelf verdienste aan had. Zij leerde dingen nou eenmaal makkelijker dan haar orkestgenoten.

Daarbij had ze veel geluk met haar familie. Moeder bracht haar naar iedere les, Alexandra klaagde nooit dat ze daardoor altijd alleen thuis was en vader had zijn contrabas verkocht toen haar viool te klein was geworden en de muziekschool niet in een instrument van passende kwaliteit kon voorzien.

Emma zou de dag nooit van haar leven vergeten, dat wist ze zeker. Een meneer met een bestelbusje was de contrabas komen halen. Stilletjes had vader in de deuropening gestaan terwijl de meneer zijn instrument inlaadde.

'Pap, als ik nou gewoon geen melk meer drink, misschien groei ik dan niet meer en dan kunnen we de contrabas houden,' had ze voorgesteld.

Vader had over haar bol geaaid.

'Gedane zaken nemen geen keer.'

Er lag een vreemde klank in zijn stem, alsof zijn stembanden wat te strak waren aangetrokken. Had Emma zijn gedachten maar kunnen lezen, dan was haar veel schuldgevoel bespaard gebleven. Tot Alberts verrassing bleek het namelijk de opluchting van zijn leven te zijn. De contrabas was niets dan een constante herinnering geweest aan wat hij had kunnen zijn, aan wat hij nooit was geworden. Nu was het de toekomst van een ander. Hij had er meer geld voor gekregen dan verwacht en met een kleine lening had hij de perfecte halve viool voor zijn getalenteerde dochter kunnen financieren.

Emma liep dwars door de ontelbare stofjesdeeltjes heen, via de smalle gang de oefenruimte in. Het was grappig: iedere keer dat ze die ruimte in ging, leek het alsof ze meer zuurstof in haar lichaam kreeg. Een aantal van haar medeorkestleden zat in een hoekje en begon te giechelen toen ze wat simpele vingerzettingen deed. Ze zeiden nooit iets tegen haar. Moeder had uitgelegd dat het kwam doordat zij zo veel jonger was. Emma vond het niet zo erg. Jong zijn ging, zoals zo veel dingen, vanzelf weer over. De dagen vlogen voorbij. Kerstin droeg hun op om buiten schooltijd minimaal drie uur per dag te studeren, maar Emma oefende eigenlijk altijd. Oefenen was het leukste wat er was.

Een van de nadelen van de uren studeren was dat de allergie in haar hals steeds erger werd. Het was begonnen met een klein roze plekje, precies op de plaats waarmee ze haar viool tegen haar schouder klemde. Het plekje leek met de dag vuriger te worden. Moeder had er zelfs de dokter voor gebeld.

Met haar viool tegen haar borst gedrukt liep Emma de volgende ochtend zijn behandelkamer binnen. Dokter Dreesman zat achter zijn bureau. Een stethoscoop hing om zijn lange, dunne nek. Hij stond op en schudde moeders hand. Hij leek nog langer dan de vorige keren. Emma verborg zich achter haar moeder, maar moeder deed een stapje opzij. Zacht maar zeker werd Emma uit haar schuilplaats geduwd.

'Hallo, Emma,' zei de dokter.

Hij zakte door zijn knieën tot hij op ooghoogte was. Emma klemde haar rechterarm stevig aan die van haar moeder. Met de linker hield ze haar viool even krampachtig tegen haar borst.

De dokter wees naar het instrument.

'Dat is palissanderhout, is het niet?'

Ze knikte.

'Ik heb ook gespeeld als kind. Nooit een zuivere noot, maar toch. Speel je al lang?'

'Sinds ze vijf is,' zei moeder.

'Het lijkt erop dat ze een allergie heeft voor het hout van haar viool,' zei de arts tegen moeder.

'Ze is soliste,' antwoordde moeder. 'Ze heeft net het Edinburgh Jeugdorkest Toernooi gewonnen.'

De arts stond op. Hij krabbelde iets op een briefje en knipoogde naar Emma.

'Het enige wat jij hoeft te doen, jongedame, is een tijdje niet studeren om de crème de tijd te geven zijn werk te laten doen, en dan ben je weer zo goed als nieuw.'

Emma's blik schoot wanhopig naar haar moeder. *Een tijdje niet studeren?*

'Is er geen ander manier?' maakte moeder bezwaar. 'Mijn man zegt dat ze minimaal drie uur per dag moet studeren om haar niveau te behouden.'

De dokter keek op.

'De irritatie kan een gezwel worden,' zei hij.

'Op deze leeftijd worden ze óf beter óf ze stagneren.'

Emma voelde zich een beetje draaierig worden. Stagneren? Wat dat ook betekende, het klonk niet goed.

'Een infectie in een geavanceerd stadium kan zo groot als een grapefruit worden.'

De dokter kwam achter zijn bureau vandaan en liep naar de boekenkast. Hij haalde er een reusachtig boek uit, bladerde erin en hield moeder een pagina voor. Emma zag haar wit wegtrekken.

'De patiënt zou er continu een zakdoek tegenaan moeten houden, of de pus...'

Op de terugweg in de auto keek Emma angstig naar buiten. Ze moest op een rantsoen van maximaal één uur studeren per dag, had de dokter gezegd. Een regime waar ze zich aan zou moeten houden totdat haar huid was opgeklaard. Ze vervloekte hem in stilte. Moeder was niet te vermurwen.

Een nieuw probleem manifesteerde zich een paar dagen later, toen ze opeens een tic ontwikkelde. Het leek erop dat telkens wanneer Emma gescheiden was van haar instrument, dat haar hoofd spastisch naar links schoot en haar kin naar haar schouder trok. Moeder was onmiddellijk met haar weer naar de dokter gegaan.

'Het zijn nog geen zorgelijke zenuwtrekken en niets wat mettertijd niet zal minderen,' zei hij nadat hij haar even had onderzocht. 'Zolang jij maar een tijdje van die viool afblijft, jongedame!'

Emma was serieus van plan geweest te luisteren, maar het wilde niet lukken.

De tijd stond stil wanneer ze studeerde. Alleen als ze speelde kon ze volledig zichzelf zijn. Hoe kon ze dat opgeven voor builen of zenuwtrekken? In de muziek was alles logisch. Alle noten waren met elkaar verbonden.

Over het echte leven kon dat niet worden gezegd.

Smells like teen spirit

De nacht was al gevallen toen Emma na haar vioolles de auto uit stapte. Moeder haalde wat boodschappen uit de achterbak en vader zwaaide de voordeur open om haar te helpen.

'Waar is Alex?' vroeg Emma.

Alexandra stond er de laatste tijd op 'Alex' te worden genoemd.

'Boven, op haar kamer,' klonk hij een beetje teleurgesteld.

Emma kon zich best voorstellen waarom hij wat triestig klonk. De laatste tijd was Alexandra altijd op haar kamer. Emma vond het ook niks gezellig.

'Hoe was je les?' vroeg vader toen Emma met haar lichte, lange, elfjarige lichaam al halverwege de trap was.

'Prima,' riep ze terwijl ze uit zijn zicht verdween.

Voor Emma maakte Alexandra een uitzondering, maar verder wilde ze niks dan boos naar het plafond staren en naar een raar soort muziek luisteren.

Moeder zei dat het door Puberteit kwam. Dat er niet zo veel met haar te beginnen was. Het lijkt wel of het huis in tweeën is verdeeld sinds Alexandra Puberteit heeft, bedacht Emma zich terwijl ze over de overloop liep. Alsof het huis bestond uit het huis zelf en een Alex-gedeelte. Emma vertoefde graag in beide. Het ene deel bestond uit harmonie en muziek, waarin ze haar passie helemaal kon uitleven. Het andere uit grapjes en andere leuke dingen.

Emma klopte op de deur. Dat moest tegenwoordig. Ze deed de deur een klein beetje open. Alexandra keek met betraande ogen op. Emma schrok ervan; Alexandra huilde nooit.

'Wat is er?' vroeg Emma.

'Laat maar, ben je te klein voor.'

'Zin in dat ik vanavond bij jou blijf logeren?'

Alex trok haar schouders op.

'Is goed. Vraag jij het maar, anders zeggen ze weer dat ik je van je studeren afhou.'

'Maakt niet uit, ik loop een week voor met mijn opdrachten.'

Emma snelde naar beneden en kort daarna was ze terug met een grote zak marshmallows die ze van moeder uit de garage had mogen pakken voor de logeerpartij. Ze roosterde de marshmallows op Alex' bedlampje totdat ze bruin vanbuiten waren en zacht vanbinnen. Het maakte de kamer warm en weeïg, en ze giechelden totdat moeder zei dat het nou toch wel tijd was om te gaan slapen.

Nadat ze moeder de huiskamerdeur dicht hadden horen doen toverde Alex een zaklantaarn en een *Yes* vanonder haar bed vandaan.

'Wel eens gelezen?' vroeg ze met dezelfde sterretjes in haar ogen die ze vroeger altijd had.

Emma schudde van nee.

'Moet je luisteren!' zei Alex en ze las voor. '"Mijn vriendje wil tongen. Hoe pak ik dit aan?"'

Emma trok een vies gezicht.

'Heb je nog nooit gedaan, zeker, tongen?'

'Nee natuurlijk niet! Jij wel dan?'

Emma durfde het bijna niet te vragen. Sommige dingen wilde je gewoon liever niet weten.

Alex haalde haar schouders op.

'Misschien. Misschien een keer. Bijna.'

Alex wijdde er verder niet over uit en richtte haar aandacht weer op het tijdschrift.

'"Mijn ouders willen mij niet en ik wil weglopen, maar ik weet niet waarheen. Hebben jullie een goed idee?"'

Na een heel aantal stukjes voorlezen werd Alexandra's stem lomer en niet lang daarna viel ze stil. Emma keek naar het slapende gezicht van haar zus. De zaklamp die vanonder haar dekbed nog scheen legde een landschap van schaduw en licht op haar gelaat. Ze was mooi, Alex. Heel mooi. Emma kroop nog wat verder onder de wol. Het was fijn, zo te gaan slapen, warm, met de marshmallowlucht nog in de kamer en het zaklamplicht op haar mooie zus.

Alex was de liefste persoon ter wereld, besloot ze. Alex was helemaal perfect. Behalve dan misschien dat ze nooit wilde vertellen wat er nou werkelijk aan de hand was, de laatste tijd.

Onder de rode kool met aardappelen en gehakt kwam het hoge woord er eindelijk uit. 'Ik wil op zangles!' riep Alex vanuit het niets.

Vader verslikte zich in zijn rode kool.

'Alex, we hebben al zo veel geprobeerd, blijf jij het nou maar gewoon goed doen op school...'

Alex schraapte haar keel.

'Ik geloof dat ik nog niet helemaal klaar was,' kopieerde ze zijn standaardopmerking.

Hij legde zijn bestek neer en sloeg zijn armen over elkaar.

'Goed, vertel het maar.'

'Ik wil op zangles en op jazzballet.'

Er ontsnapte een zware zucht aan beide ouders. Emma vroeg zich af in welk jaar van een huwelijk dat gebeurde, dat een echtpaar in koor zwaarademig werd.

'Je vader heeft gelijk. Je moet niet te veel tijd besteden aan nutteloze dingen.'

'Maar ik doe het toch goed op school? Ik heb verdorie een jaar overgeslagen!'

'Alexandra, die taal willen wij niet horen. Ga zo door en je gaat direct naar je kamer,' waarschuwde moeder.

'Ik heet Alex en ik ga uit mezelf verdorie wel naar mijn kamer! Verdorie, verdorie, verdorie!'

Emma hield haar adem in. Ze wilde dat Alexandra niet zo in opstand kwam. Het werd er allemaal niet gezelliger op.

Alex duwde haar stoel weg. De plant op de vensterbank achter haar wankelde en kwam met een luide knal op de houten vloer terecht.

'Ik doe álles goed! Ik ben de eerste van mijn klas en ik mag helemaal niks! Of ik mag op jazzballet, of ik kap ermee. Ik ga in staking!'

'Alex, ik zou je kunnen laten doen wat je maar wilt voor de goede sfeer in huis,' probeerde vader haar nog rede in te praten, 'maar dat zou egoïstisch van me zijn.'

'Alex draaide zich met een ruk om. Haar ogen spuugden vuur.
'Het enige... wat ik wil... is op jazzballet!'

Na de vla klopte Emma op Alex' deur.
'Ik vind ook dat je op jazzballet moet.'
De mooie blauwe ogen waren rood en betraand.
'Echt?'
'Ja.'
'Dus je bent voor mij?'
Emma was voor allebei. Of tegen geen van beiden. Maar Alex huilde, dus...
'Ja. Maar niet tegen papa en mama zeggen.'
'Klassieke muziek voor, na en achter, ik kots ervan!'
Stilte. Alex frummelde aan het kussentje op haar bed. Die ganzenveren hadden waarschijnlijk meer geheimen gehoord dan waar ze oorspronkelijk voor waren aangeschaft.
'Ze willen gewoon dat ik net zo ben als jij.'
Op het lichtblauwe katoen van de kussensloop zat een grote donkere plek van de tranen.
'O, jij kan het ook nog niet begrijpen, jij ben nog te klein. Laat me maar.'
Verbouwereerd liep Emma naar beneden.
'En, is ze alweer een beetje gekalmeerd?' vroeg moeder.
'Ja hoor,' zei Emma zacht.
Moeder schonk koffie in. Vader klaagde dat er niet genoeg suiker in zat.
Emma kreeg warme chocolademelk.
Het smaakte niet.
Het lag niet aan de suiker.

Emma stak, zoals iedere dag na haar repetitie met het Jeugd Strijkorkest, zo snel ze maar kon haar sleutel in het slot van de voordeur. Achter zich hoorde ze de motor weer oplaaien; moeder deed nog steeds verwoede pogingen de auto recht in het vlak voor de garage te krijgen. De voordeur zwaaide voor Emma's neus open. Haar vader stapte met een verhit gezicht naar buiten.

'Hoi, pap,' zei Emma. 'Waar is Alex?'

'Beneden,' zei vader. Er klonk een lichte trilling door in zijn stem.

Emma's wenkbrauwen schoten omhoog.

'Echt?' vroeg ze verrast. 'Wat gezellig!'

Monter stapte ze de vestibule in en deed de deur naar de woonkamer open.

Alex zat er met gekruiste armen op een eettafelstoel die ze tegenover haar vaders stoel had geplaatst. Het zag er raar uit, zo midden in de kamer. Ze zat doodstil.

'Wat ben jij nou aan het doen?' vroeg Emma.

Alex antwoordde niet. Een lachje verscheen rond haar lippen, een lachje dat niet bij haar ogen paste.

Vader kwam weer binnen. Een druppeltje zweet rolde over zijn voorhoofd en hij liep rechtstreeks naar zijn grote corduroy vaderstoel. Alex bleef stokstijf tegenover hem zitten. Haar grote blauwe ogen knepen zich tot twee dunne spleetjes. Vader pakte de krant en vouwde die voor zijn gezicht uit.

Alex bleef onbeweeglijk zitten. Het leek bijna alsof ze door de krant heen kon zien. Vader wipte van zijn ene bil naar de andere, sloeg een hoekje van de krant om, dook pardoes ineen en trok het hoekje weer omhoog.

Terwijl de avond voorbijkroop werd het er niet gezelliger op. Aan tafel staarde Alex vader met precies dezelfde blik aan.

'Lieverd, eet nou toch wat,'moedigde moeder na een kwartiertje of wat aan.

Alex pakte haar mes en vork, haar vuisten stevig om de handvatten geklemd. Ze bleef haar vader strak aankijken, haar vork ramde ze in het karbonaadje. Met haar hoektanden rukte ze een stuk vlees af.

'Beter zo?'

Sssshlakkk! Weer ramde ze de vork in het vlees, hard en venijnig.

'Alex, wil je daarmee ophouden?'

'Ik doe toch wat je vraagt? Ik eet toch?'

Weer hakte ze met haar bestek in het vlees en ze kauwde met open mond.

'Alex, ga naar je kamer!'

'Graag. Dan hoef ik in ieder geval niet meer tegen die lelijke rotkop aan te kijken.'

'En wel direct!' krijste moeder met een uitgestrekte arm naar de deur.

Vader zat wit aan tafel. Hij at niet, staarde enkel naar de overblijfselen van Alex' karbonade op haar bord.

'Trek het je maar niet aan. Ze is gewoon aan het puberen,' zei moeder.

Hij bleef stil.

'Hoe kan een man zich op het toilet verstoppen zonder zijn mannelijkheid te verliezen?' mompelde hij uiteindelijk, een beetje in het niets.

'Of hoe lang?' mompelde moeder.

De week daarop kwam vader elke dag wat later van zijn werk. De week daarna ging hij ook steeds vaker een blokje om. De kringen onder zijn ogen werden met de dag donkerder. Hij werd grijzer, niet in zijn haar maar in zijn gezicht.

'Albert,' begon moeder op een avond na de zoveelste uitbarsting. 'Denk je niet dat het misschien beter zou zijn als...'

'Het is per slot van rekening bijna haar verjaardag,' vulde vader gewillig aan.

Puberteit zou Alex één zangles en één dansles per week opleveren.

Met de moed der wanhoop dankte Albert God op zijn blote, pijnlijke knieën dat de verjaardag niet ver weg meer was.

Van die verjaardag af aan leek Puberteit genezen. De duivel was verbannen, Alex was terug in haar socialere variant. Elke zaterdagavond, net voor de familie aan tafel zou gaan, deed de knal van de voordeur de borden even van het lichtblauwe tafelkleed opspringen.

'Ik ben er!' kwam Alex de huiskamer binnengestormd.

Alsof iemand het had kunnen missen.

'Willen jullie het zien?'

Elke nieuw geleerde les werd ceremonieel geshowd. Alex wiegde, sprong en danste, en na verloop van tijd ook nog in de maat. Vader en moeder leefden mee zo goed ze konden en offreerden een tandenknarsend applaus.

Alex boog diep en stralend.

'Zie je wel, pap, niks mis mee!'

'Nou!' wist hij nog net uit te brengen.

Op het moment dat hij Alex' voetstappen op de trap hoorde (die naar haar kamer ging om nog meer te oefenen), viel zijn hoofd in zijn handen. Het viel hem zwaar om achter zijn oudste dochter te staan terwijl zij omarmde wat hij hekelde.

'Goeie god, wat wil ze van me?' smeekte hij Emma alsof zij de wijsheid in pacht had.

Op Emma maakte de situatie een tamelijk ideale indruk: Alex was blij, moeder was blij. Vader op bepaalde momenten niet, maar daar kwam hij vast en zeker overheen.

'Ja, pap, ik vind het ook vreselijk,' zei ze om hem te steunen.

Het leek zo voor allemaal de beste oplossing.

Het moest een keer misgaan, en dat ging het ook goed.

Alex' dansschool zou een 'straatversie' van *West Side Story* opvoeren voor hun eindejaarsvoorstelling.

'Naar een compilatie van het werk van Madonna,' las moeder de uitnodiging hardop voor.

Vader kreunde zacht. Het gebonk dat door het plafond kwam klonk nu al wekenlang onophoudelijk en hij waagde het niet te vragen of het wat stiller kon. Moeder leende twee paar oorbeschermers van de buurvrouw van nummer 120, wier man stratenmaker was geweest.

Vader en moeder zagen er buitenaards en verloren uit als ze met de Maagdenburgse halve bollen op hun oren door het huis liepen. Vader had zich op de komende voorstelling voorbereid door in alle kalmeringsmiddelen die legaal te verkrijgen waren te investeren. Het mocht niet baten.

Op een vrijdagavond kwam Alex de woonkamer binnengedenderd en seinde naar haar ouders dat ze de oorbeschermers moesten afzetten.

'Ik ken het allemaal uit mijn hoofd! De volle vijfenveertig minuten!'

Vader stootte zijn thee omver.

'Willen jullie het zien?'

Terwijl Alex de eettafel opzijschoof om meer plaats te maken, wierp vader Emma hulpbehoevende blikken toe. Maar er was niets wat zij, of wie dan ook, voor hem kon doen.

'Klaar!'

Alex had haar vinger op het playknopje.

'Vergeet niet dat ik Tony ben.'

Moeder keek verbaasd.

'We hebben geen jongens op de dansschool.'

Haar wijsvinger drukte de knop naar beneden.

'BORDERLIIIIINE!!!' klonk er uit de machine. 'FEELS LIKE I'M GOING TO LOSE MY MIIIIND!!!'

Er is iets mis met de cassetterecorder, dacht Emma. Maar Alex leek het niet te merken. Terwijl de ader op vaders voorhoofd groeide, zwaaide Alex met haar armen boven haar hoofd, haar heupen draaide mee in tegenovergestelde richting.

'KEEP PUSHING ME, KEEP PUSHING ME, KEEP PUSHING MY LOOOOOVE!!!

Moeder was óf in shock, óf ze had te veel van vaders pilletjes genomen. Emma vroeg zich af hoever vaders ader nog zou kunnen opzetten voordat hij zou barsten.

Hij is er niet klaar voor, bedacht Emma zich terwijl ze haar vader paars zag aanlopen. Het is te lang, vijfenveertig minuten. Dat houdt hij nooit vol.

Na de langste drieëndertig minuten van zijn leven, verloor Albert zijn zelfcontrole. Hij gooide zijn armen in de lucht en riep desperaat: 'Mijn god, hoe kunnen we haar op zijn minst acceptábel maken?'

Alex stond direct stil. Haar grote blauwe ogen ontmoetten zijn grijze, en allebei staarden ze elkaar vol ongeloof aan over wat er zojuist was gezegd.

Alex was *onacceptabel.*

Vanaf dat moment zou ze er alles aan doen om in ieder geval op dat domein het allerbeste te worden.

Alex liep met Emma mee naar haar school. Met de slaap nog in hun ogen wandelden ze langs het veld, over de brug van de sloot met de treurwilg, het laantje naar het schoolplein in, hun jassen te dun om hen tegen de wind te beschermen. Emma voelde de zenuwen opkomen met elke stap die ze zette. Ze vond de school op zich niet eng, maar wel de leerlingen die erop zaten. De andere leerlingen vonden haar maar raar. Het was het luchtvioolspelen, de vioolplek, het tikken van haar vinger en de onafscheidelijkheid van haar viool die haar anders maakten dan de anderen, en op de middelbare school betekende anders: alleen. Dat zou vanzelf wel overgaan, had moeder gezegd. Alleen wist ze nooit te vertellen wanneer dat nou precies zou zijn. Emma dacht er niet te veel over na. Dat was maar beter.

Ze sloegen het hek om. Een half dozijn jongens stond bij het poortje voor het schoolplein. Emma's hart begon te kloppen in haar keel. De jongens speelden niet, zag ze. Ze stonden daar maar wat te staan. Dreigend.

Met angstig opengesperde ogen keek ze naar haar grote zus. De jongens blokkeerden de weg naar school. Als ze terug naar huis zouden rennen, zouden de jongens hen vast en zeker achternakomen. Alexandra aaide zachtjes over Emma's hand, die nu krampachtig om de hare was gespannen.

'Het zijn net honden,' fluisterde ze Emma in het oor. 'Nooit laten zien dat je bang bent, dan komt alles goed.'

Praktisch grommend was Alexandra doorgelopen.

Een van de jongens stuiterde onheilspellend met een bal. Een ander joch met gemeen stekelhaar en een skateboard nam plotseling een grote stap in hun richting.

Emma's maag draaide zich om. Haar nekspieren verkrampten zich tot twee dunne, botachtige pezen die uit haar vlees staken. Haar kin trok in een stuip naar haar schouder, nog verder dan normaal.

'Hé, Spast, waar moet je...'

Nog voordat hij zijn zin kon voltooien, had Joris de Wild een tand door zijn lip.

Emma zou nooit meer Spast worden genoemd.

Alexandra kreeg een week huisarrest.

Geen wonder dat het leven niet zo logisch leek.

Nieuwe ronde, nieuwe kansen

Toen Emma met de middelbare school begon kende ze het gebouw al vrij goed. Ze was vaak genoeg met haar moeder mee geweest om onderweg terug van vioolles Alex op te halen. Destijds had ze het al indrukwekkend lelijk gevonden, de oneindige hoeveelheid opeengestapelde grijze bakstenen. Het gebrek aan fantasie was bijna beledigend. Emma kon zich niet voorstellen dat ze hier de komende jaren zou rondlopen. Of dat haar vader in deze holle lokalen zijn liefde voor de muziek moest overbrengen.

Hij had haar gevraagd om voor de eerste les haar viool mee te nemen zodat ze haar klasgenoten zou kunnen laten zien dat er meer op aarde was dan popmuziek.

'En Emma, wat ga je voor ons spelen?' had hij gevraagd.

'Bach, meneer,' had ze geantwoord, alsof ze hem niet kende, laat staan dat hij haar vader was.

Ze liep naar voren. Tweeëntwintig onbekende gezichten staarden terug. Voor Emma waren het tweeëntwintig blanco vellen, tweeëntwintig kansen om nieuwe vrienden te maken. Of liever, tweeëntwintig kansen om één vriend te maken. Als ze hun nou maar kon laten zien hoe mooi de viool was en niet een suf instrument zoals sommigen dachten, dan schatte ze haar kansen best goed in. Ze deed het bovenste knoopje dicht van haar favoriete grijze vest, dat zo geweldig paste bij de donkergroen geblokte rok-met-gesp (net als bij Alex) die ze van moeder had gekregen.

De eerste tonen klonken door het lege lokaal. Ook al speelde ze al meer dan de helft van haar leven, het verschil in akoestiek van ruimtes bleef haar fascineren. Nog even gluurde ze door haar wimpers om haar vaders reactie te peilen (trotse glimlach, hand licht in de lucht dirigerend), sloot haar ogen en speelde alsof haar leven ervan afhing.

De conciërge keek verwonderd op toen hij de zuivere tonen door het verlaten binnenplein hoorde weerkaatsen. Hij legde zijn werk aan een verrot kozijn neer en zegende de dag voor dit kleine wonder, dat hem aan de schoonheid van het leven herinnerde.

Een laatkomer kwam door de poort rennen. Haar spijkerrok werd bijeengehouden met grote veiligheidsspelden, haar voeten waren in legerkistjes gestoken en haar gezicht was rood aangelopen van vergeefse inspanning. Ook het meisje hield pas op de plaats toen ze de noten opving die uit het halfopen raam ontsnapte. Tot de conciërges verbazing deed ze zelfs een paar stappen naar achter, tot ze helemaal tegen de kantineruit aanstond en ze het hoger gelegen muzieklokaal in kon kijken.

De magie van muziek, lachte hij in zichzelf, terwijl hij diep in de zakken van zijn blauwe overall reikte voor zijn sigaretten.

Ook al werkte hij al jaren op het Pasteur College, hij kon nog steeds genieten van die kinderlijke nieuwsgierigheid, die prachtige spontaniteit die de meeste volwassenen hadden verloren. Hij pakte een sigaret, stak hem aan en inhaleerde. Hij zag niet hoe de lippen van het meisje het woord 'shit' vormden toen ze op de eerste etage een schim zag meedeinen.

'Nou, het feest kan beginnen. Niet alleen is-ie muziekleraar, hij is ook nog eens mijn zusje vreselijk voor lul aan het zetten,' mompelde Alex terwijl ze de school in liep.

De conciërge leunde tegen de muur, sloot zijn ogen en genoot tot de laatste toon vervloog. Toen alles stil bleef trapte hij zijn sigaret uit en keek hij naar de laatste rookwolkjes die in de heldere lucht waren getekend.

Soms kwamen cadeautjes uit het niets.

En compleet voor lul stond Emma. In een lokaal met tweeëntwintig onschuldige kinderhoofdjes op de rand van de puberteit gold de wet van de sterkste, en in klas 1c besloot Camiel Kuiper (een alfajongen met stekeltjes en een broek waar drie alfajongetjes in pasten) dat viool volslagen ruk was. Emma was kansloos. Op de allereerste dag van haar middelbare-schoolcarrière was Emma tijdens het eerste uur al bestempeld tot nerd, tot huppelkut, tot loser. Er waren wel twee meisjes geweest die haar hadden toegefluisterd dat ze het heel mooi hadden gevonden, maar verder reikten hun suïcidale neigingen niet.

Alex daarentegen vond school heerlijk. Parmantig liep ze over het schoolplein, trots op de status die ze de afgelopen jaren had verworven.

Ze waren al drie jaar niet meer naar dezelfde school gegaan, Alex en Emma, omdat Alex de laatste twee jaar lagere school in één jaar had gedaan.

Het was alsof Alex in die tijd een persoonlijkheidsstoornis had opgelopen, merkte Emma al snel. Op school leek ze een compleet ander mens dan thuis. Zelfs fysiek, heel merkwaardig. Het was je reinste schizofrenie. Thuis was haar lichaam normaal. Op school stond het de hele tijd op scherp, in bochten gewrongen, iedere spier gespannen. Met haar schouders naar achter getrokken en haar adem ingehouden leken haar borsten minstens één cup groter. Haar silhouet had het figuur van een viool, haar heupen wiegden, haar billen staken vrolijk af bij haar holle rug.

Emma kende verhalen van violisten die door hun instrument zo volledig waren vergroeid dat ze geen pijn meer leden. Alex vergroeide de andere kant op als ze niet thuis was. Achterover, in een vogelnestje. Best mooi.

Alex' aanwezigheid leek er ook door gegroeid, niet alleen wat betreft haar lengte of borst- en bilpartij. Als ze de kantine in liep of het schoolplein op kwam draaiden alle hoofden, wat wonderen deed voor haar zelfverzekerdheid. Of haar zelfverzekerdheid deed wonderen voor haar uitstraling, het was moeilijk te zien wat je kip of ei moest noemen.

Alex kon extreem goed leren, iets wat normaal gesproken niet stoer was, maar omdat ze er werkelijk niks voor deed was het dat juist weer wel. Ze won op iedere sportdag, zong in de schoolband en organiseerde schoolfeesten.

Emma keek met verbazing toe hoe Alex zich van het ene semester naar het volgende lachte. Was het door participatie dat een mens gelukkig werd? Door midden in het leven te staan in plaats van aan de zijlijn? Dat zou ze zich tijdens de vijf jaar dat ze op de havo zou zitten steeds weer afvragen.

Een zoete thuiskomst

Lange krullen stoom stegen van de Wedgwood-kopjes naar het beschimmelde plafond van Kerstins appartement. Emma probeerde zich te concentreren op wat dan ook om te ontsnappen aan de chaos in haar hoofd. De angst dat ze na de havo niet tot het conservatorium zou worden toegelaten, kwelde haar al maanden. Ze had de kwestie bij haar vader ter sprake gebracht, maar hij had haar zorgen niet weggenomen, integendeel, hij had gezegd dat ze zich terecht zorgen maakte.

De groef tussen Emma's wenkbrauwen werd dieper. Niet alleen zou ze drie of vier auditierondes met verschillende juryleden moeten overleven, ze zou ook voor een van de schaarse beurzen moeten strijden. Als dat niet lukte was alles voorbij. Een leven lang studeren vergooid.

'Kerstin, mag ik je iets vragen? Iets over het conservatorium?'

De lerares greep naar de theepot en schonk de kopjes in lange stralen in zonder een druppel te morsen.

'Muziek wordt niet onderwezen door een school,' zei Kerstin. 'Het zijn niet de stenen die jou leren hoe je je strijkstok moet vastpakken. Het is de leraar die belangrijk is, dát is degene die zijn handtekening op jou zal achterlaten.'

Emma wist dat allang, maar ze was te beleefd om dat te zeggen.

Kerstin zette de theepot langzaam weer neer.

'Je moet nu toch zeker al wel iemand in je hoofd hebben.'

Emma staarde naar de broodkruimels op het aanrecht.

'Bock,' zei ze dromerig.

'Gustav Bock, de virtuoos?'

Emma knikte. De term virtuoos werd vaak te makkelijk gebruikt, maar in het geval van Gustav Bock kon niemand de benaming weerspreken. Hij had in alle grote zalen opgetreden, van Carnegie Hall tot

The Royal Albert, en hij was de enige die door de zeer gevreesde muziekcriticus Terlouw 'briljant in elke streek' werd genoemd.

Als leraar daarentegen hulde hij zich in mysterie. Hij nam een maximum van twee studenten per jaar aan. Soms geen een.

'Misschien moeten we maar wat extra lessen inplannen tot je toelatingsexamen.'

Vanaf die dag fietste Emma elke avond na het eten voor extra begeleiding naar Kerstins flat. Uren achterelkaar speelde Kerstin riedeltjes op de piano die Emma moest naspelen om haar oor te oefenen. Het had de amusementswaarde van het tellen van het aantal grassprieten op een voetbalveld, maar ze deed liever te veel dan te weinig.

'De grote fout die de meeste kandidaten maken is de techniek onderschatten,' zei Kerstin telkens weer. 'Vergeet nooit je techniek.'

Samen zochten ze de auditiestukken uit die ze zouden voorbereiden. Emma moest zichzelf dwingen om haar werk voor het Pasteur College niet te vergeten. Ze moest minimaal een zes voor haar wiskunde hebben, want dat was een vereiste voor de solfègelessen. Sowieso moest ze haar havodiploma halen. Als iemand uitgesproken goed was wilde de jury nog wel eens een oogje dichtknijpen, maar daar kon ze niet van uitgaan. Ze had nog twee maanden om haar wiskundecijfer te verbeteren.

Het gebouw van het Haags Conservatorium was ongelofelijk. Emma had haar hele gewicht tegen de deur gezet. Met open mond stond ze bij de receptie.

'Gaat het wel goed?' vroeg de receptioniste.

'Ik kom voorspelen,' mompelde Emma.

De receptioniste wees naar een leeg bankje. 'Ga daar maar zitten. Ik haal even een glaasje water voor je.'

Emma deed wat haar werd gevraagd.

Waar is Kerstin in vredesnaam? schreeuwde ze inwendig. Kerstin zou haar op de piano begeleiden. Ze veegde een paar zweetdruppels van haar voorhoofd.

Banjo en Fiddle was een vrolijk stuk, dat in compleet contrast stond met het stuk dat ze daarna zou uitvoeren: Beethovens Opus 13 nummer 3. Helaas stond het ook in compleet contrast met haar emotionele toestand.

De klok tikte door. Nog zevenentwintig minuten.

Drie studenten wandelden vrolijk pratend voorbij. Ze hadden buitenlandse accenten en ze droegen alle drie een fluithouder. Een mooi meisje met krullen en een strak leren jack liep langs en glimlachte naar Emma, schijnbaar ongehinderd door het enorme gewicht van de cello op haar rug. Een Aziatische jongen liep naast een grofgebouwde kerel met een arafatsjaal en legerkistjes, beiden met balen partituren onder hun armen geklemd. Terwijl ze de hoek om liepen zag Emma dat hij eenzelfde vioolplek in zijn hals had als zij.

Terwijl ze daar zat, voltrok haar droom zich aan haar. Alle aanwezigen deelden hun passie, het belangrijkste in hun leven. Zelfs het gebouw leek het te eren, een diepgaande liefde voor muziek.

De eerste twee ronden waren redelijk meegevallen. Ze had ter plekke te horen gekregen dat ze door was naar de volgende ronde. Het waren de rondes daarna die een pure hel zouden zijn, had ze zich laten vertellen. Van de tweehonderd kandidaten die door de eerste twee rondes waren gekomen, zouden er slechts twintig worden aangenomen. Maximaal acht van hen zouden een studiebeurs krijgen en minder dan de helft van die acht een hele beurs.

Voor ronde drie was Emma met knikkende knieën binnengekomen.

Het enige bekende gezicht was dat van Steman, het hoofd van de strijkers. Hij zat op zijn vaste plek achter de jurytafel. De rest van de juryleden was nieuw.

'Dag Emma, fijn dat je er weer bent,' zei Steman, opkijkend van zijn papieren. 'En mevrouw Van Pol, wat plezierig te zien dat u nog steeds zo bent begaan met uw studenten.'

Emma hoorde een deur achter zich opengaan.

'Is iedereen gereed voor aanvang?' klonk een kille en monotone stem.

Emma draaide zich om, nerveus omdat ze de man die ze haar leven lang had verafgood in levenden lijve zou zien. Bock stond nog in de deuropening, maar de sfeer in de ruimte was al totaal veranderd. De zenuwen kropen in Emma's botten, in haar vlees en haar vingers. Nog voordat ze haar viool op haar schouder plaatste wist Emma wat er zou gebeuren: dit was de belangrijkste uitvoering van haar leven en die zou ze zo direct finaal verknallen.

Iedere dag dat de envelop met de uitslag weer niet door de bus kwam leken de fouten die ze had gemaakt onoverkomelijker. Ze kon zich haar eigen stupiditeit maar niet vergeven.

Je had Bock nooit moeten kiezen, sprak ze zichzelf keer op keer toe. Hij heeft Gunter Kennas en Sophie-Ann Miller lesgegeven! Wie denk je wel niet dat je bent?

Dertig eindeloze middagen later lag er een brief voor haar op de tafel. Aan haar persoonlijk geadresseerd, voor de allereerste keer. Vader en moeder zaten ernaast, starend naar de envelop. Ze hadden duidelijk moeite moeten doen de brief niet open te scheuren, ze zagen er bezweet en bezeten uit. Emma slikte. Hoezeer ze ook naar de brief had verlangd, nu wilde ze hem liever ongeopend de open haard in smijten.

De briefopener die moeder had aangereikt, gleed soepel door de envelop. De dunheid van het papier verraste haar, het voelde te nietig om zulk belangrijk nieuws te bevatten. Emma haalde diep adem terwijl ze de brief openvouwde en haar oog over de letters liet glijden. Daar was het dan: haar leven, haar lot. Afgedrukt op een lullig stukje papier. Ze sloeg de eerste beleefdheidsregels over, probeerde zich niet aan haar vader te storen die ongeduldig aan haar arm trok, en zocht naar de fatale dan wel verlossende woorden.

Daar stond het dan, in de laatste alinea. Ze perste haar lippen hard op elkaar. Tranen welden op, maar bleven hoog in haar ogen staan. Ze draaide zich om naar haar ouders, stak haar armen uit en stortte zich opgelucht in hun omhelzing.

Een half uur later en volledig buiten adem kwam Emma aan bij de Sexy Piano's. Ze smeet haar fiets tegen de hoek van het pand. Snel liep ze naarbinnen, ternauwernood een plakkaat kots ontwijkend.

Het was alweer twee jaar geleden dat Alex had besloten dat negen eindexamenvakken voor het gymnasium wel voldoende waren geweest en dat ze haar geluk was gaan beproeven in de werkende wereld. Moeder had gepuft en gesteund.

'Wat wil je gaan dóén dan, als je niet verder wilt leren? In een króég werken?'

Een idee was geboren.

De uitverkoren bar was de Sexy Piano's. Alex bleef formeel wel thuis wonen, maar ze was er nauwelijks, maakte geen deel uit van het huishouden. Het was haar pied-à-terre voor het geval ze niet op haar werk was of logeerde bij een vriendin.

Ze vond het heerlijk bij de Sexy Piano's. De bar had zijn naam te danken aan de piano die in de hoek stond. Een microfoon ernaast gaf de eigenaar iedere avond de kans zijn ambities te verwezenlijken. Hij kon niet zuiver zingen, maar wel heel hard. Het publiek zong gelijkgestemd mee. De barmeisjes mochten om beurten in het achtergrondkoortje plaatsnemen. Het verhaal deed de ronde dat er geregeld talentscouts kwamen kijken.

Emma knipperde met haar ogen om ze aan de rook te laten wennen. Al was het nog geen half acht, in de Sexy Piano's leek het altijd ver na middernacht. Emma klemde de brief nog dichter tegen haar spijkerjasje aan en baande zich een weg naar de piano.

'Oeh-a, oeh-a, oeh-a,' hoorde ze haar zus nog voordat ze haar zien kon.

'Pardon,' zei ze terwijl ze zich langs twee forse blondines met dito permanent drukte.

Door de gasten heen zag Emma haar zus staan, naast de piano. Haar spijkerbroek was afgeknipt tot onbehoorlijke hoogte, het 'Sexy'-T-shirtje, dat door de vochtige hitte transparant was geworden, had ze hoog in tegenovergestelde richting opgeknoopt.

'Oeh-aaaah! Oeh-aaaah!'

De collega naast Alex leek eerder een orgasme te hebben dan te zingen.

Emma wachtte angstvallig tot Alex haar blik zou vangen. Lang zou het niet duren, wist ze. Het was als het spotten van een non in een Hell's Angels bijeenkomst. Inderdaad zag Alex haar al snel. Trots zwaaide Emma het papier boven haar hoofd.

Direct liet Alex haar multiorgastische collega alleen achter en rende op haar zusje af. Alex' armen om Emma heen waren warm en nat, ze drukte de adem uit haar longen.

'Je hebt 't 'm geflikt, wijfie, je hebt 't 'm geflikt! O, ik ben zo waanzinnig trots op je!' Alex hield Emma's gezicht stevig vast.

De blauwe ogen waren bloeddoorlopen en ze had een behoorlijke Bacardi-en-asbakkegel. Een nieuw nummer begon. Alex gaf haar nogmaals een zoen.

'Dit is mijn laatste nummer. Daarna moet ik weer achter de bar!'

Twee mannen met leren blazers, tatoeages en grote snorren stootten haar aan.

'Is dat zo, schat, moet je zo weer achter de bar?'

Alex draaide zich om en wierp hun een speelse lach toe.

'Of erop.'

De mannen joelden.

Emma keek toe terwijl Alex achter de microfoon ging staan. Ze hield zo godsgruwelijk veel van die griet.

Maar voor het eerst in haar leven had ze niet terug kunnen zeggen dat ze ook trots op haar was.

Een betere plaats dan die die ze aan het conservatorium had toegewezen gekregen, had ze niet kunnen wensen: in de basisopleiding, als student van de befaamde Gustav Bock. De eerste keer dat ze zijn bureau binnen was gelopen, hadden haar handen zo getrild dat ze haar viool bijna had laten vallen. Bock had stoïcijns achter zijn bureau gezeten, zijn handen gevouwen, met niets dan een volmaakt symmetrisch geplaatst vel voor zich. Voor de muren waren aan weerszijden boekenkasten geplaatst die waren gevuld met partituren, boeken en transcripties, allemaal gerangschikt op alfabet. Niets, niet het kleinste object, leek misplaatst.

Bock mocht dan al ver in de zeventig zijn, hij maakte onverminderd aanspraak op de eretitel De Kolonel, die hij minstens veertig jaar geleden had verworven. Immer gekleed in een legergroene pantalon en tot perfectie gesteven overhemden marcheerde hij door het conservatorium alsof hij de troepen inspecteerde.

'Uitmuntendheid is het enige waar we naar kunnen streven,' had hij als welkomstwoorden gesproken. De blikachtige toon van zijn stem trilde hard door. 'Perfectie kan niet worden bereikt en het streven hiernaar kan enkel leiden tot ongenoegen. Uitmuntendheid laat ruimte voor imperfectie, maar kan alleen met honderd procent inzet worden behaald. Ben jij bereid om tot het uiterste te gaan?'

Het was de gemakkelijkste vraag die Emma ooit had moeten beantwoorden.

Het waarmaken was een ander verhaal. Naast haar lessen studeerde ze minimaal zes uur per dag om eelt te kweken zodat haar vingers niet zouden bloeden tijdens zwaar vingerwerk. Ze speelde van zonsopkomst tot zonsondergang. Wanneer ze dacht dat haar strijkarm eraf zou vallen en de kootjes in haar linkerhand zouden exploderen beet ze door. In de weinige uren slaap die ze kreeg droomde ze van studeren.

De enige keer dat ze aan Bock vroeg of ze het ietsje rustiger aan mocht doen, spuwden zijn ogen woede.

'Waag het niet,' zei hij. Hij klonk meedogenloos. 'Je hebt gezegd dat je je honderd procent zou inzetten. Was dat een leugen?'

Emma slikte en schudde van nee.

'Wat was het dan? Als je het mij vraagt zit je nog niet op de twintig procent van de inspanning die je zou kunnen leveren.'

Emma was met stomheid geslagen. Ze werkte nu al drie maanden dag en nacht, hoe zou ze in hemelsnaam nog beter haar best kunnen doen? Bock keek haar lang en strak aan.

'Als ik je nog één keer hoor klagen, krijg je een spreekverbod.'

Om zich heen zag ze mensen vriendschappen vormen. Emma had geen flauw idee waar ze de tijd vandaan haalden. Ze volgde een aantal gezamenlijke lessen met andere studenten, wat ze erg prettig vond. Ze kende nog niemand echt persoonlijk, maar de meesten leken vriendelijk en glimlachten altijd terug als ze haar blik opvingen.

Tijdens de pauzes bestudeerde ze partituren, na de lessen rende ze naar de trein om zo snel mogelijk thuis verder te kunnen studeren. Vriendschappen komen nog wel, dacht ze. Aan het eind van het eerste jaar zou er een heel aantal studenten moeten afvallen en ze ging er alles aan doen om niet een van hen te zijn.

'Steman wil je in zijn bureau zien,' blafte Bock een aantal weken later na een les.

Het bloed trok weg uit Emma's gezicht. Waarom wilde het hoofd van de strijkers haar in vredesnaam zien?

Langzaam liep ze door de gang. Ze klopte op de deur. Steman deed open. Zijn shirt hing uit zijn broek en zijn donkere krullen dansten zoals altijd om zijn gezicht. Zijn groene ogen lachten haar toe.

'Emma, kom binnen en ga zitten. Ik hoop dat je een goede dag hebt gehad.'

Ze ging zitten op het uiteinde van de stoel, het enige deel dat niet was bedekt met papier, en ze knikte. Steman draaide zich naar de muur, hij leek iets te zoeken.

'Hoe je dag ook is geweest, hij wordt beter. Dat oude jammerhout van je kun je gedag zeggen.'

Onwillekeurig greep Emma het instrument op haar schoot vast.

'Met alle respect, maar wacht maar tot je deze ziet. De school heeft besloten je een viool te lenen zolang je hier studeert.'

Hij legde een vioolkist voor haar op het bureau. Emma's kaak viel naar beneden.

'Het in een Gagliano, honderdvijftig jaar oud, bespeeld door Defray en Croft. De geschatte waarde is vierhonderdduizend gulden. Bock en ik vonden dit instrument beter bij je talent passen.'

Emma reikte naar de kist met trillende vingers. Het hout was donker en verfijnd, de nerven liepen als flinterdunne banen van boven naar beneden.

'Je mag 'm openmaken!' lachte Steman.

Ze opende de kist en liet haar handen van de gladgelakte buik naar de ebbenhouten hals glijden, over de rug en nek. Ze keek op naar Steman. Deze Gagliano was schitterend. Van grotere waarde dan geld ooit zou kunnen uitdrukken.

Ze had een paar dagen nodig voordat ze erop durfde te spelen.

Daarna nog geen seconde om hem nooit weer los te willen laten.

Die middag liep ze naar de kantine voor de middagpauze, haar nieuwe viool trots onder haar arm, toen ze een groepje eerstejaars een muziekspel zag doen in de hal. Ze stopte een paar meter van hen vandaan en keek toe hoe een viool 'sprak' tegen een gitaar, die op zijn beurt 'antwoordde'. De toeschouwers moesten raden wat er werd gezegd en degene die het dichtstbij kwam kreeg de beurt in het midden van de kring. Emma herkende Vicky McDonald, een dwarsfluitstudente uit Schotland met een gezicht vol sproeten, die bij haar in de solfègeles zat. Vicky was een bijdehandje, zo'n meisje dat mensen op een natuurlijke manier leek aan te trekken.

Emma zag dat Vicky knipoogde naar Gert terwijl ze haar dwarsfluit langzaam en verleidelijk bespeelde. Gert, een bariton, sloeg zijn ogen neer en antwoordde neuriënd dat hij zich gevleid voelde, maar dat hij van de herenliefde was.

Emma gooide het antwoord eruit voordat iemand anders er kans toe kreeg.

Even was het stil. Vicky begon te lachen en anderen deden met haar mee. Emma's bloed trok weg uit haar gezicht. Ze wist wat het was om uitgelachen te worden. Maar híér. Om híér uitgelachen te worden.

Een hand greep haar bij de schouder er trok haar de cirkel in. Angstig keek ze op. Alex, schoot het door haar hoofd. Alex was er niet om haar te beschermen.

Ze knipperde, maar zag niets dan vriendelijke en lachende gezichten. Alles werd weer wazig. Haar kin begon te trillen.

Dus zo voelde het om ergens bij te horen.

Superstar

'Alex aan de telefoon!' schalde het door het trappenhuis.

Emma legde haar viool op het bed. Ook al was ze met haar eenentwintig jaar al hoog en breed volwassen, als haar moeder riep reageerde ze altijd direct. Voor de duizendste maal wreef ze in haar linkeroog. De hele ochtend al werd het geplaagd door snelle kloppende trekjes, sinds Bock haar had verteld dat haar schouderpositie gespannen was. Geïrriteerd liep ze naar beneden.

Als vierdejaars met nog maar zes maanden te gaan voor haar eindspel zou ze zwaar aan de valium moeten om überhaupt te ontspannen. Om de situatie te verergeren had ze Bock ook nog eens een Caprice voorgespeeld. Al in de vierde maat had ze een fout gemaakt.

Een stemmetje in haar hoofd klonk zo meedogenloos als de noot vals was geweest.

Een gespeelde noot kun je nooit herkansen.

'Kies een getal onder de tien,' had Bock geblaft.

Iedere noot is belangrijk.

Simpele noten maken een concert.

'Negen,' had ze dapper geantwoord, zich er terdege van bewust dat ze het stuk nu negen maal op een rij perfect zou moeten spelen.

Tegen het eind van de les liepen zoute stromen van frustratie over haar wangen. Bock keek haar nog steeds aan met zijn eigen unieke gebrek aan compassie.

'Je hebt er acht perfect gedaan,' begon hij geïrriteerd.

Emma knikte. 'Met nog maar twee semesters te gaan kan ik me geen fouten meer veroorloven, ik weet het.'

Bock haalde zijn schouders op. 'Wat is een fout?'

Een D in plaats van een C vond ze wel een goeie.

'Hier bestaan geen fouten. Hier bestaat alleen muziek. Als je nooit fouten maakt speel je niet. Ik zeg het altijd in mijn eerste les en ik heb het ook tegen jou gezegd: streef niet naar perfectie, je zult de rest van je leven gefrustreerd zijn. Streef naar uitmuntendheid, meer kunnen we van onszelf niet vergen. Geef jezelf die ruimte. En neem af en toe eens een dagje vrij. Leef eens een beetje. Het zal je een beter musicus maken.'

Moeder stond onder aan de trap met de telefoon in haar hand.

'Ja, hoi,' sprak Emma in de hoorn.

'Ik heb het gedaan!' krees het in haar oor. 'Ik heb het gedaan, ik heb het gedaan! En ik mag langskomen!'

Emma had geen flauw idee waar Alex het over had.

'Die aankondiging op televisie! Die talentenjacht, *Superstar*! Maar je moet wel mee! Ik ga niet in mijn eentje!'

De eerste vrije dag had ze vlak na Bocks aanraden genomen om Alex naar haar auditie te vergezellen. Terwijl ze buiten naast haar zus in de stromende regen stond te verkleumen had ze zich afgevraagd hoe dit haar nou een beter musicus zou kunnen maken. Ze waren veel te vroeg bij de voorselectie voor *Superstar* aangekomen, wat niet wegnam dat honderdveertig kandidaten hen voor waren. Toen de deuren eindelijk opengingen leek de rij achter hen een stoet verzopen katten. Allemaal even bereid om in wind en regen te wachten teneinde hun dromen publiekelijk de grond in te laten boren.

Een lekker luchtig programma voor de zaterdagavond, had Emma nog gedacht. Toch popelde ze tien weken later uitgesproken onluchtig om het resultaat op televisie te zien.

'Pap, mam, willen jullie vanavond dit programma met mij bekijken?' vroeg ze op een stil moment.

Vader keek enthousiast op vanachter zijn *Volkskrant*.

'Natuurlijk,' antwoordde hij. 'Is het een uitzending over muziek?'

'Ja. Een talentenjacht.'

Vader legde de krant neer.

'Goh, zenden ze weer concoursen uit op televisie? Nou, het is beter dan niks, zullen we maar zeggen. Maar je weet hoe ik denk over een concours: niets dan commercie!'

'Nee pap, het is geen concours. Het is een talentenjacht.'

Vader keek haar niet-begrijpend aan.
'Het is geen klassieke muziek,' legde Emma uit.
'Geen klassiek? Hoe bedoel je, het is geen klassiek?'
'Er zijn meerdere vormen van muziek dan klassiek, pap.'
Ook dat concept wilde er niet in.
De klok wees bijna acht uur aan en Emma liep naar de televisie om hem aan te zetten.
Moeder kwam binnen met een schaaltje borrelnootjes. Ze vond het wel gezellig, zo'n avondje televisie kijken. Een mooie roodharige dame staarde in de camera en de houding van haar copresentator leek erop te wijzen dat er iets baanbrekends ging plaatsvinden.
'Ik begrijp niet waarom jij bent geïnteresseerd in dít soort programma's,' zei vader alsof Emma hardcore fetisjistische porno had aangezet. Er waren beelden van de rij wachtende kandidaten in de stromende regen, die heel snel werden afgewisseld met mensen op een witte stip die vreselijk vals zongen.
'De verloedering van de samenleving,' mompelde vader.
Ineens begreep Emma waarom Alex ervoor had gekozen de uitzending niet bij haar ouders te bekijken.
'Pap, alsjeblieft,' sprak ze hem bestraffend toe.
'Het lijken wel hoeren.'
'Genoeg!'
Geschrokken hield vader zijn mond. Gelukkig maar. Alex moest nog opkomen. En gedachten leken altijd meer waarheid aan te nemen wanneer ze werden uitgesproken.
Moeder maakte net aanstalten om voor iedereen nog wat in te schenken toen Alex via de televisie de huiskamer in kwam en hun gezin bij verstek completeerde.
Emma schoof iets dichter naar de buis toe.
Daar stond ze dan. Alex. Op de geduchte stip. Haar korte rokje cirkelde om haar benen, de felgekleurde, gestreepte kousen sprongen de beeldbuis af als twee vleesgeworden testbeelden.
Moeders adem stokte.
'Dat lijkt wel... dat is... dat is Alex!'
Even was het stil.

'Waarom heeft ze niets gezegd?'

Het antwoord zou in één zin kunnen worden gegeven, maar die had waarschijnlijk tot een avondvullende discussie geleid.

Gevangen in een notenhouten televisiekastje keek Alex de jury gespannen aan. Haar felblauwe ogen fonkelden, haar zwarte haren sprongen wild alle kanten op. Keurig zei ze de jury gedag.

Het was vreemd om haar zus op tv te zien. De televisie was een plek voor beroemde mensen, voor politici, acteurs, zangers, de koningín – niet voor zussen.

'Begin maar...' knikte de man links haar toe.

Alex had weinig aanmoediging nodig.

'I...' haalde ze uit, donker en krachtig, om daarna sensueler te vervolgen, 'think I'm falling.... in looooove... with you...'

Schijnbaar moeiteloos zong Alex door. Ze knipte met haar vingers, wiegde mee met de muziek. Ze deed niet te veel maar ook zeker niet te weinig.

De laatste tonen ebden weg en namen Alex' nieuwverworven rust met zich mee. Emma wilde dat ze de tv in kon kruipen om die versie van haar zus bij de haren te grijpen en haar daar te houden. Als een bang konijntje staarde Alex naar de jury.

'Zit je je nou af te vragen wat wij ervan vonden?' vroeg Simon, de man die de kandidaat vóór Alex had meegedeeld dat hij liever onverdoofd werd gecastreerd dan hem nog langer aan te horen.

Emma zag Alex slikken.

'Je gaat toch niet huilen?' vroeg jurylid Mari, haar gezicht te strak voor haar jaren.

'Nee,' piepte Alex.

Het derde jurylid schraapte zijn keel.

'Nou, dat is maar goed ook, want echte sterren huilen niet. En jij hebt het absoluut in je om een ster te worden.'

De jury was unaniem, Alex mocht door. Tegen het net verkregen advies in brulde ze de hele boel bij elkaar.

'De hele buurt is vast aan het kijken,' kreunde moeder.

Ze draaide zich naar Emma.

'Wist jij hiervan?'

Emma slikte en wees naar de buis. In de rechter hoek was nog net te zien hoe zij en Alex het pand verlieten, hun armen innig om elkaar heen geslagen.

'En waarom heb jij ons niet gewaarschuwd?'

Emma wist niet wat ze moest zeggen. Ze had niks verkeerds gedaan.

Of toch?

Net als gedachten, leek ook schuld een vorm van werkelijkheid te krijgen wanneer die werd geuit.

De volgende maand concentreerde Emma zich op niets dan Paganini, Beethoven, Mozart en *Superstar.* Ze keek toegewijd toe hoe Alex zich door het slagveld van de voorrondes manoeuvreerde. De jury had ook Alex er flink van langs gegeven.

'Je verveelt me,' viel Simon haar bij, op een toon alsof hij inderdaad op het punt stond van verveling te bezwijken. 'Dit hebben we nou wel gezien.'

De camera zoemde in terwijl een doodsbenauwde Alex zich probeerde groot te houden.

Simon keek haar strak aan. Geen spoortje medelijden was af te lezen van zijn onvermurwbare gezicht. De twinkeling in zijn ogen stak fel af bij zijn woorden.

'Ja, sorry hoor, maar laten we eerlijk zijn, dit is gewoon een schijtnummer! Als je iets zingt wat voor jou niet belangrijk is, dan is het dat voor ons ook niet. Ik kreeg zin om desnoods een pen in mijn oog te steken voor wat afleiding. Werkelijk waar, dit was niet te doen.'

Vader bewoog geïrriteerd in zijn stoel. Schijnbaar had een ander dan hij niet het recht zijn dochter te bekritiseren.

Vervelend genoeg werd juist dat fragment integraal uitgezonden.

'Ik ga nooit het huis meer uit. Nooit!' had ze gehuild toen Emma haar had gebeld om haar te troosten.

Toen ze eindelijk de deur wel uit móést (ze had zwarte kleurshampoo nodig), had ze Emma gesmeekt mee te gaan.

'In mijn eentje overleef ik dit niet,' had ze snotterend gefluisterd.

Ze liepen nog maar net langs de snackbar toen ze moesten rennen om de bus te halen. Buiten adem sprongen ze de bus in en doorzochten hun zakken voor kleingeld.

'*Superstar*!' riep de buschauffeur enthousiast en hij schoof de muntjes weer weg.

'Laat maar zitten, hoor,' zei hij. 'Ik heb per slot van rekening niet iedere dag de eer een beroemdheid rond te rijden.'

De zusjes giechelden, een beetje gegeneerd en een beetje trots. Met rode konen liepen ze naar het enige lege bankje achterin. Het gele gevaarte gleed tussen de velden met koeien en schapen die Eikelscha van Hul scheidden. Emma vond het altijd mooi, dat stukje.

Een mevrouw tikte Alex op de schouder. Ze droeg een geel windjack, een kopie van die van haar buurvouw.

'Laat die jury je niet uit het veld slaan, hoor, meid, je bent heel goed, vergeet dat niet!'

De dame naast haar knikte instemmend.

'Dank u wel,' zei Alex.

De bus stopte.

'Wow,' zei Emma toen ze waren uitgestapt.

'Zeg dat wel,' antwoordde Alex.

Ze liepen via het bos naar Beukenshage en sloegen het zijstraatje bij de V&D in om sneller bij de Etos te komen. Het merendeel van het winkelende publiek draaide de hoofden om naar Alex.

'Alex, Alex!' zwaaiden wat meisjes van de andere kant van de straat.

Alex zwaaide aarzelend. De zusjes liepen de Etos in en gingen naar de shampoohoek. De meisjes kwamen ook de winkel in. Voor de winkelruit stonden nog meer meisjes, te gillen of in hun handen te klappen. Eén meisje rende op Alex af, raakte in een flits Alex' arm aan en rende gillend terug.

'Ik heb haar aangeraakt, ik heb haar aangeraakt!'

Haar vriendinnen gilden nog luidruchtiger dan zijzelf.

'Goed gedaan, hoor,' zei een winkelbediende die naast hen de schappen aan het vullen was. 'Je moet je niet door die jury op je kop laten zitten. Ja, 't is heel wat anders, maar ik heb van de zomer Miss Toerist Zuid-Frankrijk gewonnen. Ik kan je vertellen, uiteindelijk gaat het om de mensen die op je stemmen.'

Zo vulde zich de middag, bevolkt met nieuwe vrienden, in een stortvloed aan steunbetuigingen.

En heel erg veel gegil.

In het tweede jaar van het conservatorium was een echte vriendin in Emma's leven gekomen. Amy heette ze. Emma had bij de receptie zitten wachten tot Trudy tevoorschijn zou komen om haar te vragen waar haar volgende les nou ook alweer was. De klok tikte weer veel te snel. Ze bladerde door haar agenda, hoe was het nou toch mogelijk dat ze haar rooster op vier verschillende manieren had genoteerd?

Emma hoorde naast zich iemand grinniken. Een meisje dat ze nooit eerder had gezien leunde een paar meter van haar vandaan over de receptiebalie heen. Naast haar stond een cello. Emma had gehoord over een celliste die later in het jaar zou instromen. Ze had een sympathiek, aantrekkelijk gezicht, met donker haar zoals Alex, bot op de kaaklijn afgeknipt. Haar ogen waren helderblauw en ze was aan de mollige kant. Maar het was vooral haar roomwitte huid die haar verschijning zo bijzonder maakte.

'Ik zie het al,' sprak het meisje met rustige stem. 'Je bent een typische violiste.'

Emma legde haar hand op haar Gagliano.

'Dat instrument zit veel te dicht bij jullie oor. Daar zou iedereen een beetje hysterisch van worden.'

Emma schudde haar hoofd. In de wereld van de muzikale astrologie werd over violisten altijd gezegd dat ze een opgewonden standje waren doordat hun instrument te dicht bij het hoofd rustte. De klok sloeg half vier, de deur achter de receptie zwaaide open en Trudy stapte naar buiten met een aantal faxen in haar hand.

'Trudy, alstjeblieft, blieft, blieft, kun je mijn les opzoeken in het rooster, ik weet dat het de tiende keer is, maar...' smeekte Emma.

Het meisje keek nog steeds lachend toe.

'Ja, ja, helemáál geen typische violiste. Zelfs ík weet dat vioolstudenten gezamenlijke solfège krijgen van De Geer.'

Opgelucht haalde Emma adem. Geen Bock. Dan zou te laat komen erger zijn dan de zeven hoofdzonden bij elkaar.

'Dank je. En welkom. Sorry, ik moet rennen.'

'Ik heet Amy, trouwens,' riep het meisje haar achterna. 'Zin om na je les thee te drinken? Ik ken nog niemand. Misschien vind je het leuk?'

Een paar uur later zaten ze in café Dudok. De zaak was groot en ruim. Een man achter hen zat de krant te lezen en een paar tafels verderop zaten twee jonge moeders over hun kinderwagens gebogen te brabbelen tegen kun kroost.

Amy was aan haar tweede stuk appeltaart bezig.

'Dat krijg je als je voornamelijk in Afrika en Azië bent opgegroeid. Wanneer ik taart kan eten, kan ik het niet laten staan. Ik heb een jarenlang tekort aan taart opgebouwd.'

'Hoe lang woonde je daar dan?'

'Altijd eigenlijk. Om de twee jaar ergens anders. Mijn vader was diplomaat, maar ik had een Nederlandse *nanny.*'

'Dat moet moeilijk zijn geweest met school en zo.'

'Ik had een privéleraar. Dus er was geen school.'

'Broers of zusjes?'

Amy schudde haar hoofd.

'Met wie speelde je dan?'

'Met mijn cello. Het had geen zin om vrienden te maken, want ik ging toch weer weg.'

Ze nam nog een hap van haar appeltaart. Een van de baby's naast hen begon te huilen en stak de ander aan.

'Dat is grappig: op mijn grote zus na speelde ik ook alleen maar met mijn viool.'

'Hoezo dan?'

Emma trok haar schouders op. Ineens voelde ze zich triest. Het was vreemd dat ze zich nu pas, nu ze op het conservatorium zat, verdrietig voelde over de eenzaamheid van het meisje dat ze vroeger was.

'Je moet niet gaan huilen hoor!' waarschuwde Amy terwijl ze naar de rood aangelopen baby's wees. 'Dan zijn jullie met zijn drieën en ben ik weer in mijn eentje!'

Emma lachte.

'Beloofd.'

Even later liepen ze arm in arm naar de tramhalte. Mensen liepen langs zoals ze altijd deden; ambtenaren, scholieren, toeristen. Emma kon haar lach niet onderdrukken.

Ik heb een vriendin! gonsde door haar hoofd.

Ze dacht dat ze uit elkaar zou spatten van geluk.

De studio waar de liveprogramma's van *Superstar* werden opgenomen was een volstrekte wanorde. Het leek er wel een bouwput. Grote hijskraanachtige gevaarten met camera's in de nok bewogen van links naar rechts over het publiek. Het toneel, gebouwd op een halve cirkel, was het enige gedeelte dat licht was. Het was kleiner dan Emma had verwacht. Het leek een wonderlijk strak en kil eilandje.

Het had Emma verbaasd dat haar ouders erop hadden gestaan mee te gaan. De hele afgelopen maand hadden ze haar al verrast. Ten eerste hadden ze Alex aangemoedigd om haar baan bij de Sexy Piano's op te geven om zich volledig op het *Superstar*-avontuur te kunnen storten, wat inhield dat ze weer thuis kwam wonen omdat ze de huur van haar kamer niet meer kon betalen. Vader leek de muziek die uit Alex' kamer kwam niet te horen. Moeder rekende op haar met eten, of Alex nou van tevoren wist of ze er zou zijn of niet.

'Nog een keer!' riep Tjako, een komiek die iedere aanzet tot chagrijn bij het publiek moest wegnemen. Hij hield een groen bord met APPLAUS omhoog. Het publiek applaudisseerde alsof er ook werkelijk wat te applaudisseren viel. 'En als Simon wat zegt, wat doen we dan?'

Nog voordat het rode BOE-bordje werd opgehouden bewees de zaal er klaar voor te zijn. Emma kon zich er niet toe zetten te juichen of te joelen.

'Misschien is het wel goed dat Alex' optreden als laatste van de tien is,' fluisterde ze naar het plafond. De kandidaten mochten maar één liedje zingen om het Nederlandse publiek te overtuigen, en zo kon ze in iedere geval de laatste indruk achterlaten. 'Of misschien dat mensen er dan juist al genoeg van beginnen te krijgen, dat kan ook.'

Terwijl Emma met zichzelf converseerde werden de presentatoren aangekondigd. Het publiek, dat was klaargestoomd en opgewarmd, klapte hard. Emma was in een roes. Thomas, de eerste kandidaat, kwam op. Hij was iets ouder dan Alex, blond en knap. De roodharige presentatrice hing iets te amicaal om hem heen en introduceerde hem. Hij zong een vrolijk nummer. De jury was lovend en het klapvee klapte bemoedigend.

De tweede kandidate die werd opgeroepen heette Lorelei. Zonder achternaam, slechts Lorelei. Lorelei was klein en rond, met pijpenkrullen als Shirley Temple. Ze had Alex tijdens de repetities dwarsgezeten door tijdens elk duet keihard te gaan zingen en voor haar te gaan staan. Lorelei gooide giechelend een kushandje naar de camera die vlak naast haar stond, en lachte quasiverlegen naar het publiek. Emma vond het vreselijk te merken dat het publiek niks leek te merken van Loreleis hypocrisie, het klapte zo mogelijk nog harder dan tevoren.

Tegen de tijd dat Alex werd opgeroepen, had Emma het niet meer. Ze friemelde aan de kleine talisman die ze van Amy had meegekregen. Tjako hield het groene bord weer op en onder luid applaus werd Alex verwelkomd. De camera's en het achthonderdkoppige publiek waren helemaal op Alex gericht. Emma keek met grote ogen toe hoe haar zus de kijkers thuis groette. Ze leek volkomen op haar gemak in de wetenschap dat het er zes miljoen waren.

Zes miljoen, dacht Emma. Zes miljoen mensen die zouden toekijken als Alex zou struikelen of een noot miste. Emma frunnikte met haar klamme vingers aan haar rok en merkte dat er een gat in de dikke grijze wol zat.

'Laat haar winnen, laat haar winnen...' bad ze zachtjes tijdens het inleidend geklets.

Aan haar uiterlijk zou het niet liggen, Alex zag er prachtig uit. Haar ogen waren donker aangezet door een professionele make-upartiest die daar naar verluidt uren over deed. Haar kleding was speciaal voor haar uitgezocht, een leren rokje met een opengewerkt zwart T-shirtje, en haar haren waren strak naar achteren getrokken. Het was raar om haar zus daar zo te zien. Alsof ze haar zus niet was, maar iemand speelde voor wie het normaal was dat zes miljoen mensen op hun vrije zaterdagavond naar haar keken.

Alex werd gevraagd naar het midden van het podium te gaan. De spotlight scheen alleen op haar. Emma zag hoe Alex met haar wijsvinger om de draad van de microfoon draaide. Shit. Zenuwen. Emma wipte van linker- naar rechterbil.

De muziek ving aan.

Emma zag de wijsvinger ontspannen.

Haar zus' stem vulde de studio. Helder en zuiver als glas kerfde het door de lucht.

I can't cover up my feelings, in the name of love
Or play it safe, for a while it was easy
But if living for myself is what I'm guilty of
Go on and sentence me

Als er een bord BETOVERD was geweest, dan had Tjako het niet omhoog hoeven houden.

Alex' gezicht was rustig en ontspannen, haar stem groeide in kracht en melodie. *'I'll still be free.'*

Eerlijk, dat was het. Rechtstreeks uit haar hart. Ze gaf zichzelf bloot zonder enige terughoudendheid, ze was naakt met haar kleding aan, dapper door niets te doen.

'It's my turn. No need for apologies. I hope you'll understand...'

Emma werd er bijna duizelig van. Degene die ooit heeft gezegd dat popmuziek geen gevoel kan uitdrukken, moet aan de hoogste boom worden gehangen, schoot het door haar hoofd. Behalve vader natuurlijk.

This time's just for me, because it's
My turn, to try and reach the stars

Graag was ze degene geweest die het applaus inzette, maar honderden mensen waren haar voor. Even bleef ze zitten, met kippenvel over haar hele lichaam.

Pas toen ze haar hoofd optilde realiseerde ze zich dat ze een staande ovatie aan het missen was. Haar benen begaven het bijna toen ze opstond en ze werd bijna door haar moeder in haar gezicht geslagen omdat die met haar hele ziel en zaligheid aan het applaudisseren was. Toen ze stond zag ze hoe achthonderd man met iedere klap van hun handen een liefdesverklaring aflegde. Haar zus schitterde als alle sterren die ze net verklaard had te gaan plukken.

De maandag daarop, twee dagen nadat Alex met een overweldigende negenenzeventig procent aan voorkeursstemmen naar de volgende ronde was gegaan, liep Emma de deuren van het conservatorium weer door. Zelfs na al die jaren vond ze het elke ochtend nog heerlijk de school binnen te lopen.

De kantine was al propvol studenten. Verderop zag ze Amy al op haar staan wachten en ze zwaaide dat ze er zo aan zou komen. Op wat eerstejaars na kende ze iedereen. Ze graaide in haar zakken om te voelen of ze genoeg kleingeld bij zich had voor een warme chocolademelk. Terwijl ze naar de machine liep ving ze flarden gesprekken op. Emma spitste haar oren toen ze bekende namen hoorde. 'Thomas', 'Alex', 'George', weer 'Alex'. Het onderwerp was duidelijk. De meningen ook: van 'leuk', tot 'achterlijk', tot 'verachtelijk' zonder meer. Emma luisterde stiekem mee met de conversaties terwijl het hete water zich met de cacao, suiker en poedermelk vermengde.

In een groepje vlak naast het buffet stonden ook Luc en Loïc, een tweeling die eruitzag alsof die uit een Japanse strip was gestapt met de lange pieken in het haar, modieuze en te strakke shirts, afgeknipte stropdassen, theatrale mimiek en motoriek.

'Heb jij het gezien?' vroeg Loïc terwijl hij in Emma's richting boog.

'Het is niets dan commerciële troep,' antwoordde een jongeman met een keurige groene V-halstrui en te hoog staande schouders in haar plaats.

Het leek er warempel op dat 'het' *Superstar* betrof. 'Het' was wel erg vanzelfsprekend.

'Sommigen hebben wel talent,' sprak Luc hem tegen.

'Ja, oké, die ene griet misschien, die laatste.'

Emma verborg haar verrukking achter haar plastic bekertje. De zoete stoom verwarmde haar gezicht.

'Ja. En die Thomas.'

'Nee, die vind ik niks,' vond de groene V-hals. 'Maar ik geef toe, die griet was niet slecht. Hoewel ik me afvraag of dat wel haar stem was, want ik had haar een keer eerder gezien terwijl mijn kleine zusje aan het zappen was en toen was ze zozo. Ach ja, het is allemaal doorgestoken kaart. Zo'n muziekmaatschappij moet natuurlijk wel een aantrekkelijke winnaar hebben, anders verkoopt het niet. Die goeie was zeker nagesynchroniseerd.'

'Onzin!' Emma moest moeite doen om niet van trots in lachen uit te barsten. Ze vonden Alex knap! Ze vonden haar goed!

'Wat?' vroegen Luc en Loïc in koor.

'Het is geen doorgestoken kaart, dat weet ik zeker.'

'Hoe weet je dat dan?'

'Die "griet", da's mijn zus...'

Het verhaal was als een lopend vuurtje door de school gegaan. Het verbaasde Emma hoe leuk ze het vond.

'Hé, Emma, succes vanavond, hè?' riep Steman vrijdagmiddag vanaf de andere kant van de gang alsof Emma zelf aan de competitie meedeed.

Emma hief haar hand als teken van dank.

'Gefeliciteerd!' zei Vicky McDonald de volgende maandagochtend alsof Emma zelf weer een ronde verder was gekomen. 'Weet je misschien waar ze dat truitje dat ze droeg vandaan had? Ze zag er echt te gek uit.'

Emma schudde haar hoofd.

'Ik kan het wel vragen.'

'Ja, graag! Wow, dat is echt mazzel, zo kan ik alle juweeltjes van die stylisten op de kop tikken,' zei Vicky opgetogen. 'Vertel eens, ben je wel eens meegegaan naar de voorrondes?'

'Sterker nog, ik ga elke keer mee.'

Een kleine schare medeleerlingen was om haar heen komen staan. Emma vertelde zo veel ze zich kon herinneren, de toehoorders namen de verhalen gretig tot zich.

'Nou, ik complimenteer jou ermee dat jij in ieder geval wél een echte musicus bent,' merkte Berend de Groot ineens op.

Emma keek beduusd.

'Hé, je hebt het wel over haar zus, ja?!' nam Vicky het voor haar op.

Emma glimlachte.

Er waren nou eenmaal mensen die niet zo veel met het programma hadden. Of die het nog niet hadden gezien maar het bij voorbaat niks vonden. Ook die categorie wilde alle backstageverhalen horen (die ze verrassend genoeg eveneens bij voorbaat al stom vonden).

Maar de meesten vonden het geweldig.

Het leven lachte haar toe, het straalde, het gaf een blije grinnik.

Ze studeerde viool aan een van de beste conservatoria ter wereld, haar zus was gelukkig, hun gezinsleven bloeide op, ze had een beste vriendin en door een televisieshow was ze ook nog eens hard op weg populair te worden.

Alles was perfect. Behalve als ze angstaanvallen had.

Oma had haar eens tijdens een aanval gebeld toen ze ervan overtuigd was dat alles voorbij zou zijn als... als... als alles, als niks, als wát?

'Wat er ook gebeurt,' had oma gezegd, 'gewoon blijven ademen. Momenten van geluk, die moet je beleven en vooral niet te lang over nadenken. Geluk doemdenk je zo weg. Dat is wat meneer Kuiper van de pokerclub altijd zegt, en ik denk dat hij gelijk heeft. Je emoties kan je niet beheersen, maar je gedachten wel. En die veroorzaken weer je emoties.'

Emma staarde met verbazing naar de telefoon. Oma? Poker?

'Ja, kind, geluk is een momentopname. Het enige lullige is dat het continu kan worden vervangen door een ander moment.'

Oma? Lullig? Pokerclubs en lullig?

'Ja, lieve schat, precies wat ik bedoel, lullig. Het leven kan af en toe knap lullig zijn.'

Een reünie van denkbeeldige vrienden

Emma kneep haar neus dicht en deed alsof haar handen die ze voor haar mond gevouwen hield een walkietalkie waren. Met 'Binnenkomend op drie uur!' waarschuwde ze Alex dat er een groepje meisjes op hen kwam afstormen, kladblokjes zwaaiend boven hun hoofden als moedjahedienzwaarden. Alex rommelde al in haar tas voor een pen.

Daar gingen ze weer... Het enige wat moeder hun had gevraagd te doen was even brood te halen. Ze hadden er beter zelf een kunnen bakken.

Zo'n handtekening op zich was niks. Een klein krabbeltje, een kwestie van seconden.

Alex was aan haar vijfde bezig.

De meisjes leken een jaar of dertien en keken Alex vol aanbidding aan. Een mevrouw die net de winkel uit kwam liet haar boodschappenkarretje onbeheerd achter om zich bij het groepje te scharen. De jongen van de Jamin rende naarbuiten om snel een krabbel voor zijn zusje te vragen. 'Het is voor Martijn!'

Alex bleef er wonderbaarlijk gemakkelijk onder, alsof het normaal was dat mensen haar handtekening wilden, alsof het niet volslagen onduidelijk was wat ze er in vredesnaam mee moesten. Met iedereen maakte ze een praatje; uiteindelijk waren het deze mensen aan wie ze elke nieuwe ronde in *Superstar* te danken had.

Het was op zich wel grappig om te zien hoe mensen aan Alex' lippen hingen. Nou ja, bij kleine kinderen dan. Bij volwassenen vroeg Emma zich af of ze ze wel allemaal op een rijtje hadden.

'O, hallo, Alex, lieve schat!' baande een vrouw zich een weg door het groepje om Alex.

De vuurrode lippenstift zat voornamelijk op haar voortanden.

'Wat enig je hier te zien! Ik zei nog tegen mijn Karel gisteren, wat is het toch ongelooflijk dat dat meisje dat vroeger altijd naar onze barbecues kwam nu toch...'

Emma probeerde zich de dame te herinneren. Ze was bang dat het kwartje nooit zou vallen. Dat er geen kwartje was.

'Mijn Karel zei nog: waarom nodigen we ze niet weer eens uit, die aardige Weijmannetjes...'

Emma moest haar best doen het niet uit te proesten. Ze wist wel wat voor een vriendschap deze dame met haar ouders had: een denkbeeldige. Daar waren er wel meer van, de laatste tijd.

Later die middag keek Emma in de vestibule van haar ouderlijk huis voor de zoveelste keer op haar horloge. Ze hing al zeker tien minuten aan de telefoon met Julie, een van de producenten van *Superstar*.

'Je begrijpt het niet. Als we in de finale familiebeelden van Alex laten zien levert haar dat beslist meer stemmen op.'

'Ik begrijp het wel,' wanhoopte Emma, 'maar ik heb lessen. Ik moet studeren, ik studeer binnenkort af, ik kan niet zomaar even een middag vrij nemen!'

Na nog tien minuten die ze beter aan haar viool had kunnen wijden realiseerde Emma zich dat het tijdsbesparender zou zijn om Julie haar zin te geven en besloot haar lunchpauze van woensdag op te offeren. Julie kwam haar tegemoet door toe te zeggen het camerateam naar het Haagse Bos te laten komen, slechts een korte wandeling vanaf het conservatorium. Daarbij beloofde ze met haar hand op het hart dat het niet langer dan twintig minuten zou duren.

Na haar repetitie met pianist Wim Roodgraaf snelde Emma die woensdag naar het park. Ze zag het kleine camerateam al vanuit de verte op haar staan wachten.

'Emma,' stelde ze zich voor.

'Geluid,' antwoordde de lange dunne man die ze de hand schudde.

Een griezelig uitziende man met een nog griezeliger uitziende camera keek op maar zei niks. Hij droeg een kaki short en was behangen met allerlei apparatuur. Zijn benen waren kort en stevig en rood van de kou.

'Julie komt zo bij je,' zei Geluid.

Julie bleek een blauwogige ijskoningin te zijn wier portofoon chirurgisch aan haar oor leek te zijn gehecht.

'Ga daar maar vast staan, dan bouwen we ondertussen op,' beval ze voordat ze doorging met haar schijnbaar eenzijdige gesprek.

Emma liep naar het armetierige boompje waar Julie naar had gewezen. De camera werd op haar gericht en Geluid hengelde iets boven haar hoofd wat leek op een marmot op een stok.

'Oké, Emma, ben je er klaar voor?'

Door het gure weer liep haar neus. Ze veegde hem af met haar mouw en knikte van ja. De cameraman zei dat iets draaide.

'We draaien, zei ik!' viel hij tegen Emma uit. Zijn stem klonk hard en Amsterdams. Cynisch en niet gediend van tegenspraak. 'Begin maar!'

'Met draaien?'

'Praten! In de camera! Daar zijn we hier voor!'

'O.'

Emma slikte. 'Lieve Alex...' stamelde ze in de lens. ' Lieve Alex... Ik, eh...'

'Oké, laten we het nog eens doen,' onderbrak Julie.

De cameraman vertelde nogmaals dat ze draaiden.

'Lieve Alex. Je bent altijd een fijne zus geweest. Als ik bang was nam jij mijn angst weg. Met jou in mijn leven is alles leuker. Ik hou van je en ik hoop dat je wint. Je verdient het.'

'Oké, en nog een keer. Ditmaal ín de camera alsjeblieft.'

Dat deed ze. Nog een keer en nog een keer. De cameraman en zijn camera waren met elkaar vergroeid, en beide waren groot en intimiderend.

'Misschien moet je het iets minder als een robot doen,' adviseerde Julie. Haar helblauwe ogen keken zonder knipperen recht in de felle winterzon. 'Probeer spontaan te zijn.'

Emma keek wanhopig. Proberen spontaan te zijn was hetzelfde als haar schouder dwingen te ontspannen.

'Doe maar alsof de camera je zus is.'

'Lieve Alex...' sprak Emma het intimiderende zwarte gat liefjes toe.

'*Cut*!' riep Julie.

'Dat kun je wel zeggen, ja,' mompelde de cameraman.

Julie kwam met een onverwachte glimlach op Emma af en legde een arm om haar schouders.

'We gaan het anders proberen,' kirde ze bijna in Emma's oor. 'Ik ga je vragen stellen en die kun je rechtstreeks aan mij beantwoorden, zodat je niet meer in de lens hoeft te kijken. Zo word je hopelijk wat minder gespannen.'

Julie ging naast de camera staan.

'Hoe zijn je *gevoooeeeelens* over je zus?' De *oe* was bijna even lang als de rest van de zin en Julie lachte er raar bij.

Even was Emma bang dat Julie dacht dat ze niet helemaal in orde was.

'Goed.'

'En wat is haar lievelingskleur?'

'Blauw.'

'Haar lievelingseten?'

'Chips.'

Julie keek Emma diep in de ogen. 'En wat zijn de overeenkomsten tussen Alex en haar lievelingskleur?'

Of misschien was Julie niet helemaal in orde?

'En als Alex een chipje zou zijn, welke smaak zou ze dan hebben?'

Emma hoorde het suizen van de camera en wist dat ze toch íéts zou moeten zeggen.

'Ze hebben allemaal haar knisperende persoonlijkheid. Maar als ik een specifieke smaak zou moeten kiezen zou het bolognese zijn: fris en pittig.'

De cameraman keek naast zijn camera om te zien of de lens geen vertekend beeld gaf en hij grinnikte.

Toen Emma zich eindelijk weer op bekend terrein in het conservatorium bevond voelde ze zich alsof ze net was bevrijd van een midweek marteling voor beginners. Het was dat het Alex zou helpen, maar dit was eens maar nooit weer. Vanuit haar ooghoek zag ze de grote klok in de entree een tijd aangeven die het in geen geval nog zou mogen zijn. Ze draaide zich met een ruk om. 15.44 uur stond er onbarmhartig aangegeven. Ze greep in haar tas naar haar agenda en voelde haar hart in haar schoenen zinken toen ze haar grootste angst bevestigd zag: ze was bijna drie kwartier te laat voor haar les met Bock.

Zo snel haar voeten haar dragen konden rende ze door de gang. Biddend dat hij er niet zou zijn zodat ze een briefje zou kunnen achterlaten, klopte ze op zijn deur.

Helaas.

Hij zat achter zijn bureau papieren te bestuderen.

'Heb je een reden waarom je nu pas binnenloopt?'

'Mijn oprechte excuses.'

'Excuses, daar koop ik niets voor. Je bent er of je bent er niet. Lig je onder een auto, dan is dat een verklaring. Mijn tijd krijg ik niet terug met excuses.'

Hij stond op vanachter zijn bureau en liep met zijn handen op zijn rug rondjes om haar heen. Zijn schoenzolen kwamen met harde klappen op de houten vloer.

'Wat denk je dat wij hier aan het doen zijn? Denk je dat je daarbuiten zal overleven met excuses? Daar moet je het tegen de Oostblokkers opnemen. En de Japanners, hoe denk je dat die werken?'

'Maar...'

Hij draaide zich zo snel om dat Emma de lucht die hij daarmee verplaatste op haar armen voelde.

'Heb niet het lef om met "maar" aan te komen. Of je neemt verantwoordelijkheid, of je neemt het niet!'

Haar hoofd tolde en ze staarde naar de grond.

'Wat verwacht je dat ik ga doen? Dat ik jou gewoon als student aanhoud terwijl je niks hebt te zeggen ter verdediging van jezelf?'

'Ik neem de verantwoordelijkheid,' piepte ze.

'Nee, die neem je niet, anders was je hier wel op tijd geweest.'

Ze voelde een druppetje zweet over haar voorhoofd lopen.

Alles wat ze zei was fout, en sprak ze niet, dan had ze niks te zeggen ter verdediging van zichzelf. Ze hoorde zijn woorden, maar ze kon nauwelijks bevatten wat hij zei.

Hij ging door en door.

'Nog buiten wat jij besluit met je leven te gaan doen, ík tast mijn integriteit aan door met ongemotiveerde studenten te werken. Dat doe ik dus ook niet. Denk jij dat je maar kan doen en laten wat je wilt omdat je bijna bent afgestudeerd? Denk je dat je veilig bent? Ik heb vijf jaar geleden iemand een week voor zijn afstuderen van school gestuurd. Ik zie geen enkele reden waarom ik in jouw geval niet precies hetzelfde zou doen. Verdwijn alsjeblieft uit mijn ogen.'

Emma's mond viel open. Ze kon het niet geloven. Ze had het verknald.

De woorden kwamen samen met de tranen.

'Ik ben wel gemotiveerd! Ik heb nooit iets willen doen behalve...'

'Ja, behalve toen jij vanmiddag je les had. Dag.'

'Maar...'

'Dag.'

In een onvaste lijn liep ze naar de deur. De kamer draaide voor haar ogen. Haar hand raakte de deurkruk en ze hervond wat evenwicht.

Mijlenver achter zich klonk de harde stem van De Kolonel. Zich vasthoudend aan de deurkruk draaide ze om.

'Emma, om een groot kunstenaar te worden moet je de kunst op nummer 1 zetten. Volgende week ben je op tijd.'

Ze racete door de gang, bereikte de wc net op tijd en kokhalsde. Het bitter prikte in haar neus en de gal sneed door haar slokdarm. Maar er kwam niets uit. Ze haalde diep adem voordat ze de bril naar beneden deed, ging erop zitten en wachtte tot het gevoel was weggetrokken. Het was stil in het damestoilet, goddank. Trillend liep ze het wc-hokje uit, naar de wasbak, en ze draaide de kraan open. Het water stroomde door haar vingers. Ze maakte een kuipje met haar handen en toen het was gevuld met water bracht ze het naar haar gezicht. Het water was onaangenaam ijzig, maar het wiste de stille getuigen van haar tranen weg. Ze depte haar gezicht met papieren handdoekjes en keek in de spiegel. Het gezicht dat naar haar terugstaarde leek wel een schim, het leek wel een vreemde.

Haar hand reikte naar de reflectie.

Bock had gelijk gehad, ze had zich de laatste tijd minder op haar muziek geconcentreerd. Er waren honderden geweest die haar plaats hadden willen innemen, en zij had het de laatste tijd niet naar waarde weten te schatten en er met haar pet naar gegooid.

Ze moest beter zijn.

Drie dagen later zat Emma weer tussen het publiek van *Superstar.* Ze had het niet over haar hart kunnen verkrijgen om niet te gaan. Alex stond op het podium tussen de twee presentatoren, Mart en Vanessa. Mart vertelde Alex dat ze een verrassing voor haar in petto hadden. Hij draaide zich om naar het scherm dat achter hen hing en een video-opname startte. Emma hield haar adem in. In plaats van het groen van het park verscheen de Sexy Piano's in beeld.

Geweldig, kookte ze vanbinnen. Heb ik verdomme voor niks bijna een hartaanval gehad.

Een voice-over deelde de kijkers mee dat Alex sinds kort was gestopt met werken om zich volledig op haar *Superstar*-avontuur te kunnen storten en dat haar collega's graag een afscheidsboodschap wilden overbrengen. Het zag ernaar uit dat de opnames vrij laat in de avond waren gemaakt, de meiden zagen er niet al te fris uit.

'Je bent de beste!' riep een blondine in de camera, die op haar imposante voorgevel stond gericht.

Een ander stel borsten duwde haar weg, 'Succes!' wenste hun eigenaar.

'We hopen dat je als je rijk en beroemd bent nog wel met ons aan de zuip wilt gaan!' riep een brunette die achteraan stond.

Een deel van het publiek juichte, zonder dat Tjako er een bordje voor omhooghield.

De meiden op het scherm giechelden, zwaaiden en bliezen handkusjes. Er werd flink ingezoomd op hun minuscule werkoutfits, wat het pijnlijk duidelijk maakte dat Alex er ook zo bij had gelopen.

Het volgende shot was genomen in het kantoortje van de Sexy Piano's. Een paar donkere ogen keek zwoel de camera in.

GERRIT, ALEX' VERLOOFDE, werd er onder in beeld toegelicht.

Beide ouders draaiden zich verbaasd naar Emma toe. Ze haalde haar schouders op. Zij kende Gerrit ook niet anders dan als Alex' baas.

Gerrit schudde zijn te lange haar naar achteren alsof het nog dik genoeg was om zijn zicht te belemmeren en leunde op één elleboog.

'Schat, ik zag gelijk al dat je moeilijk kicken was,' zei hij ruig.

Moeder stootte Emma aan. 'Moeilijk wat?'

Emma haalde haar schouders maar weer op.

Gerrit schraapte zijn keel, maar daar werd zijn stem niet beter op.

'Hoe je carrière ook gaat, ik zal er altijd voor je zijn. Dag lekkertje van me.'

Wederom schudde hij zijn haar als een jonge, natte en vooral kalende labrador. Emma kreeg zin om over te geven.

Een stem die Emma vaag bekend voorkwam vulde de studio. Haar ogen sperden wijd open toen ze haar eigen afbeelding in reusachtige afmetingen op het scherm zag.

Haar haren hingen slap langs haar kleurloze gezicht. Ze zag hoe haar lippen bewogen (hád ze eigenlijk wel een bovenlip?), maar het geluid was vaag. God-nog-an-toe, wat zag ze eruit. Niet dun, maar uitgemergeld. Haar vale groene winterjack was afgedragen en te kort bij de mouwen. Hoe lang had ze dat ding eigenlijk al? Had niemand haar kunnen waarschuwen? Had niemand haar kunnen vertellen dat ze haar haar wel eens had kunnen wassen?

Vanessa had zich in het publiek begeven en rende stralend op hen af.

'Ja, dames en heren! De ouders van Alex!' kirde ze in de microfoon.

Haar ouders stonden als Jut en Jul, met Emma als hun ongelukje tussen hen in.

Luid applaus.

Waarom? schreeuwde het in Emma's hoofd. Goed gedaan: in ieder geval één goed afgeleverd?

'Nou, jullie zijn wel een muzikale familie, hè?' zei Vanessa.

Moeder knikte geestdriftig van ja en boog zich naar voren om goed in de microfoon te kunnen praten.

'JA, MIJN MAN IS MUZIEKLERAAR!!!' schalde ze door de zaal.

Het publiek lachte.

Moeder deed verlegen mee.

'Nou, het is duidelijk waar Alex haar stem vandaan heeft!' merkte Mart vanaf de bühne op.

Meer gelach.

'En jij bent het kleine zusje, jou hebben we net gezien,' trok Vanessa de microfoon bij moeder vandaan.

Emma zag zichzelf wederom op het grote scherm. Het was verontrustend zo'n miserabel gezicht als het hare te herkennen. Vooral in de wetenschap dat er samen met haar een slordige acht miljoen mensen meekeken.

'U-uh...' sloeg haar stem over.

Geweldig. Niet alleen zag ze eruit alsof Moeder Natuur haar fiks had misdeeld, het klonk ook nog alsof ze de baard in de keel had.

'Och gut, arme schat!' zei Vanessa meewarig en legde een volmaakt gevormde, zongebruinde arm om Emma's schouder. Emma vroeg zich af wat Vanessa's minuscule topje nou meer omhoogduwde: haar borsten of de kijkcijfers. 'Ben je zo zenuwachtig?'

Dat was ze. Maar niet zozeer voor Alex. Alex sloeg zich er wel doorheen. Maar maandag zou iedereen dit hebben gezien en...

'Ah, wat lief!'

Vanessa draaide zich naar de bühne.

'Dat is nog eens hartverwarmend, om een familie te zien die zó begaan is. Nou, Alex, ben je er klaar voor?'

Alex wel.

'Familie, wilt u haar nog een laatste maal succes wensen?'

Vader en moeder staken twee duimen de lucht in. Emma volgde hun voorbeeld.

'Dames en heren.... Hier is... Alex!'

De eerste tonen van de ballad zette in. Voor Emma was één ding duidelijk: ze wenste Alex de mooiste carrière ter wereld. Maar zij bleef er lekker buiten.

Alexrijk

Badend in het zweet schoot Emma wakker. Haar hart bonsde in haar hoofd en haar borst deinde hevig op en neer. Lucht. Op de tast zocht ze naar de schakelaar van haar bedlampje. Trillend pakte ze het glaasje water dat naast haar bed stond en bracht het naar haar mond. Ze schudde haar hoofd om de laatste resten van de nachtmerrie te verjagen.

Nog nooit was ze in de bergen geweest, maar toch had ze het ervaren, ze had de sneeuw geroken, de vibratie gevoeld van de lawine die op haar was komen afrazen.

Ze trok haar ochtendjas aan en ging naar beneden, te bang om weer te gaan slapen. Gelukkig was het huis nog stil, iedereen lag te slapen. Het enige geluid dat ze hoorde was het bonken in haar hoofd. Ze ging aan de keukentafel zitten. Haar hersens voelde alsof ze tot tien keer hun normale grootte waren opgezwollen en haar schedel uit elkaar wilde laten barsten. Ze bracht haar handen naar haar hoofd. Het maakte het er niet beter op.

Ze probeerde zich de vorige avond te herinneren.

Zure bubbels...

Champagne. Ze kon het bijna weer proeven. Alleen al de gedachte aan alcohol deed haar maag omkeren en schreeuwen om vettigheid.

Behalve de bubbels kon ze niet zo veel terughalen.

Ja, een vage herinnering aan haar bed dat opsteeg.

Plotseling gingen er alarmbellen af.

Je hersens zijn niet opgezwollen, je hebt een kater, dom wicht! En je examens zijn over een week! overstemde een snerpend stemmetje de alarmbellen. Wat is er in vredesnaam mis met jou? Je studeert je hele leven voor dit examen en nu je nog maar dagen te gaan hebt krijg je een kater?!

Emma doorzocht haar krakende hersenpan: hoe had dit nou toch kunnen gebeuren.

Feestje... feestje... feestje... feestje. Naar zoiets was ze nog nooit eerder gegaan. Was leuk, was leuk, want... feestje voor Alex!

... Feestje voor Alex, want... want... want Alex had *Superstar* gewonnen!

ALEX WAS DE WINNAAR! ALEX WAS DE WINNAAR, DE WINNAAR, DE WINNAAR!

Een grijns verscheen op haar gezicht. Heel even was de kater verdwenen. Ze liep naar de koelkast en pakte eieren en spek. Twee eieren landden aan weerszijden van haar linkervoet.

Hmmm, dacht ze. Alex die *Superstar* wint: goed. Champagne drinken alsof het water is als je niet gewend bent aan alcohol: niet goed.

De deurbel ging, lang en aanhoudend.

Wanneer was de deurbel naar haar hoofd verhuisd?

Ze trok haar ochtendjas wat strakker om zich heen en opende de voordeur tot een kiertje. Een groepje meisjes stond haar aan te gapen.

'Ben sjjjij tsj shhhussshje van Aleksj?' vroeg iets van rond de één meter dertig met sproeten en een beugeltje.

'Pardon?'

'Ben jjjij hetsj shhhussshje van Alexshhjj?'

'O, sorry. Ja.'

De kleine koppies keken beteuterd.

Emma hoorde een geluid vanachter de heg.

'Isssj sjhe er ook?'

'Jawel, maar ze ligt nog te...'

Emma zocht zich suf, maar met de beste wil van de wereld kon ze niet op het woord komen.

'Slapen?' hielp een van de meisjes met opgetrokken wenkbrauwen.

'Juist, ze ligt nog te slapen. Het is nog een beetje vroeg, niet?'

Klik... klik... hoorde ze vanachter de heg. Emma kneep haar ogen scherp, maar ze zag niets. Na een kort beraad besloten de dreumesen dat een bezoek op een later tijdstip een mooi compromis zou zijn.

Emma raapte de krant van de deurmat. Een reflectie vanachter de heg raakte haar gezicht als een spiegel waar de zon in viel. Het was maar een fractie van een seconde. Het klikken hield aan. Dit maakte geen deel uit van een kater, wist ze. Dit was een camera. Geen koddige Ralph

Inbar met een verborgen camera, maar een malloot die in een container ging zitten om ongezien een foto te maken. Het was vreemd hoe snel ze daaraan gewend waren geraakt, de laatste tijd. Maar toch bleef het onvoorstelbaar dat het iemands werk was om zich achter hun heg te verstoppen en te wachten totdat er iemand naar buiten kwam om een foto te nemen. Zolang Alex zichzelf niet liet zien, namen ze zelfs foto's van Emma, god mocht weten waarom. Er stond er altijd wel een aantal, Alex kende ze bij naam. Joop, André, Edwin en Henk. Emma had moeite gedag terug tegen hen te zeggen als ze het huis verliet, ze stonden daar alsof ze erbij hoorden, alsof ze een wederzijdse vriendschap waren aangegaan, maar Alex zei dat ze aardig tegen hen moest doen. Dat ze goed waren voor haar carrière. Moeder bracht hun eierkoeken en thermosflessen met thee, dan waren ze blij. En als zij blij waren was Alex ook blij.

Hoe dan ook, het had niets met haar van doen.

Het was maar één voorval uit een totaal krankzinnige week. Zoals Dolly Parton *Dollywood* had, zo had Alex hun dorp tot *Alexrijk* omgedoopt. Het was begonnen toen de bushalte bij de sporthal met haar zusters grote grijns werd opgefleurd (het verbeeldde letterlijk enkel haar grijns, de foto toonde neus noch kin – genoeg voor het Nederlandse volk om haar te herkennen). De posters hadden zich in rap tempo voortgeplant en kleinere versies hadden iedere straatlantaarn, muur, boom en hek opgesierd. Zelfs de melkpakken hadden een Alex-foto opgeplakt gekregen. De Thomas-pakken stonden achter in de schappen en werden allemaal na overschrijding van de houdbaarheidsdatum retour gezonden. De pakken halfvolle Alex vlogen de winkel uit. Het was fijn te zien hoezeer men Alex steunde. Hartverwarmend zelfs. Maar de dag voor de finale was het toch wel erg uit de hand gelopen. Busladingen vol bezoekers vanuit het hele land stonden rijendik voor hun huis. De passagiers namen foto's en spraken authentieke Eikelscha'ers aan om te vragen of ze Haar kende.

Heel even leek God toch een vrouw.

Later die dag wrong Emma zich tussen een verse meute mensen voor het huis door en sprong op haar fiets. Ze trapte hard op de pedalen terwijl ze over de Mensje van Bree Laan stoof. Het weiland met schapen waar ze altijd langs was gefietst om naar het Pasteur College te gaan was nu een bouwterrein. Ze was benieuwd wat er zou komen te staan. Ze hoopte niet nog zo'n afzichtelijke flat als ze op het weiland bij Beukenshage hadden gezet.

De wind vloog door haar haren. Haar bovenbenen voelden log van de inspanning, maar ze zette nog een tandje bij. Ze probeerde haar ogen zo wijd mogelijk open te sperren, zo wijd dat de wind via haar oogkassen haar schedel zou binnendringen en haar kater zou doen wegwaaien.

Ze had er al een poos naar uitgekeken, de verjaardag van Jonathan. Hij gaf een feestje in zijn ouderlijk huis. Ze kenden elkaar al jaren, hij had zich een paar jaar na haar bij het strijkorkest van Kerstin von Poll aangesloten. Ze had hem hoog zitten en hij was altijd aardig tegen haar geweest. Jonathan was net van het Amsterdams conservatorium afgestudeerd. Ze was benieuwd naar zijn afstudeerervaringen.

Vanuit de verte zag ze het vrijstaande huis tussen de Vaart en de bosrand. Emma legde haar fiets in de voortuin en drukte op de deurbel. In het huis hoorde ze geluid, maar niemand leek de deurbel te horen. Emma keek achter zich de weg over. Het was er mooi en verlaten, en een beetje eng. Ze schrok toen de voordeur ineens openvloog. Jonathans vader kwam achter de deur tevoorschijn. Zijn mondhoeken krulden omhoog en zijn ogen straalden. Ze kende hem niet alleen als Jonathans vader, maar ook als pianist, en ze mocht hem graag.

'Je hebt geluk dat ik je toevallig zag! Was je vergeten dat we hier altijd de achterdeur gebruiken?'

Was het zo lang geleden dat ze dat had kunnen vergeten?

Dankbaar stapte ze naar binnen.

'Een vriend van mij, Frans van der Wal, heeft je tijdens een open koffieconcert horen spelen. Ik sprak hem pas geleden en hij vertelde me hoe geweldig je was.'

Emma bloosde. Meneer Van der Hoeven nam haar jas aan.

'Ga maar snel de kamer in om warm te worden. Die handen van jou zijn te waardevol om koud te zijn!'

Binnen was het warm en een rumoer van jewelste. Ze kon zich nog wel herinneren dat Jonathan eens had gezegd dat hij uit een grote familie kwam. Zijn moeder alleen al had zeven zussen en twee broers, en zo te zien waren ze allemaal van de partij.

De huiskamer was in tweeën verdeeld. De achterkant van de kamer en suite stond propvol jongeren die zich hadden geschaard rond de eettafel, beladen met taart, hartige hapjes, flesjes bier en wijn. De voorkant was het zitgedeelte waarin twee grote gebloemde banken en bijpassende fauteuils stonden, die de tantes in beslag hadden genomen. Tussen al die mensen viel de jarige nog niet te ontwaren. Emma was blij een paar bekende gezichten te zien. Beleefdheidshalve liep ze eerst even de voorkamer in.

'Hallo, ik ben Emma, aangenaam,' stelde ze zich voor.

Een enthousiast gekwetter laaide op.

'Jaaaa... Daar is ze dan... Het zusje van!' riep iemand enthousiast. 'We hebben op je gewacht, hoor, wat spannend!'

'Ben jij nou het zusje van?' vroeg een dame in een keurig pakje.

'Je lijkt helemaal niet op haar,' zei een ouder dametje teleurgesteld.

'Is het niet ongelooflijk wat ze met make-up allemaal kunnen?' fluisterde een ander.

Emma lachte er maar om. 'Dezelfde ouders, verschillende chromosomen!' grapte ze.

Niemand lachte mee. Plotseling keken de dames naar haar alsof ze tijden op haar hadden zitten wachten, alsof ze een half uur te laat op een afspraak was verschenen en ze zich niet had geëxcuseerd.

'Vertel eens wat leuks.'

'Over?'

'Over je zusje.'

'Eh... ze is net een plaat aan het opnemen.'

Niemand leek onder de indruk.

'Heb je niet een leuke roddel?' stelden ze voor.

'Nou, nee, niet echt...'

'En Thomas, heb je Thomas ontmoet?'

'O ja, Thomas, wat een schatje!'

'Een lekkertje!' riep een ander.

Een lékkertje?

'Heb je zijn telefoonnummer?'

De gekte werd hysterie. Het enige wat Emma van Thomas wist was dat hij hun kleinzoon had kunnen zijn. In het half uur dat volgde leek het alsof ze een groep hongerige honden voedde. Ieder stukje dat ze gaf en ook de stukjes die ze niet gaf, werden verslonden en smaakten naar meer.

Tegen de tijd dat ze zich zorgen begon te maken over onafwendbare zenuwtoevallen wilde ze alleen nog maar weg.

'Dames, als ik me even mag excuseren? Ik heb Jonathan nog niet kunnen feliciteren.'

'Beloof je dan wel dat je terugkomt?'

'Ja, zeker.' Ammenooitniet.

Opgelucht Jonathan daadwerkelijk aan de andere kant van de huiskamer te zien stevende ze op hem af.

Hij keek een beetje boos.

'Aardig dat je me ook nog komt feliciteren.'

'Het spijt me. Je tantes wilden alles weten over *Superstar*, en...'

'Em, als ik je een tip mag geven?' onderbrak hij. 'Je bent een schat van een meid, maar je zús heeft *Superstar* gewonnen, niet jij.'

Ze kon hem geen ongelijk geven.

Creatief schrijven

Emma bakte haar eieren in extra veel boter, gooide het resultaat op een bruine boterham en sloeg de bijlage van de zaterdagskrant open. Haar gezicht lichtte op toen ze de glossy bijlage uit het midden van het halve tropische regenwoud aan papier trok. Op de cover stond een prachtige foto van Alex.

VAN VODDEN NAAR OVERVLOED

Amsterdam. Het zijn vaak de soberste omstandigheden die tot grootheid leiden. Zo bewijst ook een van de deelnemers aan de nieuw televisiesensatie *Superstar*, waarin de gedoodverfde winnaar een paar maanden geleden nog aan paaldansen deed om rond te komen. Er zijn weinig sterren van de andere kant van de Atlantische oceaan met wie Alex Weijman, geboren in een eenvoudig arbeidersgezin uit Eikelscha, nog niet is vergeleken. De helden van vandaag komen uit woonwagenkampen en vissersdorpen. Ze worden gekozen door het volk. Monaco had Grace Kelly, Engeland heeft Diana, Nederland heeft nu Alex; een prinses van het volk. Het zou een te zware taak kunnen zijn voor menig meisje, maar van onze Alex straalt af dat ze de verplichting aankan, dat ze is geboren om te stralen. Mocht ze ooit vallen, dan vangen wij haar op. Zij is onze ster. Onze stralende ster. Hulde aan Alex.

Het was een nieuw stuk uit de kledinglijn van de keizer die de media aan het breien was. En het was een pracht van een collectie. Voorzichtig gehaakte liefdesverklaringen tussen Alex en het Nederlandse volk, speciaal vervaardigd om het onrecht van professionele vakjury's te herstellen, om Alex te redden van haar lot. Het waren nauwgezet geborduurde creaties over hoe *Superstar* Alex uit de goot had getrokken en een kans op een beter leven had geschonken. Echt logisch was het niet (de straten van Eikelscha waren niet bepaald een omgeving om uit gered te moeten worden), maar het Assepoester-gehalte was hoog.

Hoog genoeg om enige onwaarheden in het leven te roepen.

De duisternis was al ingevallen toen Emma diezelfde avond van de bushalte naar huis liep. Ze had een vervelende dag achter de rug. Op Amy na deed iedereen op school maar raar tegen haar, en het ongemakkelijke besef dat uitzonderlijkheid ook uitzonderde begon te groeien. Ze liep met haar vioolkist en haar ziel onder de arm. Het grind knisperde onder haar dunne zolen. Voor hun heg zag ze een groepje meisjes staan. Een van hen had voor haar zus kunnen doorgaan (ze had hetzelfde donkere warrige haar en ze droeg een minirok met grote legerlaarzen), ware het niet dat ze ongeveer één meter vijfentachtig was en de bouw van een bootwerker had.

Shit. Fans.

Met haar gezicht naar de grond liep ze door. Het werkte; geen van de meisjes gunde haar een blik waardig. Totdat ze het hekje opendeed.

'Hé, je mag niet naar binnen! Ze heeft de hele dag opnames voor haar eerste single achter de rug.'

'Ik woon hier.'

De dubbelganger deed een stap opzij en blokkeerde Emma's weg.

'Ja hoor, dat zal wel. Wij stonden hier eerst.'

Emma reikte weer naar het hekje. 'Ik ben d'r zus. Als je het geen probleem vindt, ik ben moe, ik wil naar huis.'

Kennelijk was het wél een probleem. De overfanatieke fan greep Emma's arm om haar ervan te weerhouden verder te lopen. Het ongeschuurde hout van de omrastering sneed hard over Emma's linkerhand. Een reflex om haar vioolkoffer als knuppel te gebruiken kon ze niet tegenhouden.

Het meisje deed een stap achteruit.

'O ja, zij probeert zeker óók wat in de muziek te doen,' hoorde Emma terwijl ze op de voordeur afstevende. 'Je wordt toch nooit zoals je zus!'

Ze stak de sleutel in het sleutelgat en draaide hem om.

'Nou, dat mag ik hopen,' mompelde ze terwijl ze nog een blik wierp in de richting van Alex' doorgegroeide kloon en haar vier schaduwen.

'Jij bent gewoon jaloers op je eigen zus, teringwijf!'

De knal van de deur die achter Emma dichtsloeg klonk als een paukenslag in een opera van Puccini.

Ze leunde er met haar rug tegenaan.

Eindelijk. Rust.

Alex zat aan de keukentafel in haar pyjama. Haar haar leek wel een vogelnest en de donkere eyeliner was dik onder haar ogen uitgesmeerd. Ze zag er ietwat geëxplodeerd uit.

Alex sprong blij op toen ze haar zusje binnen zag lopen.

'Pikkie! Hoe gaat-ie dan?'

Emma legde haar viool neer op tafel.

'Hoe is het gegaan vandaag?' stelde ze een wedervraag zonder zelf eerst antwoord te geven.

'Waanzinnig, echt, niet normaal!'

Alex hield een glossy op voor Emma. 'Moet je zien!'

Op de cover prijkte een foto van Alex. Ze leek wel een fotomodel. De kop stond in grote schreeuwerige letters gedrukt.

Schoonheid, talent, en dat *je ne sais quoi*...

Is er een grens aan wat Alex kan bereiken?!

'Het is om je dood te lachen! Echt, als ik het lees word ík zelfs bijna verliefd op mij!'

Alex bladerde wat door de glossy heen.

'Waar staat het ook alweer? Alex, bla, bla, bla... Winnaar, bla, bla... Ja, hier!'

Ze schraapte haar keel en begon hardop te lezen.

'"Onmiddellijk geeft ze me het gevoel dat ze al haar hele leven naast me heeft gewoond. Het leukste buurmeisje van de buurt, degene die iedereen kent, van wie iedereen houdt. Hoewel ze geen make-up op heeft staart het hele restaurant ons aan..."'

Lachend klapte Alex het blad dicht.

'D'r was geen hond! Het was 11 uur 's ochtends! Hoe dan ook, hier, moet je deze zien. Tussen haakjes, ik héb ook gezegd dat ik Thomas een leuke jongen vind, maar niet zo. Luister. "Vraag van S",' Alex hoofd keek even boven het blad uit, 'S is *Stermagazine.* "'Heb jij een vriendje?' Antwoord A," dat ben ik, 'Nee, ik vind Thomas leuk...'" Ja, hallo! Weet je wat ze echt vroegen? Meerkeuzevraag: of ik Thomas leuk of stom vond! Ha ha!'

Emma luisterde met verwondering naar de uitspraken die Alex zou hebben gedaan, maar ze was nog veel meer verwonderd door Alex' toelichting.

'Herinner je je dat spelletje nog dat we vroeger deden? Dat we zinnen opschreven en dat we dan de voorwerpen, plaatsen en werkwoorden uit elkaar knipten en dan geblinddoekt weer bij elkaar plakten?' vroeg Emma.

'Ja...'

'Het ziet ernaar uit dat we niet de enige waren.'

Nu of nooit

Daar stond ze dan. Het was nu of nooit. De afgelopen paar uur waren een onontkoombare hel geweest. Met de minuut tikten de voorbereidingen die ze nog kon treffen weg. Het leed geen twijfel dat ze iedere techniek goed kende – dubbelgrepen, spiccato's, flageoletten en pizzicato's van de caprices van voor naar achter en weer terug – maar toch... Wanneer was goed goed genoeg? In hoeverre zouden haar zenuwen haar parten spelen? Moest ze nog studeren, de partituren een laatste maal doorkijken, of moest ze juist ontspannen en haar energie bewaren voor het optreden? Het enige waar ze zeker van was, vreemd genoeg, was dat ze de juiste jurk had uitgekozen. Moeder had hem zelf voor haar gemaakt, naar een patroon dat ze had gevonden in de *Burda*. De jurk was van rode zijde, had een cirkelrok en grote pofmouwen. Dat vurige paste goed bij Paganini, vond Emma. De examinatoren moesten op iedere mogelijke manier worden ingepakt. Dit was mogelijk het belangrijkste optreden dat ze ooit zou geven. Een leven lang studeren en vier jaar conservatorium zouden beoordeeld worden op één moment.

Afstuderen.

Het leek het ongerijmdste wat ze ooit had gehoord.

Iemand klopte op de deur van de kleedkamer. Emma's ogen vlogen ernaartoe. Had ze niet nog een uur?

De paniek was overbodig, het was Bock. Rustig sloot hij de deur achter zich.

Emma voelde haar hart zwaar worden. Dit was het moment waarop Bock haar vaarwel zou zeggen. Hij zou niet bij de uitvoering zijn, dit was het, hij zou haar verlaten voor altijd, haar laten wegvliegen op de kracht van haar eigen vleugels. Hoe zou ze in hemelsnaam haar dankbaarheid kunnen uitdrukken?

'Mag ik u bedanken voor alles wat u mij hebt geleerd?' begon ze. 'En niet alleen over de viool.'

Hij glimlachte, maar negeerde haar woorden en kwam voor haar staan. Hij nam haar handen in de zijne. Zo stonden ze, tegenover elkaar, hand in hand, in elkaars ogen te kijken. Emma voelde de spanning wegglijden.

Ze zeiden alles wat ze wilden in stilte. Zijn ogen waren vervuld met vaderlijke trots. Zij stond fier rechtop, fier op wie ze was geworden.

Met een laatste kneepje in haar vingers draaide Bock zich om en liep naar de deur.

'Ga ervoor, meid,' was het enige wat hij zei vlak voordat hij hem dichtdeed. 'Ga ervoor.'

Voor in de zaal zaten haar ouders, Alex, oma en Amy haar toe te lachen. Achter hen zaten wat medestudenten en de rest van zaal was gevuld met muziekliefhebbers, geen stoel was leeg. Emma's hoofd was rustig. Ze wist waar ze heen wilde, ze wist wat haar te doen stond. Ze zag de hoofdexaminator knikken ten teken dat ze kon beginnen. Voor de allerlaatste maal controleerde ze haar schoudersteun. Ze klemde haar viool tussen kin en schouder, en maakte vliegensvlug de eerste vingerzettingen.

'Ga ervoor,' echoden Bocks laatste woorden in haar hoofd.

Haar stok vloog hoog de lucht in en streek neer.

Het was nu of nooit.

Het Italiaanse volk. De honger en frustratie. Ze proefde de droogte in de lucht, de dorst achter haar tong. De gladde zijde van haar onderrok werd een ritselend katoen dat ruw over haar benen schuurde, terwijl ze kilometers doorliep, op zoek naar voedsel. Ze zag grote ogen van hongerige kinderen, de wanhoop daarin van hen die in opstand hadden willen komen maar die waren neergesabeld. Een jongetje in vodden, niet ouder dan zes, stond in shock aan de kant van de weg. Zijn moeder rende voor hem en hun nog smeulende, tot op de grond afgebrande huis op en neer. De rottende lucht van de dood hing om hen heen.

De woede over de heersers die meer voedsel hadden dan ze konden eten, maar die toch een dorp platbrandden als de bevolking de helft van de oogst niet kon inleveren, kwam in brullende slagen op haar snaren neer.

Haar ademhaling was zwaar. Een zweetdruppel biggelde langzaam van haar oksel naar haar linkerelleboog. Haar bovenlichaam zwaaide wild.

Emma voelde dat het einde nabij was. Ze wilde de laatste tonen zo lang mogelijk bij zich houden, voordat ze zouden vervliegen naar het eeuwige.

Vanachter in de zaal begon iemand hard te klappen.

'Bravo!' hoorde ze haar oma boven het applaus uit roepen. 'Bravo, bravo!'

Ze zag de mensen voor zich opstaan. Het applaus groeide en groeide.

In haar hart was Emma nog in Italië. Als grap zei ze wel eens dat ze de muziek van God kreeg doorgezonden. Hardop zou ze het nooit toegeven, maar zo voelde het wel. Alsof het via haar kruin naarbinnen kwam en via haar viool de wereld in stroomde.

Ze zag Bock achter in de zaal naar de deur bewegen. Hij lachte breed en trots.

Hij knikte naar rechts, naar de examinatoren, en zijn lach werd nog groter.

Vijftien minuten later rende Emma, omgekleed in een bloemenrok en wit shirt, terug naar de ingang van het auditorium waar haar familie op haar stond te wachten. Het was druk, ze had het er nog nooit zo druk gezien, het leek wel alsof niemand van de luisteraars was vertrokken. Pas toen haar vader met een wijde zwaai om zich heen gebaarde ontdekte ze haar familieleden en vrienden. Terwijl ze haar weg naar hen toe baande voelde ze de ogen van alle kanten op haar gericht. Het bloed steeg naar Emma's gezicht en ze lachte verlegen. Een hip uitziend meisje kwam op haar af lopen, ze keek minstens zo enthousiast als Emma zelf.

'Sorry, mag ik je wat vragen?'

Emma werd een beetje verlegen. Natuurlijk ging het om de muziek zelf. Maar om deze erkenning te kunnen krijgen van collega's en muziekliefhebbers was prachtig, het feit dat er nog steeds zo veel mensen waren gebleven om haar te feliciteren was het grootste compliment.

'Jij bent het zusje, toch?'

Even keek Emma verbaasd.

'Zou ik een handtekening van d'r mogen hebben?'

'Sorry?'

'Alsjeblieft?' smeekte het meisje. 'Ik ben al zó lang fan.'

Emma slikte.

'Ja, ik neem aan van wel.'

Het meisje klapte in haar handen van blijdschap en gebaarde naar een vriendinnetje dat schaapachtig achter een pilaar verscholen stond te wachten.

'Dank je wel, dank je wel!' riep het meisje nog over haar schouder, terwijl ze op Alex af stevenden.

Ze bleken de eerste schaapjes over de dam. In luttele seconden was Alex omgeven door fans.

Met een wat ongelovige glimlach schudde Emma haar hoofd en vervolgde haar gang naar haar familie.

'Pikkie! En waar denk jij zo heen te gaan?' klonk het hard door de zaal.

Alex stond een paar stappen van de rest van de familie verwijderd, met haar breedste lach en een uitgestrekte arm. Het meisjes dat naar haar toe rende hield onwillekeurig in. Alex knuffelde Emma zo hard ze kon.

'Je was echt goed, je hebt de zaal helemaal plat gekregen!'

Emma straalde. Een grote, robuuste vrouw tikte Emma op de schouder. Haar kapsel stond als een golvende grijze helm op haar hoofd. Ze droeg de grootste parels en diamanten die Emma ooit had gezien om haar nek. Ze zagen er erg duur uit, en ook erg lelijk.

'Wat hebt u gewáldig gespeeld,' zei ze tegen Emma, alvorens zich naar Alex te draaien. 'En wat gewáldig dat u naar uw zuster bent komen kijken! O wat vréselijk jammer dat mijn kleindochter niet kon komen, heus, zij draait uw platen continu. Zou ik u misschien mogen vragen wat voor haar op te krabbelen?'

De hele pauze werd Emma omgeven door mensen. Het merendeel

van de gasten was zelfs speciaal gekomen omdat ze hadden gehoord dat Emma zou spelen.

De gedachte dat Alex er misschien ook zou zijn, was waarschijnlijk wel bij deze of gene opgekomen.

De mooiste dag van een leven

Emma en Alex liepen zij aan zij door de Veluwse bossen. Alex was op werkkamp, zoals ze het zelf gniffelend noemde. Dit was de eerste pauze die ze had gekregen sinds ze er drie weken geleden was gearriveerd. Het 'kamp' bestond uit een grote studio en een aangebouwd huis, en de bedoeling was dat Alex daar haar cd zou opnemen en tegelijk was het een uitvalsbasis om nog de nodige promotie te doen. De single die vlak na haar *Superstar*-overwinning was uitgebracht, was direct op nummer 1 gekomen, en het was zaak de cd zo snel mogelijk in de schappen te krijgen.

Het was nog verdraaid veel werk, een hit fabriceren. Er werd veel geld in een album geïnvesteerd, en dat moest wel zo ruim mogelijk worden terugverdiend. Emma dacht niet dat ze iemand ooit zo hard had zien werken als haar grote zus, zelfs niet op het conservatorium. Ze rende van opnamestudio naar fotosessie, van fotosessie naar handtekeningensessie, en trad overal op waar ze maar werd gevraagd. Het belangrijkste was dat Alex werd gezien, zei Simon steeds. Tenzij je doof, blind en stom was leek het onmogelijk Alex over het hoofd te zien.

Ze wandelden door de stilte, bewonderden de bomen die in hun verscheidenheid het glooiende landschap verbraken. Een gezin kwam vanuit de verte aanwandelen, man, vrouw, een peuter en een baby in de kinderwagen.

'Môgge,' zei de meneer terwijl ze langsliepen.

'Môgge,' antwoordden Emma en Alex.

De vrouw keek op van haar kinderwagen, leek als door een slang gebeten en sloeg haar handen voor haar mond.

'Juuuuuh!' gilde ze. 'Juuuuuuuh!'

Ze sprong op en neer en trok bijna de haren uit haar hoofd. 'Alex!

Alex!' Tranen biggelden over haar wangen. Ze leek in trance. Pas na een hele tijd werd ze iets rustiger.

'Dit is de mooiste dag van mijn leven,' fluisterde ze Alex als gehypnotiseerd toe.

Emma keek van de baby in de wandelwagen naar de peuter die ernaast stond en weer terug naar de vader. Hij leek er geen probleem mee te hebben dat zijn trouwdag of de geboorte van zijn kroost lager scoorden in de rangorde van mooie gebeurtenissen in het leven van zijn vrouw dan deze ontmoeting met een bekende Nederlander.

'Mag ik je aanraken?' vroeg de vrouw aan Alex. Ze keek alsof ze haar wilde opeten.

Alex stak haar armen uit en omhelsde de vrouw. De vrouw begon weer te huilen en leek haar laatste beetje zelfbeheersing te verliezen. Het duurde nogal lang voordat ze was gekalmeerd en de zusjes met goed fatsoen hun wandeling konden voortzetten.

'Is dat nou niet raar?' vroeg Emma het moment dat het gezin buiten gehoorsafstand was.

'Nou ja, dat gebeurt nou eenmaal als je een ster bent. Hé, heb ik al verteld dat ik vanmiddag een interview met *HP/De Tijd* heb? Ja, echt top, de serieuze pers staat nu ook in rijen te wachten voor een interview.'

Toen ze het landgoed van Simon op liepen stond hij al te wachten.

'Viktor heeft voor je gebeld,' zei hij. Hij leek tevreden. 'Of je de show wilt openen van hem en Rolf. *De Volkskrant* wil een interview, maar ik heb besloten dat we daarmee gaan wachten tot de cd uitkomt. Je bent uitgeroepen tot best geklede vrouw van het jaar door de *Beau Monde*,' hij keek over zijn zonnebril heen naar de afgedragen legerbroek van Alex. 'God mag weten hoe je dat voor elkaar hebt gekregen. En morgen kijkt Tom Mazzeri van World Records via internet mee naar je opnames. Ik heb al een styliste erop uitgestuurd om een topoutfit voor je te halen, je weet hoe die Amerikanen zijn.'

'Top,' zei Alex.

Simon knikte.

'Emma, Alex en ik moeten weer aan de slag. Wat wil jij doen, nog even blijven kijken of zal ik aan Rob vragen of hij je weer terug naar huis rijdt?'

'Nee, blijf nog even!' smeekte Alex. 'Simon echt, ik weet dat ik moet buffelen en dat vind ik ook niet erg, maar ik hou van niemand meer dan van mijn zusje, en als ik gelukkig ben dan zing ik altijd beter.'

Emma keek liefdevol naar haar grote zus.

'In dat geval moeten we misschien maar een kamertje voor haar inrichten,' stelde Simon vast.

Beter dan Bono

'Em, schiet eens op!'

'Het klopt niet, joh, echt niet.'

'Laat zien dan.'

Beduusd schoof Emma het gordijn dat het paskamerhokje afscheidde van de ruime, door Philippe Starck ontworpen winkel opzij.

Valvo – de *up and coming*-ontwerper (zijn woorden, hoewel die term in zijn geval ook als nog-niet-helemaal-gearriveerd kon worden geïnterpreteerd) – die Alex had gesmeekt wat gratis kleding uit te komen zoeken, was creatief geweest: een doorschijnende blouse met drie mouwen.

Emma draaide zich nog eens om naar de spiegel en keek naar de enorme slurf die uit de plek tussen haar nog immer niet bestaande borsten rees.

Valvo stond naast haar. Zijn haar was peroxidewit, zijn huid was oranje en zijn borstkas was zo ontwikkeld dat die het verdiende een decolleté te worden genoemd. Hij keek naar Emma alsof ze een insect was. Hij vond het overduidelijk maar niks dat Emma alle kleding voor Alex paste, maar zo was het nou eenmaal een beetje minder vermoeiend voor Alex.

'Staat je goed,' sprak hij met een nasale, zeurderige klank.

Weer keek ze naar de slurf zonder functie.

'Ja,' zei Alex, rood aanlopend in een dappere poging haar lach in te houden. Ze wees naar het derde mouwtje. 'Handig ook.'

Valvo reageerde niet, maar trok wit weg, in zijn geval van oranje naar zalmroze. Zijn opgespoten lippen tuitten zich zuur.

'Ja, echt heel mooi. Mag ik die ook hebben, Valvo?'

Valvo keek op alsof hij een vondeling was die ontdekt dat zijn moeder hem níét had verlaten, dat het allemaal een misverstand was geweest.

'Dus je vindt het wel mooi?' vroeg hij met een glinstering in zijn ogen.

Alex knikte enthousiast. 'Prachtig. Vooral die,' wees ze naar het truitje dat Emma droeg.

Valvo viel haar in de armen en liet geruime tijd niet meer los. Naast hen lag een stapel kleding die Alex had gekozen: drie waanzinnig strakke, met spijkers beslagen leren broeken met bijbehorende topjes, een nepbontjas met een regenboogmotief, een enorme sjaal met franjes en het conservatiefste truitje uit de collectie voor Emma.

Een paar minuten later ploften ze op de achterbank van de stretch-Mercedes die World Record, de internationale platenmaatschappij waar Alex een paar maanden geleden bij had getekend, voor hen had geregeld. De chauffeur zette de tassen in de reeds overvolle achterbak en ze gingen op naar de volgende ontwerper. Sinds Alex was gefotografeerd in een superstrakke spijkerbroek van Dolce&Gabbana en hun verkoop met een factor tien was gestegen, werd Alex door elk zichzelf respecterende modehuis uitgenodigd om 'langs te komen'. Wat inhield dat ze werd aangemoedigd proletarisch te winkelen. Emma keek door het getinte raam naar buiten. Winkelen was leuk. Misschien oppervlakkig, maar leuk. Vooral als je er niets voor hoefde te betalen. Bovendien, na wekenlang in haar eentje op haar zolderkamer Ševčík te hebben bestudeerd was het alleen al fijn om er even uit te zijn. De auto reed weg. Met veel moeite vervolgde hij zijn weg over de Herengracht. Emma keek hoe Amsterdam aan hen voorbijtrok. De grachtenpanden waren uniek in hun schots en scheve pracht. Een sloepje met twee stelletjes voer over het water. Ze dronken witte wijn. Vanaf de andere kant kwam een boot met toeristen, die Amsterdam via hun camera's bekeken. De limo sloeg rechts af, wat een half uur duurde, de wagen was niet echt gebouwd op de smalle Amsterdamse straatjes, en ze gingen opnieuw de drukte in.

Door de getinte ramen leek de buitenwereld een film. Een vrouw met een bleek gezicht stopte naast hen, ze keek gedachteloos in hun richting. Het was moeilijk om het verdriet in haar ogen als werkelijk te ervaren, de vertekening door het glas vervreemdde. Ze stopten voor een verkeerslicht in de Utrechtsestraat. Een jochie op de stoep stevende zo hard hij kon op de immens lange auto af. Onbeschroomd vormde hij met zijn handen een koker om zijn ogen en drukte ze stevig tegen het glas. Alex zette haar wijsvinger onder het geplette neusje en deed alsof ze eruit aan het peuteren was. De zusjes schaterden het uit.

Alex' autotelefoon ging over. Ze nam op en zette het een fractie later op een krijsen.

'Ik sta in Engeland nummer 1 in de top 10 meest verkochte albums van dit jaar!!!'

'Gaaf,' zei Emma terwijl ze haar oor masseerde, hopend dat haar trommelvliezen nog intact waren.

'Gaaf? Weet je wel wat dat betekent?'

Emma keek nergens echt meer van op sinds het succes van Alex' tweede single.

'Ik heb Elton John verslagen! Ik sta boven George Michael! Ik ben beter dan Bono!'

Sinds Alex zes maanden geleden bij World Record had getekend, brak ze zelfs internationaal door. Nummer 1 in Italië en Spanje, binnengekomen op nummer 5 in Frankrijk. Het was de grootste dikke vinger naar iedere criticus die onder de gordel had gemikt, en de vinger groeide met de week.

Om het nieuwe succes te vieren gingen ze naar Asia de Brasil, het restaurant van het hippe hotel de Gracht aan de Amstel. De reserveringslijst was er altijd maanden van tevoren al vol. De namen die erop stonden waren een combinatie van hotelgasten en Bekende Nederlanders. Alex hoefde niet te reserveren, voor haar was er altijd een tafeltje vrij.

De chauffeur opende de portieren, alsmede de deuren van de Gracht aan de Amstel naar die van het restaurant. Zo was het nou eenmaal. Je had succes en deuren openden zich als vanzelf.

Het waren deuren naar een andere wereld.

De entree was een sprookje. De linkermuur was fris geelgroen geschilderd, die ertegenover lila, en de stevige pilaren waren hagelwit. Een klassieke ligstoel stond een paar meter van een goudkleurig bankje met vier bijpassende poefen. Een beeld van een zittende vrouw, donker en peinzend, stond in het midden. Zonnestralen vielen vanuit onverwachte hoeken naar binnen en verlichtten het land van de mooie mensen.

Emma keek steels in de spiegel achter de welkomstbalie terwijl ze voorbijliep.

In dit licht zag iedereen er goed uit, zeker in de net aangeschafte kleren.

De wereld kende Alex, maar andersom leek het ook zo te zijn.

Per afgelegde meter moest er ten minste één persoon worden begroet. Zo waren er de songwriters, de producenten, journalisten, managers, enzovoorts. Zelfs mensen die niets met de showbizz te maken hadden wisten er alles van. Al was het alleen maar omdat ze naar hetzelfde restaurant gingen. Alex kende iedereen bij naam, en hen die ze niet kende heetten Schat.

'Schááát, wat zie jij er goed uit!'

Het was Emma wel eerder opgevallen hoe vreselijk blij iedereen was elkaar te zien. 'Schááát, gewééééldige schoenen!'

Ook was alles heel geweldig, niets was ooit gewoon leuk, maar gewéééééldig. Emma vond het wel grappig. De mensen die niet groetten, kusten of knuffelden keken toe. Wel zodanig dat Alex het niet zag, maar in dit geval was Emma het paar ogen in haar achterhoofd.

Emma herkende iemand van televisie die naar Alex zat te staren. Ze wist het niet zeker, maar ze dacht dat hij een volkszanger was. Jochem heette hij. Jochem zat als een koning aan een lange tafel in de hoek. Hij droeg een rood fluwelen jasje waar lange mouwen met ruches onder uitstaken, zijn lange haren waren volumineus geföhnd en zijn gevolg zat op net iets lagere stoeltjes dan het zijne. Emma zag de zanger zijn lippen bewegen en zijn hoofd in Alex' richting knikken. Zijn volgelingen wendden zich allemaal tegelijk om. Aan hun gezichten te zien was niemand aan die tafel er blij mee dat roem tegenwoordig een democratisch gebeuren was.

Aan een tafeltje even verderop zaten twee dames met een ietwat bezonnebankt gelaat te fluisteren.

'Schrijf het op, Shirl, op je servet! Een korte spijkerrok met strakke tanktop, een langer jasje en een ketting langer dan de rok. Laars vlak onder de knie, stompe punt, maar met hak. Heb je het, Shirl, heb je het?'

Emma keek naar haar zus, in haar korte spijkerrok en legerjasje. Ze was zich niet bewust van de aandacht die ze trok, ze was veel te druk aan het praten met een groepje mensen. Geen van hen waren aan Emma voorgesteld. Emma vond het niet erg, ze kende de code nu wel: het waren Schatten.

Ditmaal werd haar geduld wel erg op de proef gesteld.

'Alex, zal ik je zusje alvast naar jullie gebruikelijke tafel brengen?' stelde de hostess voor.

'Graag, dank je.' Alex draaide zich naar Emma toe. 'Ik kom zo.'

Opgelucht liep Emma achter de hostess aan naar hun gebruikelijke tafeltje aan het raam, dat uitzicht gaf op de Amstel, en nam plaats. Ze was doodop, al had ze geen idee waarvan. Het enige wat ze die ochtend had gedaan, was agenten en orkesten bellen. Sommige hadden gezegd dat ze wel een brief mocht schrijven, wat hoopgevend was.

Een ober bracht vast wat brood en een schaaltje olijfolie. Ze bestelde een appelsap en legde het linnen servet op haar schoot.

Tussen de mensen door zag ze Alex lachen met een smoezelig uitziende man, wiens dikke buik over een aftandse leren broek hing. Alex zou nog wel even bezig zijn.

Ze zakte onderuit in haar stoel en scheurde een stukje brood af. Zo hoorde het. Niet snijden en smeren, maar scheuren en dopen. Dit soort plaatsen kwamen met wet en regelgeving.

Ze vroeg zich af of er misschien iets in het water zat dat het merendeel van deze vrouwen zo beeldschoon maakte. Zelfs de serveersters liepen erbij of ze van de catwalk waren geplukt. Emma kon zich niet voorstellen dat zij er uitzag alsof ze daar thuishoorde.

Niet geheel misplaatst, want dat deed ze ook niet.

Alex stond er de laatste tijd op dat ze naar dit soort chique tenten gingen. De kroegen waar ze voeger heen gingen konden niet meer. Meutes ontstonden te makkelijk en de Amsterdamse politie waardeerde het niet als ze hun schaarse tijd en middelen moesten inzetten om popsterretjes uit losgeslagen menigten te redden. Daarbij hoorde ze gewoon niet meer in kroegen, zei Alex. Het publiek was er om aan te verkopen, niet om nieuwe vriendschappen mee aan te knopen.

Emma keek om zich heen naar de mensen aan de prachtig gedekte tafeltjes, de gasten die als vanzelfsprekend op hun wenken werden bediend, en ze vroeg zich af wat zij nou eigenlijk van haar dachten. Of ze haar zagen. Of ze enig besef hadden dat de prijs van hun lunch haar voedselbudget voor een maand oversteeg.

Zelf dacht ze over dat laatste maar nooit te lang na, dat was een beetje té raar.

Alex gaf haar nooit het gevoel dat ze aan het klaplopen was.

'Het maakt echt niet uit,' zei ze altijd. 'Je bent toch mijn zusje, dat is toch normaal?'

Na verloop van tijd begon Emma dat ook wel te vinden. Het was voor haar simpelweg onmogelijk die rekeningen te betalen en voor Alex was honderd gulden als een stuiver voor Emma.

Ze telde haar zegeningen. Als Alex *Superstar* niet had gewonnen, had ze nooit geweten dat een tosti geen competitie was voor een Croque Monsieur. Dat kaviaar, het feit dat het op vissenschijt leek daar gelaten, hemels was. Hoe het eraan toeging bij tv-opnames. Maar vooral was het fijn om tijd met Alex door te brengen. Niemand maakte haar zo aan het lachen als haar zus. Bij niemand voelde ze zich veiliger, bij niemand meer thuis. Waar ze ook was.

Het verlaten van het conservatorium was vreselijk geweest. Het was begonnen toen Steman haar bij hem in zijn kantoor had geroepen. Voor de allereerste keer in vier jaar lachten zijn ogen niet toen ze binnenkwam.

'Emma, we hebben de Gagliano nodig,' was hij met de deur in huis gevallen. 'We vinden het in de regel niet erg als je hem tot even na je afstuderen houdt, maar hij is aan een nieuwe student toegezegd.'

Emma had gewild dat hij haar een stoel zou aanbieden, dat ze even kon gaan zitten om erover te praten, kunnen zien of er niet een andere manier was om met het probleem van die andere student om te gaan. Maar dat deed hij niet.

'Het spijt me,' was het enige wat hij zei.

Discussie gesloten.

Aan het raamtafeltje in Asia de Brasil nam Emma nog een slokje van haar appelsap en sloot haar ogen. De herinnering aan hoe ze verslagen naast de ingang van Den Haag Hollands Spoor had gestaan, zou haar nooit loslaten, dat wist ze zeker. Reizigers hadden zich langs haar gehaast, trams reden af en aan. Het waren de laatste momenten voordat ze haar Gagliano aan de nieuwe 'rechtmatige gebruiker' moest overhandigen. Ze had zich aan het instrument vastgeklonken. Tot op de laatste seconde had ze naar manieren gezocht om het niet door te laten gaan. In haar hoofd kon ze alles. Ze kon met de Gagliano vluchten, ze kon thuisblijven en nooit meer opendoen. Maar dat kon niet.

Iedere minuut die verstreek na tienen groeide de desperate en ongegronde hoop dat Tomoti niet zou komen opdagen. Uiteindelijk, om twíntig over tien kwam er een klein Aziatisch meisje op haar af lopen.

'Ik ben Tomoti,' sprak ze met een lijzige stem, terwijl ze haar ogen begerig over de vioolkist liet glijden.

Het was alsof ze een kind had moeten afstaan. Ze had letterlijk het gevoel alsof er iets uit haar lichaam werd gerukt. Ze was hechter met dat instrument vergroeid dan met wat dan ook ter wereld. En nu zou deze vreemde erop gaan spelen. Hem beïnvloeden met elke streek van de stok. Hoe oud was ze eigenlijk, twaalf?

'Zul je goed voor hem zijn?' fluisterde Emma terwijl Tomoti gretig naar de viool reikte. 'Hij is heel gevoelig.'

'Als je het niet erg vindt, dan ga ik er meteen vandoor, want anders kom ik te laat.'

Het enige wat Emma kon doen was hopen dat haar Gagliano goed zou worden behandeld.

En loslaten.

'Sorry, mogen we je wat vragen?'

Emma schrok op uit haar gedachten en vond zichzelf terug in het restaurant van de Gracht aan de Amstel.

Twee mannen aan het tafeltje achter haar zaten naar haar toe gedraaid in hun stoelen. Beide droegen grijze pakken met quasi-ondeugende rode stropdassen.

'Natuurlijk.'

'Ben jij het zusje van dat meisje van *Superstar*?'

'Ja.'

'Ah, dat dachten we al.'

Ze draaiden zich weer van haar af.

Emma pakte haar broodje, beeldde zich in dat het Tomoti's hoofd was en scheurde er een stuk vanaf.

'En is ze veel veranderd?' klonk weer uit de hoek van de meneren.

'Pardon?'

'Of ze veel is veranderd. Je zus.'

'O. Nee.'

Emma probeerde niet aan Tomoti's handen te denken, de handen die misschien op dit moment wel aan haar viool zaten te friemelen. Als Tomoti nou maar een beetje minder vreselijk was geweest. Ze had waarschijnlijk niet eens een beurs nodig, met dat geaffecteerde accent van haar, die dure kleding. Daarbij had ze ook nog eens zo'n air dat alles haar toebehoorde.

'Je zult wel een beetje jaloers zijn zeker, hè'?'

Emma keek op. Ze trok de punten van haar vork uit het tafellaken.

'Sorry?'

'Je moet zeker wel een beetje jaloers zijn.'

Ze hadden gelijk. Ze was jaloers.

Maar niet op haar zus.

De waarheid in rook op

Later die avond lag Emma op het berenvel op Alex' bed tv te kijken. Alex had haar gevraagd die nacht bij haar in Amsterdam te blijven, in het appartement dat ze een paar maanden terug had gekocht. Het was een enorm appartement aan de Leidsegracht. Behalve het bed waar ze op lag en een televisietoestel was het nog helemaal leeg, Alex had geen tijd gehad om meubels te kopen.

'Ik ben toch alleen maar thuis om te slapen,' haalde Alex er haar schouders over op. 'En bovendien is die leegte wel handig om te leren rollerbladen.'

Emma vond het gezellig om te blijven slapen. Net als vroeger. Daarbij kon ze zo de brieven die ze die ochtend aan agenten en orkesten had geschreven zelf afgeven, wat weer scheelde in postzegels.

Over een paar minuten begon *Berendses reis met de sterren*, een populair tv-programma, waarvoor doorgaans alleen de groten der aarden werden uitgenodigd, maar in deze aflevering zou Alex te gast zijn. Op het bed om hen heen leek het alsof er een bom van chips, chocola en koekjes was ontploft. Sinds Alex bekend was geworden, was ze ervan overtuigd geraakt dat ze te dik was. Sindsdien raakte ze een beetje geobsedeerd door eten.

Alex bood haar een trekje aan van een joint, die ze tegenwoordig rookte (nog een van Alex' nieuwe theorieën: joints waren beslist beter dan alcohol omdat joints geen calorieën bevatten, en 'het is niet zoiets als heroïne of zo').

Emma dacht terug aan het advies van Bock om eens een beetje te léven, en ze accepteerde zenuwachtig. Ze stikte bijna terwijl ze inhaleerde en de smaak was smerig. Het leek hoegenaamd geen effect bij haar te hebben. Ze probeerde nog een paar trekjes en deed beter haar best wat rook in haar longen te krijgen, die er alles aan deden om het eruit te houden. De zenuwen hadden plaatsgemaakt voor gegiechel, maar afgezien daarvan – en van een heleboel gehoest – leek het spul geen veranderingen bij haar teweeg te brengen.

Ze opende haar tweede zak Chipitos. Ze waren ongelooflijk lekker. Maar het was bijna onmogelijk om ze door te slikken, haar mond leek wel gevuld met watten, maar ze waren te lekker om het niet te doen. De intro van de show begon. Alex drukte op de volumeknop van de afstandsbediening. Emma wierp zich bijkans op het apparaat om het volume terug te zetten.

'Hé, er zit geen ondertiteling bij,' reageerde Alex en ze zette het volume met de afstandsbediening weer hoger.

'Maar het staat te hard! Straks gaan de buren nog klagen.'

'Nee, dat is de joint die je gehoor vervormt. Da's normaal.'

Emma schudde haar hoofd.

'Nee hoor, ik voel nog niks. Mag ik nog een trekje?'

'Rustig aan daarmee,' waarschuwde Alex en ze gaf de joint door. 'En stil zijn.'

Alex verscheen op de beeldbuis. Emma merkte bewonderend op hoe mooi ze eruitzag. De televisie vloog op de een of andere onverklaarbare wijze door de lucht. Emma moest met haar ogen knijpen om hem stil te laten staan.

Ze nam nog een trekje. Het inhaleren ging een stuk beter. Plotseling merkte Emma op dat Berendse, de presentator die al op de buis was toen zij een klein meisje was, verdacht veel op een duif leek: hij was grijs, zijn neus was puntig en gebogen als een snavel, en zijn kin en mond waren onbeduidend.

'Stil nou!' Ze kreeg een knal tegen haar hoofd met een lege doos chocolaatjes.

Emma's wangen deden pijn van het lachen terwijl ze de volzin 'net 'n duif!' probeerde uit te spreken.

Ondertussen had Berendse het gesprek aangestuurd op hoe het nou mogelijk was dat Alex zo nuchter bleef onder al dit internationale succes, een primeur voor een Nederlandse zangeres.

'Een stabiel gezinsleven,' had tv-Alex geantwoord.

De echte Alex draaide zich met een omhooggetrokken wenkbrauw naar Emma om.

'Nou, daar ben ik dan lekker klaar mee,' zei ze grinnikend.

Emma kneep met haar handen in haar zij om de krampen van het lachen weg te masseren. De tv vloog er weer vandoor.

'Hoe houd je dit fysiek vol? Het lijkt wel alsof je topsport bedrijft,' vroeg Berendse.

'Dat is het ook. Ik denk dat het voor iedereen belangrijk is gezond te leven. Voor mij is het anders niet te doen. Ik eet bergen groente en fruit...'

Alex bracht een enorme handvol chips naar haar mond.

'Ooit waren het aardappelen, toch?'

'Hiiiiii!' gilde Emma. 'Hou op, ik doe het in mijn broek!'

'... en ik drink vijf liter water per dag.'

Alex keek met rode, opgezette spleetoogjes naar de cholesterolexplosie om zich heen.

'Natuurlijk drink ik geen vijf liter water per dag. Ik heb niet eens tijd om zo veel te pissen.'

Emma was bang dat ze de lachaanval niet zou overleven.

Het journaal werd aangekondigd. Ineens kwam de televisie tot stilstand. Ze zag iemand spreken in de Tweede Kamer. De premier had het over hoe de werkloosheid was gedaald. Het beleid van de regering werkte uitmuntend, zei hij. Maar Emma kon hij niet langer in het ootje nemen. Mensen zeiden op tv wat hun goed uitkwam.

'Ja, ja, en op die manier gaat iedereen weer op jullie stemmen, omdat het zo goed gaat,' mompelde ze toen er op zijn oprechte blauwgrijze ogen werd ingezoomd. 'We worden geïndoctridingest door onze eigen democratie.'

Alex' rode ogen staarden Emma leeg aan.

'Schat, je hebt net een enorme joint met skunk bijna helemaal alleen opgerookt. Volgens mij begin je een beetje paranoïde te worden.'

De weken na de logeerpartij verbleef Emma bijna onafgebroken op haar studeerkamer op zolder. Haar moeder kookte haar avondeten, haar vader moedigde haar aan om haar oude viool zo goed mogelijk met haar te laten communiceren. Hoe vaak ze zichzelf er ook aan herinnerde dat ze geluk had überhaupt een viool te bezitten bleef het frustrerend zich ermee te moeten verzoenen. Een viool van vijfduizend piek zou nooit eenzelfde geluid kunnen produceren als haar vierhonderdduizend gulden kostende Gagliano.

De viool... Het geluk en de vloek van iedere violist.

Nadat ze het object had moeten teruggeven waarvan ze het meest hield van alles op de wereld, was de afschuwelijke realiteit waar iedere violist voor vreest onontkoombaar: ze was instrumentloos.

Een zanger heeft zijn stem, een acteur zijn lichaam, een schilder verf en penseel, maar een violist moest voor een beetje viool minstens vijftienduizend gulden neerleggen. En dat was nog zonder de stok. Rond de vijfduizend gulden waren er wel professionele violen te koop, maar geen instrument van solokwaliteit. Ze moest minimaal aan twintigduizend gulden komen, anders hoefde ze al niet te denken aan een carrière en zou ze net zo goed meteen kunnen stoppen.

Ze zag zich al aankomen bij de bank.

'Hallo, ik zou graag twintigduizend gulden lenen voor een viool.'

'O, geweldig. Wat is uw gemiddeld jaarlijks inkomen?'

'Tijdens mijn opleiding trad ik al af en toe op, ik verdien zo'n tweehonderd gulden per maand.'

'En hoe ziet uw financiële toekomst eruit?'

'Als u mij een glazen bol geeft, dan vertel ik het u direct.'

'Maar als u gedurende tien jaar niet eet en tot achter in uw dertigste bij uw ouders blijft wonen, dan moet het terugbetalen in principe lukken?'

'In principe wel, ja.'

Ze had het er met Amy over gehad, die in hetzelfde schuitje zat.

'Schumacher wint ook geen Grandprix in een Lada,' had ze gezucht. En gelijk had ze. Maar de Ferrari's onder de violen, de Guerneri of Stradivarius, werden door verzamelaars gekocht, wat de prijzen zo had opgedreven dat musici ze niet konden betalen. Een miljoen voor een Strad was normaal, een Guerneri, waar er nog maar vijftig van op de wereld waren, was nog duurder.

Sommige van deze verzamelaars sloten de instrumenten op achter beveiligde glazen deuren. Tentoongesteld aan de wereld, terwijl ze daardoor letterlijk sterven. Niet alleen is er het risico van houtrot, maar erger nog is de mogelijk onherstelbare schade die aan de ziel van het instrument wordt aangericht als het niet wordt bespeeld. Vele van deze instrumenten waren gebouwd nog voordat Bach was geboren, en ze kunnen alleen overleven als er voortdurend muziek aan hen wordt ontlokt.

Gelukkig waren er ook mecenassen onder verzamelaars die musici hun instrument leenden. Emma had zich zo ongeveer voor iedere beurs op het westelijk halfrond ingeschreven. Tot nu toe zonder succes, maar ze bleef goede hoop houden. Eén beurs, en alles zou anders zijn.

In de tussentijd moest ze maar alles in het werk stellen om het beste uit haar oude viool te halen.

Emma keek naar haar wekker. Haar arm voelde zwaar, maar ze speelde stug door. Over een half uurtje zou Alex haar komen ophalen. Alex had Emma gevraagd haar weer naar een interview te vergezellen. Emma had ernaar uitgezien. Hoe hard ze het ook probeerde, de viool opende zich niet voor haar. Hoe vaak ze de strijkstok ook met hars inwreef, hij greep de snaren nooit perfect. Het leek wel of de viool er bijna was, maar net dat extra stapje niet wilde doen. Alsof hij iets tegen haar had. Het was onprettig zo veel tijd door te brengen met een viool die haar steeds minder leek te mogen. Het uitje was een welkome afleiding.

'Emma!' riep vader van beneden. 'Alex is er!'

Ze rende naar beneden. Haar moeder stond onder aan de trap. Ze keek verdrietig omdat Alex niet kon blijven voor een kopje thee.

Emma trok haar jas aan, kuste haar ouders gedag en sprong achter in de auto.

In Aalsmeer stond een productiemedewerker, Brigit, hen op te wachten bij de receptie van het gebouw van STAVÉ-TV. Brigit zorgde dat Alex en Emma niet door de veiligheidscontroles hoefden en leidde hen naar de wachtkamer.

'Ontzettend bedankt dat je hebt willen komen, iedereen op de redactie is al weken nerveus,' lachte ze. Ze stopten voor een deur die Brigit opende. 'Dit is je kleedkamer. We hebben extra ons best voor je gedaan, nogmaals ontzettend bedankt dat je wilde komen.'

De kleedkamer was ingericht met diepe, comfortabele banken. Op een tafel stonden een fles Veuve Cliquot en wat borrelhapjes.

'Over een paar minuten komt iemand je ophalen om je naar haar en make-up te brengen.'

Brigit vertrok en Alex inspecteerde een van de hapjes.

'Em, maak jij de fles champagne even open?'

Vertwijfeld keek Emma naar haar handen.

'Kom op zeg,' zei Alex terwijl ze aan het hapje rook. 'Gatver, dat is blauwe kaas! Dat staat boven aan de lijst die ze krijgen van de dingen die ik onder geen beding in mijn kleedruimte wil zien. Jezus, wat een sukkels... Als ze dát niet eens kunnen, nou, dan zal het mij benieuwen hoe de rest van hun organisatie er uitziet. Ze hebben mazzel dat ik zo aardig ben, contractueel zou ik zo de benen kunnen nemen.'

De kurk kwam met een laf plofje uit de fles, maar net toen Emma wilde proosten werd er op de deur geklopt. Anouk, een visagiste die een kruising tussen Sonny én Cher leek, kwam Alex naar de make-upruimte brengen.

Emma liep achter hen aan de kale gangen door, voorzichtig, om de schaal met hapjes, die Alex haar had gevraagd mee te nemen, niet te laten vallen.

Alex nam plaats in een grote kappersstoel, Emma in net zo'n stoel ernaast. Anouk ging aan de slag met Alex' gezicht. Ze konden het goed met elkaar vinden, die twee. Wat dat betreft had *Superstar* niets veranderd, Alex kon nog steeds als vanzelfsprekend met iedereen opschieten. Emma keek verwonderd naar het arsenaal lippenstiften op de werktafel. Ze begon ze te tellen, maar raakte bij tachtig-en-nog-wat de tel kwijt.

Ze ging maar weer even naar de wc, het duurde allemaal uren. Toen ze terugkwam had iemand anders in haar stoel plaatsgenomen. Emma herkende het meisje onmiddellijk als Sonja Weesp, een zangeres die elke editie van *Beau Monde* tot *Privé* verfraaide. Ze leek te klein om zo bekend te zijn en te rank voor haar enorme voorgevel. Emma kon haar ogen niet van haar afhouden. Haar huid was puntgaaf, haar wangen leken wel van goud en haar schouders waren om in te bijten. Haar lippen waren te opgezwollen, haar neusje te klein.

Terwijl ze naar haar in beslag genomen stoel liep ving Emma haar reebruine ogen in de spiegel.

'Hallo, ik ben Emma.'

Direct keek Sonja de andere kant op en rommelde wat in haar handtas.

Op de een of andere manier deed Sonja Emma denken aan een van die Alex-dubbelgangers die altijd voor hun huis stonden.

'Dit is Emma, mijn zusje,' legde Alex uit.

'O, sorry!' slaakte Sonja gegeneerd. Ze stak een perfecte, ranke hand uit. 'Aangenaam kennis te maken.'

Emma glimlachte terug. Op een bepaalde manier kon ze Sonja wel begrijpen. Zij kon ook niet weten dat Emma geen stalker was of de duizendste handtekeningjager van de dag.

Sterren waren ook maar gewone mensen, die een normaal leven leidden (zij het aangevuld met een paar limousines en een legertje personeel dat ervoor zorgde dat ze te allen tijde goed gevoed en bewaterd werden). Het waren de mensen om hen heen die een beetje gek werden.

De eerste keer dat Emma inzake een ster had getwijfeld aan iemands normaalheid, was toen ze Dinand Huisman had ontmoet. Spijtig genoeg was zijzelf het object van haar twijfel geweest.

De jonge acteur had rustig onderuitgezakt op een bank in een gangpad gezeten, een arm nonchalant over de leuning. Een schok ging door haar heen bij de aanblik van zijn azuurblauwe ogen, de olijfkleurige huid en het donker golvend haar. Hij leek zo van het witte doek gestapt, alleen was hij nog mooier dan welke filmster dan ook.

'Hoi!' groette hij haar omdat ze stond te staren. 'Alles goed?'

DINAND HUISMAN!!! DINAND HUISMAN!!! DINAND HUISMAN!!! danste het kleine stemmetje in haar hoofd de lambada. Normaal doen, normaal doen! probeerde ze het stil te krijgen.

DINAND HUISMAN!!! DINAND HUISMAN!!! DINAND HUISMAN!!!

'Goed,' wierp ze hem haar meest beheerste glimlach toe, waarna ze zich zo sereen mogelijk omdraaide en zei: 'Maar nu moet ik plassen.'

Yep. Over normaal gesproken...

Alex was naar een soundcheck meegenomen. Emma zat in een kapstoel te wachten tot ze zou terugkomen. De stoel draaide wel lekker. Haar linkerhand speelde Beethovens Vijfde op de armleuningen.

Emma schrok zich een rolberoerte toen een krachtige hand haar kin greep. Ze sprong op en keek recht in het gezicht van Anouk, die van dichtbij een verdacht grote adamsappel had.

'Schat, schat, schat, zo kan ik je niet laten rondlopen. Laat me die harige wurmen boven je ogen alsjeblieft in wenkbrauwen veranderen.'

Zonder pardon duwde Anouk Emma's hoofd in een steun en nam haar wenkbrauwen met een pincet ter hand. Het voelde alsof ze elektrische schokken kreeg. Met elk haartje dat eruit werd gerukt sprongen de tranen haar in de ogen. Protesteren haalde niets uit.

'Schat, geloof me, jij hebt een figuurtje waar sommigen onder ons een moord voor zouden plegen. Schoonheid moet worden gevierd. Maar je moet er wel wat voor doen.'

Emma had er geen benul van op welk 'figuurtje' Anouk doelde. Ze wilde alleen maar dat de pijn ophield. Anouk, met haar veelzeggende adamsappel, handen als kolenschoppen, synthetische krullen en dikbeschilderde huid was vrouwelijker dan menige vrouw.

Anouk bleek de goeroe van vrouwelijkheid. Het leven als vrouw was voor haar het summum.

Alex kwam binnengerend.

'Sorry dat 't zo lang... Wow, dat ziet er goed uit! Het duurt daarbinnen nog wel een uur, dus Anouk, schat, neem je tijd. Hierna gaan we feesten.'

Emma wist nog niet dat ze naar een feestje zouden gaan. Ze had er meteen zin in.

Anouk was in de wolken dat ze toestemming had gekregen 'all the way' te gaan.

De kwastjes voor de camouflage kriebelden en het voelde als een masker dat op haar gezicht lag. Ze bloosde dwars door de laag make-up heen toen Anouk wat poeder op de rode infectie in haar hals deed.

'Schat, ik heb net schoensmeer op David Zomers kale plekje gespoten. Als *híj* niet gegeneerd is, wees jij dat dan alsjeblieft ook niet!'

Emma moest zo om Anouk lachen dat ze helemaal vergat bezwaar te maken toen Anouk ook nog eens aan haar haar begon. Haar lokken sisten van de kokend hete krultang en ze was bang dat al haar haar zou uitvallen toen ze de stoom ervan af zag komen.

Anouk negeerde ieder protest en werkte onverstoorbaar door. Krul na krul. Allemaal bleven ze aan haar hoofd zitten. Het duurde een goed uur voordat Anouk haar gereedschap neerlegde en Emma met kapstoel en al naar de spiegel draaide.

Emma viel er bijna vanaf. Haar huid was glanzend en blozend, de vioolplek op haar hals was weg en ze bleek ineens haar te hebben. Sterker nog: ze was best mooi.

Alex' interview was goed gegaan en direct erna waren ze de limousine in gesprongen om naar Rood te gaan, een trendy club in hartje Amsterdam. Emma frunnikte verlegen aan de franjes van haar geleende minijurkje, de langste die Alex' styliste in de aanbieding had.

'Hou op, je ziet er top uit,' gaf Alex haar een standje.

Ze stapten uit de auto. Iedereen in de enorme rij keek toe hoe ze voorbijliepen. Een reus in een zwart pak schoof een rode kabel opzij om hen binnen te laten. Niemand achter hen klaagde. Roem was democratisch, maar als je eenmaal verkozen was stond je boven het volk, of je nou in een nuchter kikkerland woonde of niet.

Toen ze door de roodfluwelen gordijnen het etablissement binnenstapte was Emma blij Anouk, die in haar oude kanariegele Eend vooruit was gereden, al aan de tafel te zien zitten. Ze zwaaide en de zusjes schoven bij haar aan. Drie flessen roze champagne werden in de grote zilveren wijnkoelers naast hen gezet.

Een man kwam op hen afgelopen.

'Mozes,' stelde hij zich voor. 'Alex, fijn je hier te verwelkomen.'

Zijn neus zag er vreemd uit, Emma kon haar ogen er niet van afhouden. Het uiteinde ervan was puntig en gedeukt alsof het ieder moment in elkaar kon storten.

'Het is maar te hopen dat hij geen Kriebel heet van achteren,' fluisterde Anouk Emma giechelend in het oor.

Mozes nam Emma's hand en kuste die.

'Je bent zo mooi als je zus,' zei hij. 'Voel je vrij te bestellen wat je wilt.'

Emma werd rood. Alex kneep in haar been. Anouk knipoogde trots.

Emma besloot er in stilte maar een glaasje op te nemen.

Binnen een mum van tijd was het feest op gang gekomen. Mensen stonden opeengepropt rond hun tafel over de muziek heen te schreeuwen. Een man in een badpak en een oranje boa om had ruzie met een vrouw in een leren catsuit. Twee meisjes in de hoek zoenden hartstochtelijk. Er stond een jongen met een rietje in zijn neus. Emma zat met open mond te kijken, ze kon amper bevatten wat ze allemaal zag. De muziek was vreselijk, maar ze kon niet wachten tot ze naar beneden zouden gaan om te dansen. Ze nam nog een teug champagne. De bubbels zorgden ervoor dat ze zich als een stuk van Béla Bartók voelde.

'Wie gaat er mee naar *the little girls room*?' vroeg Anouk.

Emma knikte dankbaar. Ze moest eigenlijk al tijden, maar in haar eentje durfde ze niet te gaan, al helemaal niet op de geleende hoge hakken.

Vanaf het moment dat ze opstond voelde Emma alle ogen op zich gericht. Het was bijna tastbaar. Wat het was wist ze niet, maar ze wist wel dat er met de make-up van Anouk en geleende kleding iets fundamenteels was veranderd.

Haar hart maakte een sprongetje, ze voelde zich drie meter lang. Ze werd overmand door een gevoel van lef, gooide haar haar naar achteren en kopieerde de stappen van Anouk, die voor haar uit naar het toilet liep. Wankelend op de te hoge hakken herinnerde ze zich Anouks opmerking dat dunne benen juist goed waren, dat benen nooit te dun konden zijn.

De massa week terwijl ze erdoorheen liepen. Béla Bartóks volume steeg.

Haar wankelende tred werd een wiegeltje, haar glimlach was zelfverzekerd.

Anouk had gelijk. Het leven was een feest. Ook al had ze zelf de ballonnen moeten ophangen.

De adrenaline gierde door haar lijf terwijl mensen zich omdraaiden om naar haar te kijken. Ze was bijna bij de toiletten aangekomen toen het vormeloze rumoer zich in woorden kristalliseerde.

'Alex' zusje, Alex' zusje...' gonsde het.

Natuurlijk.

Stom.

Echt leven aan bakboord

'Amy, heb je mijn rode zakdoek gezien?'

In paniek gooide Emma de kussens, die strategisch onder haar slaapkamerraam waren geplaatst om de schimmel te verbergen, op haar bed. Ook daar lag hij niet.

'Volgens mij ligt hij bij de witte was,' hoorde ze uit de keuken.

'Nee, kappen nou, ik heb hem echt nodig!'

Amy slaakte een dramatische zucht en kwam haar slaapkamer binnen.

'Heb je al in je tas gekeken?'

'Ja, natuurlijk, ik ben niet gek.'

'Kijk jij nog eens hier, dan kijk ik beneden.'

Emma viste haar tas onder haar bed vandaan. Het was niet eens zo'n enorme rommel, maar in een kamer van zes vierkante meter was het domweg onmogelijk om dingen op te bergen. Tussen de gebruikte buskaarten, lege snoeppapiertjes en de ongeopende bankafschriften (een sadistische bankemployé vond het heerlijk haar telkens weer te herinneren aan het feit dat ze geen geld had) was geen zakdoek te vinden.

Emma en Amy woonden antikraak in een huisje in Amsterdam-Oost van vrienden van Amy. Zij waren op wereldreis gegaan en Amy en Emma leken de perfecte kandidaten om het over te nemen. Beide meiden waren het erover eens dat er een engeltje op hun schouder moest zitten. Het was het kleinste, schattigste huisje dat er bestond en het had ook nog een tuin. De buurt was wat ruig en de treinen die ieder kwartier een paar meter schuin boven hun hoofd voorbijdenderden waren wat rumoerig, maar wat zou het, gezien ze (o Glorie Glorie Halleluja in een stad als Amsterdam) niets dan gas en licht hoefden te betalen bij wijze van huur. Ze wisten van tevoren dat ze er van het ene op het andere moment zouden kunnen worden uitgegooid, maar iedere week gratis huisvesting was een geschenk uit de hemel, want het was Amsterdam waar de belangrijkste voorspelen werden gehouden en bovendien was het gezellig om in dezelfde stad als Alex te wonen.

De klok aan de muur tikte onverstoorbaar verder. Ze moest een keuze maken. Of ze zou nú, zonder haar gelukszakdoek, naar haar auditie gaan, wat vast en zeker in een catastrofe zou eindigen, of ze zou te laat komen, wat een gegarandeerde catastrofe zou zijn.

'Gevonden!'

Amy stond onder aan de trap met de zakdoek in haar hand.

'Toi toi toi.'

Emma knikte en lachte maar, erop gebrand niet met 'dank je wel' te reageren op een 'toi toi toi'. Anders kon ze net zo goed meteen onder ladders gaan lopen.

Emma had gehoopt dat de eeuwige examens en verstikkende competitie na haar afstuderen tot het verleden zou behoren. Ze had de plank niet méér kunnen misslaan. Er moest werk worden gevonden. En ze was de enige niet die op zoek was.

'Kalm, kalm, kalm,' fluisterde ze zichzelf toe terwijl ze de artiesteningang van het Concertgebouw binnenstapte.

De conciërge was aan het telefoneren. Hij wees naar de trap, ze moest omhoog. Ze beklom de smalle, ongeverfde treden, totdat ze op een deur zag waarop een A4'tje was geplakt met AUDITIE erop gekrabbeld.

Achter de deur lag een wachtruimte, niet al te groot en ingericht met niets dan een afgetrapt blauw tapijt en houten stoeltjes tegen de muren. Bijna alle dertig stoelen waren bezet. Het merendeel van de gezichten was al bekend. Ze groette spontaan, de respons was lauw. Het bleef wennen. Buiten de auditiemuren kon je het goed met elkaar vinden, erbinnen was je elkaars concurrentie. Sommigen zaten verveeld voor zich uit te staren. Anderen leken net zo zenuwachtig als zijzelf. Ze vulde haar gegevens zo netjes mogelijk in op het daarvoor bestemde formulier. Nummer 253, stond er boven in de rechterhoek. Dat hield in dat er al 252 gegadigden voor haar waren geweest. Ze ging zitten naast de grote, lege waterkoeler.

Een vrouw naast haar tikte haar zachtjes aan.

'Hoe laat was uw afspraak?'

De uitdrukking op haar gezicht voorspelde het ergste.

'Half twee. Hoezo?'

'We hebben allemaal dezelfde tijd doorgekregen.'

Emma keek om zich heen.

Hoe kwam het toch dat wanneer het Amsterdams Philharmonisch een remplaçant zocht, half Nederland violist bleek te zijn?

Ze haalde haar viool uit zijn kist en begon aan haar warming-up. Om zich heen zag ze anderen hetzelfde ritueel uitvoeren. Sommigen kletsten, misschien om de zenuwen onder bedwang te houden, misschien om te imponeren. Namen van befaamde dirigenten werden met een schrikbarende vanzelfsprekendheid genoemd. Een voor een druppelden kandidaten de auditieruimte uit. Een nieuwe lading stroomde binnen.

Concentreer je, sprak ze zichzelf toe.

Als haar viool verdorie nou maar een beetje beter was.

De concurrentie was moordend. Al was ze pas zes maanden geleden afgestudeerd met een onderscheiding, ze was de enige niet. En het Haagse conservatorium was niet de enige gerenommeerde opleiding ter wereld. Anderen waren naar Julliard in New York gegaan of hadden al veel ervaring met het spelen in een orkest. Het bleek dat ze niet meer dan een van de vele uitzonderingen was.

Eindelijk werd haar naam geroepen.

'Volg mij,' commandeerde een lange, lijzige man. Het kladblok dat hij bij zich droeg drukte hij dicht tegen zijn borst. Hij zag eruit alsof hij zo uit de jaren vijftig was gestapt, met zijn strakke coltrui en een hoornen bril. Met lange, rappe stappen ging hij haar voor door de coulissen.

Emma's hand reikte naar de gelukszakdoek toen hij een deur opende die naar de achterkant van het podium leidde. De podiumlichten brandden fel en haar ogen hadden moeite zich aan te passen.

'Ga achter het scherm staan, graag.'

'Hier?'

'Van dit blad de eerste vijf regels op mijn teken.'

'Hier? Achter het scherm?'

'De eerste vijf regels.'

Het felle licht deed haar denken aan de diepvriesafdeling van een voedselconserveringsfabriek. Ze hoorde iemand aan de andere kant van het scherm kuchen. Nou, in ieder geval zat er dus wel degelijk iemand te luisteren.

Ze keek naar de bladmuziek. Er was niets om zich aan vast te klampen. Geen gevoel om in te komen. Er waren vijf eenvoudige regels, en die moesten worden gespeeld.

Op sommige dagen waren de straten van Amsterdam grijzer dan andere. Het had niets van doen met het weer, en ook niet met de architectuur. Soms werd een dag gewoon van het ene op het andere moment asgrijs. En een van de zeer schaarse kansen op een professionele carrière in de muziek verneuken markeerde zonder twijfel zo'n moment.

Emma liep naar de metro. Aan de overkant van de straat zag ze een bord HULP GEZOCHT achter het raam van een restaurant. MARIO'S prijkte er op de markies.

Waarom ook niet, dacht ze. Ik moet toch op de een of andere manier geld bij elkaar zien te sprokkelen.

Ze stak de straat over en tikte tegen de glazen deur.

Een man in een glimmend blauw trainingspak achter in het restaurant keek op. Hij strompelde naar voren en deed open.

'Hallo meneer, mijn excuses als ik u stoor, maar ik zoek werk.' Ze wees naar het bord met HULP GEZOCHT. 'Is de vacature nog vrij? Ik zoek iets buiten kantooruren. Maakt niet uit wat voor werk, eigenlijk. Bent u de eigenaar?'

Hij knikte.

'Heb je al eerder in een restaurant gewerkt?'

'Nee meneer. Maar ik ben een harde werker en ik leer snel.'

'Wat is dat?' Hij wees naar haar vioolkist. 'Je bent toch godverredomme geen muzikant, hè? Want die mot ik niet. Ik heb al eerder muzikanten aangenomen. Die gaan ervandoor zodra ze ander werk vinden. Nog erger dan acteurs, muzikanten. Godverredomme.'

'Kunt u mij misschien een kans geven meneer? Alstublieft?'

'Krijg de tering.'

Met haar vioolkist als teddybeer tegen zich aan geklemd snelde ze weg.

Hij is niet helemaal goed, suste ze zichzelf. Mensen die niet helemaal goed zijn heb je overal.

Wat wel echt zorgelijk begon te worden was dat dit de vijfde keer op rij was dat ze voor een normale baan werd afgewezen. Ze moest snel iets vinden, anders zou ze het zich niet eens kunnen veroorloven om in het antikraakpand te blijven wonen. De bijdrage voor gas, licht en water moest toch op de een of andere manier worden opgehoest. Er moest eten worden gekocht. Ze stond al maximaal rood. De situatie leek met de dag hopelozer. Ze was zes maanden geleden afgestudeerd. Hoe vaak had ze nou al auditie gedaan? Daar hadden ze op het conservatorium ook wel les in mogen geven: een spoedcursus Niet Goed Genoeg Zijn. Door de telefoon keer op keer 'sorry, déze keer niet' moeten incasseren.

Ze moest bekennen dat de docenten op het conservatorium de studenten steeds weer hadden gewaarschuwd dat de wereld niet op hen zat te wachten. Ze had zich alleen nooit gerealiseerd hoezeer niet.

Een ultrakort fragment voorspelen waarmee je nauwelijks iets van je talent kon demonstreren, achter een scherm, in een onmogelijke ambiance. Je moest alles uit de kast halen terwijl je wist dat de kast van anderen veel voller was.

Ze nam de roltrap naar beneden, het station in, en volgde de pijlen naar de metro, het verlaten perron op. Ergens hoorde ze de melancholische tonen van een trompet.

Orkesten als het Philharmonisch nodigden haar met alle liefde uit voor een auditie, dat was het punt niet. Maar het ging dan niet om een vaste plaats. Daarvoor moest iemand ontslag nemen (wat nooit gebeurde), met pensioen gaan (wat eens in de veertig jaar gebeurde), ontslagen worden (wat niemand liet gebeuren), zeer langdurig ziek worden of erger. Niet dat ze wie dan ook een slechte gezondheid toewenste, maar een orkestlid met een gebroken armpje leek met de dag aantrekkelijker.

De trompettist zat aan het eind van het perron waar Emma over liep. Hij maakte zijn mondstuk schoon. Emma doorzocht haar zakken naar een verloren muntstuk. Ze wilde iets tegen hem zeggen, maar ze wist niet wat. Met een plofje kwam de munt neer op het versleten fluweel van zijn trompetkist. De man keek een fractie van een seconde op en mompelde iets onverstaanbaars.

Vlak voordat ze de hoek om liep, haar rug al naar hem toe, draaide ze zich nog een keer om. Hij speelde de sterren van de ondergrondse hemel. Toen ze het volgende gangpad in liep, was hij weer alleen.

In plaats van rechtstreeks naar huis te gaan besloot Emma langs Alex' huis te lopen om te kijken of ze er was. Ze had het gevoel dat ze de tocht naar haar eigen huis niet aankon. Tenzij ze het niet erg vond om in het openbaar te huilen.

Een groepje fans stond voor Alex' appartementencomplex. Het waren er zes: vier meisjes en twee mannen van rond de veertig. Het bleef Emma bevreemden, het fenomeen fans. Een van de mannen zei gedag, alsof het de normaalste zaak van de wereld was dat hij, een volwassen vent, in een T-shirt met een afbeelding van haar zus voor haar huis stond te posten.

'Wil je haar laten weten dat we hier zijn?'

'Ja, natuurlijk,' zei ze, ook alsof er niets aan de hand was.

Alex had haar gevraagd aardig tegen hen te zijn; dankzij hen was ze immers beroemd. Emma wist dat ze gelijk had en ze had haar met de hand op het hart beloofd nooit tegen fans te zeggen dat ze in vredesnaam een baan moesten gaan zoeken of iets moesten dóén met hun leven.

Toch was ze wel blij hen te zien. Hun aanwezigheid was als de vlag op Paleis Huis ten Bosch: als fans uithingen was Alex thuis.

Azziz, de conciërge, groette haar vriendelijk toen ze via de draaideur de lobby in stapte. De deur kwam achter haar tot stilstand en sloot alles wat onuitgenodigd was buiten. Er was iets eigenaardigs in Alex' appartementencomplex, iets wat ze vanaf het begin af aan had gevoeld, maar waar ze nooit haar vinger achter had kunnen krijgen. De lucht was anders. Zachter dan in de buitenwereld.

Azziz' dochtertje, Aïsha, kwam vanachter de balie gerend om haar nieuwe pop te laten zien. Haar donkere pijpenkrullen sprongen naast haar zachte, karamelkleurige wangen op en neer. Emma tilde haar op en liet haar getob even varen.

Alex zat op de enorme bank in de huiskamer te telefoneren, nog in haar pyjama. Emma trok haar jas uit en legde haar viool naast Alex op de bank, aangezien de woonkamer geen ander meubelstuk bood.

Emma liep maar even naar de keuken om het bakje chips dat op de armleuning stond bij te vullen, zodat Alex tijd had haar gesprek af te ronden. Een paar minuten later zat Alex nog steeds met de hoorn tussen haar hoofd en schouder geklemd. Van de plukjes shag en wiet die op een *Vogue* op haar schoot lagen draaide ze ondertussen een indrukwekkende toeter.

Uitgebreid nam Emma het appartement nog eens in zich op. Het uitzicht was fenomenaal, de hoogte van de plafonds was indrukwekkend en alles zat strak in de verf. Wel wat anders dan bij haar thuis.

Alex stak de joint op.

'Het is gewoon te veel,' zei Alex tegen de hoorn nadat ze diep had geïnhaleerd. 'Tweehonderdvijftigduizend gulden voor een concert klinkt misschien wel leuk, maar uiteindelijk is dat maar tien gulden per kaartje...'

Emma pakte een chipje. Die ambachtelijke chips waren echt lekker.

'Als ik dit doe dan prijs ik mezelf uit de markt, toch?'

Vooral die Zweedse met dille en zure room, veel beter dan paprika.

Een dikke traan rolde over Alex' wang. Hij viel op de joint en maakte een donkere vlek.

'Nee. Ik ga Ed bellen. Het is allemaal leuk en aardig, maar dit dóé ik gewoon niet.'

Eigenlijk had Emma wel zin in cola.

'Op een gegeven moment moet je óók aan jezelf denken.'

Met een stevige borrel erdoor.

De volgende ochtend zat Emma in de tram naar huis. Ze was moe. Alex was nog gedeprimeerder dan zij geweest. Misschien had ze gewoon naar huis moeten gaan en niet moeten blijven logeren. Ze gaapte. Buiten was het druilerig. Ze had geen zin in de dag die komen zou. Af en toe was het eeuwige studeren een straf. Ze drukte op de knop om te stoppen. Het leek alsof ze op een knop had gedrukt om het harder te laten regenen. Haar viool drukte ze onder haar jas om de kist te beschermen.

Haar lichaam voelde pijnlijk, met name de twee lange spieren die langs haar ruggengraat liepen. Thuis legde ze eerst haar viool op de keukentafel en liep daarna terug naar de voordeur om haar jas uit te doen. Ze zag dat het antwoordapparaat knipperde.

'Hallo, dit is Betty van het Amsterdams Philharmonisch Orkest. Ik bel je met goed nieuws, je bent door de eerste voorspeelronde heen gekomen. We willen vragen of je morgen terug zou kunnen komen en of je de eerste Bach-sonate kunt voorbereiden. Je kunt me terugbellen op...'

Er klonk een enorme gil door de kamer. Ze had nauwelijks door dat het geluid uit haarzelf kwam. Ze maakte een paar hoge sprongen en bleef gillen. Ze kon het niet geloven, ze hadden haar goed gevonden! Ze kwam in aanmerking voor de positie! Ze zou misschien met het Amsterdams Philharmonisch Orkest muziek mogen maken in het Concertgebouw! Ze zou elke dag mogen gaan repeteren en 's avonds spelen voor een levensecht publiek! Och, als het toch zo zou mogen zijn. Als het toch zou mogen zijn dat ze dit zou krijgen. Dat ze de violiste die ze was ook daadwerkelijk zou kunnen zijn.

De volgende dag volgde Emma de magere kerel met de coltrui en hoornen bril weer. Hij liep even hard als de eerste keer door de coulissen, maar ditmaal lang niet hard genoeg.

'Je zal eerst de Bach-sonate spelen die we je gevraagd hebben voor te bereiden,' zei hij, nog steeds zonder haar een blik waardig te keuren. 'Daarna zou Ibravimovish mogelijkerwijs iets aan je vragen. Wat je ook doet, ga niet kwebbelen.'

Hij opende de deur naar het podium. Het scherm was weggehaald. De podiumlichten brandden, verder was de zaal donker.

'Dit is Emma Weijman. Ze heeft...'

'Dank je, Hans-Paul,' sprak een schaduw vanaf de derde rij.

Achter de hoornen bril kneep Hans-Paul zijn ogen tot spleetjes, terwijl hij Emma letterlijk naar voren duwde.

'Je begint op het moment dat ik...' fluisterde hij venijnig.

'Dank je, Hans-Paul, je kunt gaan,' zei de schaduw met een zwaar Russisch accent.

Hans-Paul leek nog wat te willen zeggen, maar hij draaide zich op zijn hakken om en vertrok onder een demonstratief gezucht.

Emma zag enkel de schaduwen van de figuren voor zich. Ze wist dat het de dirigent, de concertmeester en de aanvoerder van de violen waren. Achter hen zat de commissie. Van de commissieleden viel niets te onderscheiden. Ze keek op, per ongeluk recht in het grote volglicht dat op het podium stond gericht. Ze keek zo snel mogelijk weg, maar er had zich al een grote witte cirkel op haar netvlies gebrand.

'Je mag beginnen zodra je er klaar voor bent.'

Het was maar goed dat ze de Bach-sonate blind kon spelen.

Speel zorgvuldig, sprak ze zichzelf nog toe. Denk eraan: dit gaat niet om het vermaken van een publiek, dit gaat om foutloos spelen. Mis geen noot.

Ze zette in. Ze miste geen noot, iedere toon kwam tot zijn recht. Het was niet plezierig om in zo'n keurslijf te spelen, maar het ging om perfectie.

'Dank je wel. Kun je het nu zacht spelen, alsjeblieft?'

Dat lukte ook.

'De eerste regel boos en de tweede verliefd?'

Emma keek op. De sonate van Bach eerst boos en daarna verliefd spelen? De onzekerheid sloeg subiet toe. Waren ze haar in de maling aan het nemen? De opdrachten kwamen haar volslagen idioot voor. De emoties verliefdheid en woede leken volstrekt te vloeken met deze muziek. Maar goed, als dat van haar werd gevraagd, dan zou ze het doen. Al droegen ze haar op haar viool op te eten, dan zou ze het hebben gedaan.

Ze vroegen haar hetzelfde stuk weer te spelen. En weer, en weer. De instructies waren destabiliserend, maar ergens was ze zich ervan bewust dat ze niet zo veel tijd aan haar zouden spenderen als ze niet geïnteresseerd waren.

Een van de drie schaduwen stond op en slenterde naar voren. Langzaam beklom hij het trapje en betrad vervolgens het podium, het licht in. Emma herkende hem direct: Volodya Ibravimovish, een gevierd dirigent uit Rusland. Zijn haar was rossig en wat te lang, zijn gezicht leek bijna van eenzelfde tint rood en was enigszins opgezwollen. Hij droeg extravagante kleding: een donkergroene fluwelen jas over een goud-oranje zijden blouse met drukke patroontjes. Vanonder de openstaande knoopjes zag ze een gouden kruis in een nestje van koperkleurig borst-haar.

'Volg mij, alsjeblieft.'

De l's die hij uitsprak bleven dik in de lucht hangen.

Hij haalde een lucifer uit zijn borstzak en maakte er een paar eenvoudige slagen mee, alsof het zijn baton was. Meer dan het houtje had hij ook niet nodig, zijn instructies waren simpel en krachtig. Volodya leek met zijn 1 meter 65 groter dan menig lange man.

Zijn linkerhand bewoog rustig, zijn rechter greep naar zijn borst alsof hij een beetje verliefd was, zijn ogen sprankelden. Hij was onconventioneel gekleed, om niet te zeggen afschuwelijk, maar het ontkrachtte zijn uitstraling geenszins. Het blauw van zijn ogen brandde dwars door haar heen. Emma's konen gloeiden hevig. Ze hoopte dat hij het niet merkte.

Hoe simpel zijn aanwijzingen ook waren, ze begreep precies wat hij bedoelde. Hun samenspel was symbiotisch.

Toen zijn armen zich eindelijk ontspanden was Emma's gezicht vuurrood.

'Juffrouw Gemma Weijman, gu bent een slimme, is het niet?' zei hij met zijn Russische accent.

Ze lachte verlegen.

'Iek vind u een genot. Iek hoop dat snel remplaçant nodig is. Graag zou iek u in mijn orkest zien.'

Ze hoorde de telefoon rinkelen nog voordat ze de sleutel in het sleutelgat had gestoken. Ze rende zo snel ze maar kon naar binnen.

De gedachte alleen al om dag in dag uit door Ibravimovish te worden begeleid deed haar vingertoppen tintelen van opwinding.

De telefoon rinkelde nog steeds terwijl ze erop afsprong.

'Dag lieverd, met je moeder,' klonk een vermoeide stem aan de andere kant van de lijn.

'Wat is er mam, ben je ziek?'

'Nee hoor, lieverd, helemaal niet,' zei moeder nog steeds alsof ze aan het bezwijken was. ‘Heb je nog wat van Alex gehoord?’

‘Eh, ja, ik heb haar van de week nog gezien.’

‘O. Dus ze is wel in Nederland?’

‘Volgens mij wel.’

Het was stil aan de andere kant van de lijn. Emma zag het lichtje van haar antwoordapparaat knipperen.

‘Mam, waarom bel je haar zelf niet?

‘Ja, maar lieverd, ze belt nooit terug. En iemand moet mij toch vertellen hoe het met mijn dochter gaat?’

‘Als ik haar spreek vraag ik wel of ze je belt, goed?’

‘Oké dan. Dag lieverd.’

Emma hing snel op en drukte op PLAY.

Noppes. Een bericht van Alex, en een van haar oma.

Het is pas twee uur na je tweede proefspel, sprak ze zichzelf toe. Te vroeg om al te panikeren over het feit dat je nog niks hebt gehoord.

Ze zette een pannetje met melk op het vuur, schonk de hete melk in een mok met een extra grote schep cacao en stak de jasmijnkaars van zeventig piek aan die Alex haar cadeau had gedaan. Ze ging diep in de kussens van de bank zitten en plantte de telefoon op haar schoot.

Oma was niet thuis. Alex had geen tijd om te praten.

‘We kunnen morgen wel lunchen als je wilt?’ had Alex haastig voorgesteld. ‘O nee, wacht, dan moet ik naar de kapper. Waarom kom je daar niet heen?’

Door het afvoerputje

Om half twee precies stapte Emma, gehuld in een van de mooiste afdankertjes van Alex, door de goudkleurige draaideuren van Alexandr Minelli's.

Oké, Alexandr, Alexandr, herhaalde Emma nog eens voor zichzelf.

Alexandr moest worden geschreven en uitgesproken met een kale *r*. Alex had haar verteld dat klanten die zijn naam verkeerd uitspraken stante pede de tent uit geknikkerd werden. Alexandr was geen kapper, hij was haarartiest.

Een in het zwart geklede vrouw achter de balie met een hoge zwarte paardenstaart keek haar met een opgetrokken wenkbrauw aan.

'Kan ik je ergens mee helpen?'

'Ik heb hier met mijn zus afgesproken. Alex. Alex Weijman.'

'Jíj bent het zusje van Alex?'

De dame leek even de tijd nodig te hebben om deze informatie te verwerken, maar verbloemde dit met een overweldigende stalen glimlach.

'Nou, dan mag je daar plaatsnemen. Wil je iets drinken? Ik ben Imogen.'

'Hallo, ik ben Emma. Thee, graag.'

Imogen knipte met haar vingers en een meisje kwam aangerend om de bestelling te verwerken. Een mevrouw met een grote bontjas kwam door de draaideur binnengezwierd. In haar handtas zat een klein keffertje.

'Ik moet meteén worden geholpen. Wassen en föhnen.'

Imogen dook direct in het boek achter de balie.

'Natuurlijk, mevrouw Hoekstra, loopt u maar mee.'

Emma leunde achterover en observeerde de bedrijvigheid om haar heen. Het leek er wel een eerste hulp. Alles was spierwit. Het personeel rende rond alsof er levens van afhingen. Een kwartiertje later nam Emma haar agenda nog maar eens door om de schijn te wekken dat ze wat te doen had. Er stond schrikbarend weinig in.

'Zusje van Alex?'

Geschrokken keek ze op.

'Alex aan de telefoon.'

Ze pakte haar lege theekopje op en liep naar de balie.

Imogen reikte de telefoon aan.

'Em, ik ben nog in de studio, ik ga het niet redden. Neem jij mijn sessie met Alexandr maar, want die wordt toch in rekening gebracht. Geef me Imogen maar even, dan komt 't wel goed.'

Imogen zag geen enkel bezwaar, Alexandr ook niet.

'Wat zullen we eens doen vandaag?' vroeg Alexandr toen ze met fris gewassen haar in de stoel zat.

'Vandaag.' Een glimlach trok over Emma's gezicht. De laatste keer dat ze naar de kapper was geweest was meer dan een jaar geleden. Ze had haar haar willen laten groeien, alleen wilde haar haar dat niet.

'Doe maar wat je het beste lijkt.'

De intensiteit waarmee Alexandr op haar haar aanviel deed zijn reputatie eer aan. Hij blafte tegen Cymon, de assistent wiens taak het was om het instrumentarium aan te geven, alsof hij openhartchirurgie aan het beoefenen was. Het was een enge bedoening, die mesjes zo *rats rats* dicht bij haar gezicht. Imogen zorgde voor afleiding door haar een manicure te geven.

'O, je zus is zo'n schat,' zei Alexandr, die zich er niet van bewust leek te zijn dat deze zin voor de tiende keer uit zijn mond rolde. 'Ze is zo natuurlijk gebleven, hè? We zijn dol op haar.'

Imogen knikte. Ook zij was dol op Alex.

Terwijl Alexandr doorratelde deed Imogen voor de zoveelste keer een aanslag op Emma's zenuwen, want ze scheen koste wat het kost het eelt van haar vingertoppen te willen verwijderen.

'Imogen, het spijt me, dat wil ik er juist óp houden,' herhaalde ze en ze trok haar hand weg.

Imogen keek haar niet-begrijpend aan.

'Dat eelt cultiveer ik al jaren.'

'O, schat, je bent gééééééék!' riep Alexandr verrukt. 'Mijn beste vriendin heeft tijdens de zomervakantie al haar lichaamshaar laten staan: oksels, toef, alles. Nu is ze een grote harige bush-bitch! Alles wat smerig is komt weer in!'

Vier uur later, met haar ego ietwat in de kreukels maar met een voor haar doen ongehoorde hoeveelheid haar, stond ze weer buiten. Het haar was bovenop korter en blonder. Het leek op een palmboompje dat elegant om haar gezicht viel. Imogen had haar ook nog opgemaakt toen ze onder de droogkap zat. 'Zo kunnen we haar niet laten gaan,' had Alexandr gezegd. Hij was een stuk aardiger dan de verhalen deden vrezen.

Haar hoofd voelde vreemd. Alsof er iets op balanceerde. Zelfs de wind leek zich niet door haar kapsel te kunnen worstelen. Ze liep door de Kerkstraat. Een man van haar vaders leeftijd stond bij zijn auto en lispelde iets terwijl ze voorbijliep.

'Lekker dingetje,' dacht ze te horen.

Emma draaide zich met een ruk om. Had ze dat nou goed gehoord?

De man staarde ongegeneerd terug.

Vol afgrijzen liep Emma door.

Gadver! Malloten waren ook overal.

In de Utrechtestraat tikte een jongeman in een café tegen het raam. Hij en zijn twee vrienden lachten haar vriendelijk toe en gebaarden haar naar binnen te komen.

Haar hersens kraakten toen ze zich probeerde te herinneren waar ze hem eerder had ontmoet. Ze ontmoette ook zo veel mensen tijdens concerten. Ze hoopte maar dat het haar te binnen zou schieten als ze hem recht in het gezicht aankeek.

Ze ging het café in en liep op de jongen af, die opstond.

'We hebben je stoel voor je warm gehouden,' zei hij.

'Dank je. Het spijt me zeer, maar...'

'Hoe heet je, schat?'

Gadver!

Emma stoof de zaak uit.

Wat was er tegenwoordig aan de hand met Amsterdammers?

Ze staarde zo strak mogelijk voor zich uit, maar de blikken waren onmogelijk te ontwijken. Twee mannen die ze passeerden wisselden ongegeneerd een teken van verstandhouding toen ze haar in het vizier kregen. Alsof ze rondliep met een bordje NEUK ME op haar voorhoofd. Starende mannen, glimlachende mannen, mannen die wat wilden. Mannen die iets in haar zagen wat ze helemaal niet wilde laten zien.

Gadver, gadver, gadver.

Ze was nog niet thuis of de telefoon ging.

'Ja!' blafte ze in de hoorn.

'Eh... Hallo, spreek ik met Emma? Dit is Nick van het Alterium Strijkkwartet. Stoor ik?'

In één klap was de verontwaardiging verdwenen. Het Alterium. Ze had auditie gedaan voor de positie van tweede violist in hun kwartet. Het was goed gegaan, dacht ze. Maar ja, dat dacht ze wel vaker.

'Nick! Nee, je stoort absoluut niet.'

'Oké, goed... Heb je een minuutje?'

'Ja, natuurlijk.'

'Oké dan. Goed. Ik zal maar met de deur in huis vallen, zoals dat heet. Ik hoop dat je het niet erg vindt als ik spreekwoorden gebruik?'

'Natuurlijk niet. Prima.'

'Luister, Emma, alle leden van het Alterium, mijzelf incluis, vonden de ontmoeting met jou vorige week erg prettig. Op technische punten was je verreweg het beste.'

Emma's hart maakte een salto.

'Het Alterium heeft goed nieuws ontvangen, we hebben net een opdracht binnengekregen. Daarom wilden we je uitnodigen om nog eens langs te komen. Zou vanmiddag nog mogelijk zijn? Zodat we elkaar nog wat beter kunnen leren kennen?'

Ze werd binnen een uur verwacht.

Nicks flat in de Bijlmer was charmant. Hij kwam binnen met twee klapstoeltjes onder zijn arm en zette die aan de keukentafel.

'Sorry, je bent waarschijnlijk wat meer luxe gewend.'

'Nou, dat valt wel mee, hoor,' reageerde Emma.

Kiko, de eerste violiste van het kwartet, schonk kruidenthee in. Ze droeg een te grote corduroy broek, waarschijnlijk in een mannenmaat, en een kabeltrui. Emma trok de bruine aardewerken mok naar zich toe. De thee rook naar kattenbakvulling.

'Het is gemaakt naar een oud Japans recept. Goed voor de concentratie.'

Emma nam een slokje en kon niet voorkomen dat ze een vies gezicht trok. Kattenbakvulling na gebruik.

'Het moet nog wat langer trekken,' berispte Kiko haar.

Dapper nam Emma even later nog een slokje. Ze probeerde zo onzichtbaar mogelijk te kokhalzen.

De bel ging. Nick en Kiko stonden op. Nick om de deur te openen en Kiko om een 'grote plas' te doen, zoals ze ongevraagd toelichtte. Emma zag haar kans schoon en snelde met haar kop naar het aanrecht om het vocht weg te spoelen. Het was onbestaanbaar dat dit brouwsel voor menselijke consumptie was bestemd. Ze zette haar lege mok snel weer op tafel.

De keukendeur ging piepend open en Walter verscheen als een schim uit de donkere hal de lichte keuken in.

'Emma,' groette hij in de deuropening.

'Hallo, Walter,' zei ze met een dichtgeknepen stemmetje.

Ze vond het vreselijk om het zich te realiseren, maar Walter was iemand die ze heel graag wilde slaan. Hij had haar niks misdaan, ze had er geen enkel recht toe, dat wist ze best, en zoiets was haar nog nooit eerder overkomen. Als de tegenhanger van liefde op het eerste gezicht bleek haat op het eerste gezicht voor haar een zeer waarachtige emotie.

'Leuk je weer te zien,' deed ze zichzelf geweld aan in een poging beleefd te zijn.

Walter keek onbeschaamd naar iets boven haar hoofd.

'Je haar zit anders...'

In alle consternatie was ze het nieuwe haar helemaal vergeten. Ze wist niet wat ze moest zeggen. Ze forceerde een glimlach en plukte wat aan haar rok.

Walter schonk zichzelf een kop van het kattenbakbrouwsel in. Hij sloot zijn ogen en draaide zijn neus in trage cirkels boven de damp.

Nick kwam weer binnen en ging aan tafel zitten.

‘Oké, ik wil jullie graag wat meer vertellen over de boeking die we hebben gekregen,’ zei hij terwijl hij zijn stoel wat dichterbij schoof. ‘We krijgen er niet heel veel geld voor, maar het zou wel erg goed zijn voor onze “naamsbekendheid”.’ Hij tekende aanhalingstekens in de lucht.

‘Er is ons gevraagd het Beethoven-strijkkwartet in cis, Opus 131 te spelen, net als de vorige keer. Hoe voelt dat, voor iedereen?’

Nick keek om zich heen.

‘Alex?’

Alex?

‘Eh, sorry, Emma?’

‘Ik ben dol op Beethoven en ben bekend met het strijkkwartet.’

‘Mooi. Kiko?’

Hoezo ‘Alex’?

‘Kiko wil modern spelen!’ antwoordde Kiko. ‘Kiko vindt het nooit leuk wat we met het Alterium spelen.’

Nick keek haar vol aanbidding aan.

‘Walter?’

Walter moest er nog even over nadenken. Net zoals hij daarnet ook even had moeten nadenken toen hem werd gevraagd of hij een koekje lustte. Hij had zijn kleine muisachtige hoofd lichtjes opgetild en ze kon hem gewoon horen denken: lust Walter eigenlijk wel een koekje? Hmm...

Zo dacht hij ook na over Beethoven.

Na lang wikken en wegen stemde hij ermee in dat hij eventueel bereid zou zijn het te proberen.

Thuis sprintte Emma meteen naar het antwoordapparaat. Ze had net haar eerste echte baantje na haar afstuderen gekregen, maar nog nooit had ze zo graag gewenst dat er een bericht van het Amsterdams Philharmonisch op het apparaat stond. O, wat had ze graag gespeeld in een echt orkest met een echte dirigent. Vooral die dirigent.

Ze drukte op PLAY.

Niets.

Ze liep naar boven, naar haar kamer, pakte haar handdoek van de radiator en ging weer naar beneden, naar de douche in de keuken. Ze wilde de dag van zich afspoelen, het kon haar niet schelen dat ze geen warm water hadden. Net toen ze dacht dat ze de koude stroom niet meer aankon rinkelde de telefoon. De waterdruppels stonden op haar huid en veranderden bijna in ijs terwijl ze van de douchekast door de keuken naar de woonkamer rende.

Het antwoordapparaat had al opgenomen.

'Hé, met mij...' hoorde ze de stem zeggen die zo op de hare leek.

Ze pakte de hoorn op.

'Wacht even, één tel.'

Snel legde ze de hoorn neer, knoopte haar handdoek rond haar borst, en pakte hem weer op.

'Ik stond net onder de douche, en voordat ik bevries....'

'Onder de douche? Je hebt toch niet je haar natgemaakt?'

'Eh, ja, ik heb het gewassen. Doet men wel vaker in de twintigste eeuw.'

Even was het stil.

'Realiseer je je wel dat je net zevenhonderdvijftig gulden door het doucheputje hebt laten stromen?'

Emma stikte bijna. 'Hoeveel?'

'Zevenhonderdvijftig gulden. Ja, dat vind ik nou zonde.'

'Och wat vreselijk, dat spijt me echt heel erg. Maar ik kon het gewoon niet aan, dat haar. Ken je die droom dat je op straat loopt en dat je je ineens realiseert dat je vergeten bent je aan te kleden? Zo was het precies. Iedereen staarde me aan en zag iemand die ik helemaal niet ben.'

'Hoe bedoel je?'

'Nou ja, allemaal mannen en zo. Maar echt heel vies, snap je?'

'Bedoel je dat sommige mensen nu hebben gezien dat je een vrouw bent en niet alleen maar een violiste? O nee...'

'Ja, ja, heel grappig. Maar echt, en hoeveel het me ook spijt van die zevenhonderdvijftig gulden, ik begrijp niet hoe jij dat volhoudt.'

God

Ze zat links van de cello's, de blazers ietsjes verderop. Haar ogen waren gefixeerd op het podium, op Volodya die rustig met zijn pracht van een luciferhoutje de sfeer aangaf. Ze speelden Prokofiev. Hun blikken kruisten elkaar. Onder zijn begeleiding speelde ze helderder dan ze ooit had gedaan, authentieker, levendiger. Na het repeteren gingen ze met de strijksectie uit eten. Vanaf het eind van de tafel keken zijn felblauwe ogen naar haar. Stiekem hief hij zijn glas. Zij het hare ook. Vanaf de allereerste keer dat ze hem had gezien, had ze het geweten: Volodya was voor haar gemaakt. Ze waren voor elkaar in het leven geroepen, als musici, als mensen, als...

'... Helaas moet ik je vertellen dat we iemand anders hebben uitgekozen voor de remplaçantenplaats.'

Alles werd stil.

'Bedankt voor het voorspelen. Mocht er nog eens een plaats vrijkomen dan denken we aan je.'

Emma werd helemaal koud. Dit kon niet waar zijn. Hadden ze iemand anders uitgekozen? Ze drukte op REWIND en wederom op PLAY.

'Hallo, met Betty van...'

Langzaam ging ze zitten, kroop diep in de kussens van de bank. Ze sloeg haar handen voor haar mond.

Zo bleef ze zitten. Lang, heel lang.

HULP GEZOCHT stond er op het bordje voor de jeugdherberg De Nachtegaal.

Het was al de zesde keer in een half uur dat Emma voorbijliep. Dit baantje zou perfect kunnen zijn, dacht ze. Om een bijbaantje zo dicht bij huis te hebben zou haar uren tijd en strippenkaarten vol schelen. Met een beetje mazzel was het werk ook nog eens flexibel zodat ze makkelijk audities kon blijven doen. Bovendien zou het vast leuk zijn om in een jeugdherberg te werken. Ze was zo snel ze kon naar huis gerend om haar viool weg te leggen, het leek haar niet echt verstandig te koop te lopen met het feit dat ze musicus was.

Ze stapte de lobby binnen. Een man van een jaar of dertig stond achter de balie. Twee jongens lagen op een bank te slapen, hun blote voeten naast elkaars gezicht. Het leek hun niet te hinderen. Het daglicht ook niet.

De man achter de balie keek op. Hij deed haar denken aan een militair. Niet dat ze er ooit een had gezien, maar toch deed hij haar aan een denken.

'Ben je de weg kwijt of zo?' vroeg hij.

'Nee, sorry. Ik zag het bord buiten. Ik zoek werk.'

Hij bekeek haar van top tot teen.

Niet weer, smeekte Emma in stilte. Ik heb mijn viool niet eens bij me, hoe zien ze het?

'De baan bestaat voornamelijk uit schoonmaken,' zei hij.

'Dat klinkt prima.'

'Je ziet er niet uit alsof schoonmaken prima is.'

Emma zag de zoveelste afwijzing op zich afgevuurd. Het was nu al zo vaak gebeurd dat het nauwelijks meer kwetste.

'En hoe ziet dat er dan uit, als schoonmaken prima is?' vroeg ze, meer om de volgende keer beter beslagen ten ijs te komen dan uit baldadigheid.

Even was hij stil. Opeens verscheen er een lach op zijn gezicht.

'Touché!'

Hij reikte haar een brede hand over de balie.

'Ik ben Raf. En jij hebt een baan nodig.'

Emma had wel over de balie willen klimmen om hem te zoenen. Raphaël de Witte (of Raf, zoals hij zichzelf noemde) had niet eens om een sollicitatiegesprek of referenties gevraagd.

'Ik kamp met een personeelstekort,' had hij toegegeven. 'Ik kan alle hulp gebruiken die ik krijgen kan. Kom, ik zal je eerst een rondleiding geven zodat je weet waar je aan begint.'

Hij opende het poortje naast de receptie en liep de gang ernaast in.

'Dit is de bar.' Hij wees naar een rode deur. 'Dit is waar de gasten 's avonds een biertje kunnen drinken. Het wordt er af en toe nogal een klerezooi, maar de jongens zijn een stuk beter te beheersen dan als ze buiten op straat gaan hangen. Veel te veel drugs in deze buurt. O, en in de bar serveren we ook een daghap.'

Hij liep een trap op.

'De kamers zijn verdeeld over twee etages. De kamers op de bovenste etage zijn over het algemeen voor jongeren die wat langer blijven.'

Hij bleef voor een kamer staan en viste een van de lopers van zijn sleutelbos.

'Het merendeel van de gasten slaapt nog, dus ik laat deze kamer maar zien. Die is net vrijgekomen.'

De kamer was ruim en zonder opsmuk. De muren waren wit, het tapijt was grijs. Twee stapelbedden stonden aan weerszijden tegen de muur.

'Zo zijn ze allemaal, soms iets kleiner of groter.'

De wasbak stond halfvol troebel water en de vloer was bedekt met chips en blaadjes. Emma probeerde haar ogen af te wenden van de foto's van meisjes die naakt met hun benen gespreid lagen. Raf schopte een blaadje met een dame met een grote dildo in haar onderkant met zijn voet dicht. Emma bloosde.

'Sorry,' zei Raf. 'Maar ik waarschuw je: als je hier komt werken zul je wel meer van dit soort dingen zien.'

'Ik wil de baan graag hebben.'

'Oké, ik begrijp het.'

Niet veel later stond ze achter de spoelbak van de bar in de jeugdherberg. Raf had gelijk: hij kon alle hulp gebruiken die hij krijgen kon.

Emma keek toe hoe de laatste restjes kots door de afvoer spoelden, deed de stop in de spoelbak en draaide de hete kraan opnieuw open. Ze had de schoonmaakhandschoenen die Raf haar had gegeven met een elastiekje om haar polsen geklemd om haar handen zo goed mogelijk te beschermen tegen het hete water.

Ze was blij dat haar vader dit niet zag, hij zou een rolberoerte krijgen.

Ze liet de eerste asbak in het afwaswater vallen. Het water werd donkergrijs en de stank drong zich aan haar neus op. Ze keek naar de tafels en stoelen die ze zou moeten afsoppen, de houten omlijsting van de biljarttafel die met een speciaal goedje ingewreven moest worden en de talloze glazen en bierblikjes waarmee de bar bezaaid was.

Ze trok de stop uit de spoelbak. Ze wist dat ze blij moest zijn dat ze überhaupt een baan had. Maar het was moeilijk om dankbaar te zijn voor het opruimen van andermans kots.

Raf stak zijn hoofd om de hoek.

'Alles goed?'

'Ja, hoor, dank je!'

Het elastiekje voelde losser aan. Ze legde er snel een extra knoop in.

'Je hoeft dit niet te doen, weet je,' zei Raf.

Jawel, dat moet ik wel.

'Weet ik.'

De huiskamer van Nick deed dienst als repetitieruimte. De repetitiemiddagen met het Alterium waren de enige momenten waarop ze iets deed wat enigszins in de buurt kwam van waar ze haar hele leven voor had gestudeerd. Zou ze ooit een betaalde baan in de muziek krijgen? Van die terugkerende vraag raakte ze steeds weer in paniek. Zou haar muzikale carrière niets dan een belofte blijven die het leven nooit zou inlossen?

'Emma, kun je daar wat langzamer gaan, alsjeblieft?'

'Sorry, ik was er even niet bij met mijn gedachten.'

Walter keek haar aan, in diepe overpeinzing over wat ze daar nou écht mee bedoelde.

'Is er iets waar je over wilt praten?' vroeg Nick.

God, nee. Of misschien beter van wel, anders zou Walter het niet overleven. In ieder geval niet in geestelijk opzicht.

'Het ziet ernaar uit dat iemand een knuffel nodig heeft!'

Nick deed een stap naar voren.

Met afgrijzen zag ze Kiko en Walter ook op haar afkomen. Ze werd door de mannen gesandwicht. Ze zorgden er wel voor dat Kiko niet werd buitengesloten, die – god mocht weten waarom – met een dolfijnachtig hoog staccato een groepsknuffelgeluid uitstootte.

'Wij zijn er voor je,' stelde Nick haar hinderlijk gerust. 'Wij zijn er.'

Hij hield haar hoofd beschermend doch stevig vastgeklemd.

'Laat het maar gaan. Vóél het maar.'

Nog meer aanmoediging en Emma had haar tranen echt niet meer in bedwang kunnen houden. Met het schaamrood op de kaken rende ze naar de badkamer.

'Sorry jongens,' glimlachte ze toen ze de keuken weer in kwam lopen. Ze richtte zich vooral tot Walter, die haar nog vol achterdocht aanstaarde. 'Ik ben net door het zoveelste orkest afgewezen en ik begin me echt zorgen te maken.'

Walter glimlachte zowaar terug.

'In ieder geval heb jíj geen geld nodig,' merkte Kiko op.

Emma vroeg zich af hoe dat werkte, in Kiko-land.

'Als ik zo'n zus had als jij zou ik nooit meer werken.'

'Houdt jouw zus nou ook van muziek?' vroeg Walter.

Kiko begon in haar handen te klappen.

'Wanneer komt ze een keer kijken bij een repetitie?'

Of een zangeres van muziek hield en of een popster naar de Bijlmer wilde komen. Zwijgen was goud.

Iedereen leek zielsgelukkig.

Ze kon niet wachten tot ze veilig en wel met Alex aan de lunch zat.

Alex zat al aan het tafeltje met Sonja, sinds drie maanden Alex' beste vriendin.

'Jezusmina, Em!' riep Alex verschrikt toen Emma in een oude, oversized trui naar hen toe liep.

'Ik kom net uit mijn repetitie.'

'Ben je aan het repeteren om tuinman te worden of zo? *Holy fucking shit!*'

Emma ging zitten en bestelde een appelsap. Ze voelde de blikken op haar gericht. Wat maakte het nou uit wat ze droeg? Als mens werd ze er niet meer of minder op.

Emma wierp een glimp onder de tafel. 'Nou, ik zie dat jij weer een riem in plaats van een rok hebt aangetrokken?' diende ze haar zus lachend van repliek.

'O, maar het kan een stuk erger, hoor. Sonja, sta eens op?'

Sonja deed wat haar werd gevraagd. Dartel draaide ze haar achterwerk in de rondte om haar nauwelijks aanwezige rok te laten zien. Alle ogen in de zaak waren direct op haar gericht. Sonja had een achterwerk waar je thee op kon serveren, kogels op af kon laten ketsen. Daarbij was ze bijna even beroemd als Alex. Niet in de laatste plaats dankzij haar multifunctionele achterwerk.

'Waarde onderdaan, wat wil je eten?' vroeg Alex in haar beste Beatrix-ABN en gooide een menukaart naar Emma. Ze krulde haar bovenlip om er zo decadent mogelijk uit te zien.

Emma begreep het meteen, dit deden ze wel vaker. Het was Bea *meets* Theo en Thea. Emma had het tv-programma eigenlijk nog nooit gezien, maar ze imiteerde Alex zo goed ze kon.

'Geen flauw idee, lieverd.'

'Ik vind het onnoemelijk volks dat ikzelf een keuze moet maken van de kaart.'

Emma begon te giechelen.

Sonja keek hen met grote ogen aan.

'Jullie zijn niet wijs.'

Hoe kon je aan een enig kind, bovendien een wees, uitleggen dat zusterschap een zo exclusief soort humor kan opleveren dat niemand anders het begrijpt?

De ober kwam hun bestelling opnemen.

'Dames, hetzelfde als altijd?'

'Waarom ook niet,' antwoordde Alex.

Emma grinnikte nog na. Er was iets heerlijk vertrouwds aan het lachen om steeds weer dezelfde achterlijke grap.

'Em, trouwens, ik heb nog eens gedacht over die plaats in die band die je niet had gekregen.'

'Noem het maar het Amsterdams Philharmonisch Orkest,' corrigeerde Emma droogjes.

'Yep. Nou, ik zou me geen zorgen maken als ik jou was. Als je te laag op de ladder begint is het een veel langere klim omhoog.'

Emma protesteerde dat het Pilharmonisch nou niet bepaald het laagste van het laagste was, maar Sonja sprak luider.

'Ja, je hebt mazzel gehad! Dit is een teken dat het leven iets anders voor je in petto heeft.'

Misschien, dacht Emma. Werkloosheid of zo.

'Nee, heus, we werken dan misschien in verschillende genres muziek, maar uiteindelijk is het zakelijk gedeelte hetzelfde. Je móét je eigen carrière managen, anders wordt het niets.'

Emma probeerde een manier te bedenken om uit te leggen dat het managen van een niet-bestaande carrière als een vicieuze cirkel was waarin alle schakels ontbraken, maar ze kon er zo snel de woorden niet voor vinden.

Sonja haalde een stapeltje tijdschriften uit haar tas en gooide ze op tafel.

'Heb je mijn laatste interview in *HOUDOE!* al gezien? Een prachtige fotoreportage bij mij thuis...'

Alex grijnsde en pakte het blad van de stapel. *HOUDOE!* was net nieuw op de markt. Het liep als een trein.

'Waar heb je ze laten maken?' vroeg Alex.

'Ik heb Rachid lief aangekeken,' legde Sonja uit. 'Ja, een beetje popster dient toch in een paleisje te wonen.'

Alex nipte van haar Lychee Martini en bladerde lachend door het tijdschrift.

'Schat, een hartvormig bubbelbad, wat heerlijk voor je. En je eigen golfbaan in de tuin, hoe ontzettend beschaafd. En wat zalig dat half Nederland nu denkt dat je werkelijk zo leeft.'

Plotseling verstijfde ze.

'Wat is er?' vroeg Emma.

Alex was gestopt met bladeren en staarde naar een pagina.

'Wat ís er dan?'

Langzaam bracht Alex het blad omhoog en draaide het om.

'G.' stond er in grote letters geschreven. 'Hoe Alex mij met niks achterliet.'

G. (de stoere versie van de Gerrit die hij placht te zijn), had de kolder in de kop gekregen, bleek over een groot inbeeldingstalent te beschikken en had zogeheten uit de school geklapt.

Alex heeft me gebruikt om ontdekt te worden. Ik heb haar voor *Superstar* gecoacht, heb kosten noch moeite gespaard om haar klaar te stomen. Ik heb een tweede hypotheek moeten afsluiten op mijn huisje aan de Watersgracht dat ik van mijn ouders heb geërfd. Ik heb moeite met de afbetalingen, het is niet zeker dat ik het kan houden.
Alex heeft alles aan mij te danken, maar ze is ervandoor gegaan met het geld en de glorie. Ze heeft mij achtergelaten met niets dan de bijnaam G. Alex gilde het altijd uit van plezier. Iedereen kon het horen als we er in mijn bureau voor gingen. Zes keer op rij, minimaal.

Onwillekeurig trok Emma een vies gezicht. Net als ouders deden zussen niet aan seks. En vooral niet met iemand die G. heette.

Er stonden foto's afgebeeld van Alex en G., innig verstrengeld bij de piano, zoenend voor de bar. Alex gekleed in klassiek Crazy Piano's tenue, G. dikbuikig en kalend.

Emma keek op en trof Alex bijna in tranen.

'Ach, joh, dat gelooft toch niemand.'

Alex slikte haar tranen weg en stond strijdlustig op.

'Ik moet Ed bellen!'

Sonja schudde haar hoofd.

'Zou ik maar niet doen als ik jou was.'

'Hij is toch mijn manager? Ed kan alles!'

Sonja greep Alex bij de arm.

'Laat maar, je krijgt toch alleen maar een preek.'

'Ed is zo'n beetje Sonja's vader,' legde Alex uit. 'Hij heeft haar ook bij een talentenjacht ontdekt, maar ze was pas zestien, dus ze kennen elkaar al jaren.'

Sonja knikte.

Er stond een diepe rimpel tussen Alex' wenkbrauwen.

'Misschien moet ik een interview geven over mijn kant van het verhaal?'

'Kom op, wat ga je zeggen dan: "Ik ben geen giller, ik kom juist geruisloos?" of "Ik deed het alleen maar met Gerrit voor de lol, niet voor mijn carrière"?'

Sonja keek nog eens naar de foto en gruwelde.

'Sorry, maar dat is nog erger.'

'Kun je hier niet een advocaat op afsturen?' vroeg Emma. 'Het kan toch niet dat iedereen zomaar de meest vreselijke dingen over jou kan beweren en dat dat allemaal maar mag?'

Sonja keek Emma aan alsof dat werkelijk de domste uitspraak was die ze ooit had gehoord.

'Wel eens van persvrijheid gehoord?'

'Ik denk niet dat ze *HOUDOE!* in hun hoofd hadden toen ze die wet opstelden.'

Sonja keek haar kwaad aan.

'Niemand interesseert het ene fuck voor welke specifieke pers die vrijheid in het leven is geroepen.'

'Ik bedoel er verder niks mee,' probeerde Emma het goed te maken. 'Maar dit is pure laster. Iedereen met gezond verstand kan toch zien dat dit helemaal niets met journalistiek uit te staan heeft?'

Sonja haalde haar schouders op. Ze keek nog steeds boos.

'Sommige advocaten willen het wel proberen, hoor, maar die sturen je ook een astronomisch hoge rekening en zo betaal je uiteindelijk een ton voor gerechtigheid. Nog zo'n mooi beroep: het beschermen van de rechten van de mens à achthonderd ballen per uur. Mijn eerste advocaat was tevens de advocaat van mijn ex-man. Drie keer raden hoe goed mijn huwelijkse voorwaarden waren toen ik ging trouwen en hoeveel geld ik overhad toen het voorbij was.'

Sonja nam nog een trek van haar sigaret. Ze zat al op de filter.

'Hoe dan ook, pas later begreep ik hoe de paparazzi mij altijd zo makkelijk konden vinden. Hij heeft zelfs onze huwelijksreis verkocht aan de media, buiten mijn medeweten, en van de opbrengst heb ik nooit iets mogen ontvangen, mongool die ik was.'

Ze smeet het restje peuk in de asbak.

'*Anyway*, dat is allemaal voorbij. Op mijn eenentwintigste verjaardag, de dag na mijn scheiding, heb ik advocaten en relaties voor altijd afgezworen.'

Ze stak weer een sigaret op en draaide zich naar Alex.

'Je moet er gewoon boven staan. Moet je eens kijken wat ze over mij schrijven!'

'Maar misschien schrijven ze óver je omdat jij ónder half Amsterdam hebt gelegen?' vroeg Alex.

Emma's mond viel letterlijk open, ze kon zich niet voorstellen dat haar zus haar nieuwe beste vriendin zo openlijk beledigde.

'Dat neem je terug,' riep Sonja quasi-verontwaardigd. 'Ik vind bovenop veel leuker.'

Alex giechelde en bestelde nog een Lychee Martini.

'Misschien heb je wel gelijk,' zei Alex.

'Natuurlijk heb ik gelijk, ik heb altijd gelijk! Je neemt een vaste vriend met wie je je in het openbaar laat zien. Een die je geen kwaad kan doen. En de rest is gewoon voor de lol. En mochten ze je nou ook nog kunnen helpen met je carrière, des te beter. Als het goed is voor je carrière, is het geen vreemdgaan.'

Twee Lychee Martini's later besloot Alex dat deze wonderlijke nieuwe ontwikkeling moest worden gevierd. Met zijn drieën liepen ze naar Sonja's auto. Het plan was om onderweg naar huis met de autotelefoon vrienden of kennissen uit te nodigen voor een klein feestje. Sonja drukte op de automatische deurvergrendeling van een rood sportautootje en hield de deur open zodat Emma op het minuscule achterbankje kon plaatsnemen.

Als een kip in een legbatterij zat Emma tegen de achterruit geplakt. De twee dames voorin zongen mee met de muziek die uit de speaker naast Emma's oor de auto in dreunde. Emma durfde er niks van te zeggen. Op de een of andere manier deed je dat gewoon niet bij een persoon als Sonja.

Ze bleek nog meer multifunctionele kwaliteiten te bezitten behalve die van haar bilpartij. Ze sjeesde met vijftig kilometer per uur over de busbaan, pleegde telefoontjes met haar linkerhand, rolde een joint met haar rechter- en stuurde met haar knieën alsof het de normaalste zaak van de wereld was.

Ze parkeerde op de stoep van de Leidsegracht en stond erop dat ze voordat ze boodschappen gingen doen eerst een blow zouden roken. Met zijn drieën zaten ze op de enorme bank in de overigens nog immer lege huiskamer.

'Emma?' vroeg Sonja na het halve ding in één haal te hebben opgerookt.

Emma keek naar de walmende joint.

Twee toeters later draaide Alex zich smekend naar Emma toe.

'We zijn te stoned om naar buiten te gaan, wil jij even de drankjes voor vanavond kopen?'

Alex graaide in de zak van haar rokje en stopte twee biljetten van vijfhonderd in Emma's hand. 'Koop hier maar wat alcohol van.'

Opgelucht dat ze de joint niet had aangeraakt liep Emma naar de drankwinkel op de hoek. Het was drie keer lopen voor ze de drank van de slijter naar Alex' appartementencomplex had gebracht. Azziz was zo aardig om alles naar boven te sjouwen. Emma was nog buiten adem toen ze Alex' sleutel in de deur stak. Nog voor ze kon binnenstappen kwam Alex in paniek op haar afgerend.

'Em, de catering kan niet voor zo veel mensen in zo'n korte tijd het eten verzorgen. Je moet naar de supermarkt! Alsjeblieft?'

Sonja kwam achter haar staan.

'Alex en ik kunnen niet naar de supermarkt, we zijn te beroemd.'

Emma nam twee biljetten van tweehonderdvijftig gulden in ontvangst, ditmaal afkomstig van Sonja, en begaf zich op weg naar Albert Heijn.

Een half uur later, bezweet en bezorgd over het effect van de plastic handvatten die in haar palmen sneden, kwam ze de receptie weer in gestrompeld. Azziz schudde zijn hoofd, maar hielp haar weer om alles omhoog te dragen en hij hielp zelfs Alex met uitpakken. Sonja was joints aan het rollen.

'Wat heb je nóú gekocht?' kreet Alex vol afgrijzen terwijl ze in de Albert Heijn-tas keek. 'Sorry hoor, maar ik kan echt geen chips geven aan de gasten vanavond, we zijn niet meer op de lagere school. En je hebt de verkeerde mozzarella meegebracht.'

Emma keek beteuterd. Ze had er nog wel extra veel van gekocht.

'Mozzarella is toch gewoon mozzarella?'

'Mozzarella moet van de buffel komen, niet van de koe, nooit van de koe,' mompelde Sonja, een toeter tussen haar lippen geklemd. 'O, en als je dan toch teruggaat, neem dan ook wat hummus, pitabrood en een hele Parmaham mee?'

Er werden nog wat biljetten in Emma's zak gepropt.

Tegen de tijd dat Emma met een half gerookt varken op haar schouder terug was, zouden de gasten al bijna arriveren. Ze had nog net even tijd om onder de douche te springen.

Het huis stond propvol mooie mensen. Iedereen die iemand was, was uitgenodigd, en ze waren nog gekomen ook. Emma zat in haar eentje op de bank te kijken hoe Alex de rol van gastvrouw voor haar rekening nam. Ze was er wonderbaarlijk goed in. Alex stelde mensen aan elkaar voor, zwierde van de ene gast naar de ander zonder iemand alleen achter te laten.

Behalve Alex en Sonja kende Emma niemand. Ze streek nogmaals over haar haar, zich er terdege van bewust dat het nog precies hetzelfde hing als een paar seconde daarvoor. Ze checkte nog eens het koordje van het topje dat Alex haar had geleend. Wat moest ze in godsnaam zeggen om met deze mensen in gesprek te komen, vroeg ze zich af. 'Hoi Katja, heb je het een beetje naar je zin?' of '*Robbie, how are you enjoying Holland?*'

Ze controleerde haar haar nog eens. Het zat er nog steeds.

Het enige grote voordeel van onzichtbaar zijn, realiseerde ze zich, was dat niemand zag dat ze voor lul stond. Aangezien voor lul staan alleen kon worden berwerkstelligd via de ogen van derden, zat ze op papier goed.

Alex wenkte. Opgelucht sprong Emma op.

'Emma, ken je Kenneth?'

Kenneth schudde haar de hand. Emma lachte hem dankbaar toe.

'Hallo, ik ben...'

'Sorry, schat, ik zie net iemand die ik in járen niet heb gezien,' zei Kenneth en hij legde vluchtig zijn hand op haar schouder terwijl hij ervandoor ging.

Emma stond weer moederziel alleen. De bank die ze net had verlaten was ingenomen door twee meisjes van wie Emma wist dat ze hen hoorde te kennen. Eén had een heel zware stem en nog zwaardere make-up. De ander sprak heel hoog en snel, en droeg ook veel make-up. Tussen hen in stond de zilveren schaal met wit poeder die de hele avond rondging. Emma had aan Alex gevraagd of dat nou drugs waren, en Alex zei van wel maar dat ze zich niet ongerust moest maken; het was geen heroïne of zo. Bovendien had ze haar verteld dat zij er zelf niet van nam.

Emma friemelde met haar vingers en vroeg zich af of ze misschien bij de meisjes kon gaan zitten. Niet te dicht bij hen alsof ze de intentie had om met hen te praten, maar gewoon, op een hoekje van de bank. Het linker meisje, met de zware stem, keek haar kant op. Ze zei iets tegen het rechter meisje, dat direct ook haar kant op keek.

De keuken werd Emma's toevluchtsoord.

Ze was net bezig een glas water voor zichzelf in te schenken toen een man de keuken in kwam. Ze keek op. Hij zag er idioot knap uit, alsof hij net uit een reclame kwam lopen. Hij droeg een roze overhemd en een vale jeans, zijn haar begon bij de slapen iets te grijzen. Maar belangrijker dan dat, hij leek haar óp te merken.

Emma glimlachte.

Hij schraapte zijn keel. Het klonk diep en mannelijk.

Emma bloosde.

'Een gin en tonic met twee ijsblokjes en limoen alsjeblieft.'

'Pardon?'

Geïrriteerd repeteerde hij zijn bestelling.

Inschenken leek minder gênant dan rechtzetten.

Tegen de tijd dat Alex de volgende morgen de woonkamer binnen kwam strompelen had Emma de boel al aardig aan kant.

'Er zit een hamer in mijn hoofd!' jammerde Alex. 'Oei, oei, oei, ik heb geloof ik een beetje te veel gedronken gisteren. Ik heb toch geen rare dingen gedaan, hè?'

Emma schudde haar hoofd. Als je over de grond rollen en eisen dat Emma haar bij de voeten naar de slaapkamer zou trekken niet meetelde, viel Alex' gedrag best mee.

'Wil jij een aspirientje voor me halen?'

Vijf minuten later begon Alex aan haar ontbijt van muesli, sinaasappelsap, ei, koffie en een Alkaselzer. Een nieuwe kijk op de schijf van vijf.

'De enige manier om vandaag te overleven is om naar de Gracht aan de Amstel te gaan voor een massage,' kreunde Alex. 'Zin om mee te gaan?'

Een retorische vraag behoeft geen antwoord.

Emma zweefde de massagecabine uit. Massages in de Gracht aan de Amstel was de ultieme vorm van in de watten worden gelegd. Alex' kasjmieren truitje voelde zacht tegen haar huid, een pianoconcert van Bach klonk op de achtergrond.

Alex was er alweer vandoor (Ed had gebeld en ze had direct langs moeten komen om de schade van het G.-verhaal te beperken). Bij het afrekenen had Alex voor Emma nog een extra gezichtsbehandeling geboekt, de schat. De zuurstofbehandeling had ze al eerder gekregen en het had ook ditmaal de infectie in haar hals bijna doen verdwijnen. Rozig en vrijwel onbevlekt liep ze door de gangen. Het voelde er warm en veilig. Ze wilde niet weg, de kou en de harde werkelijkheid in.

Ze drukte op de liftknop naar boven. Met een geraffineerd belletje ging de deur open. Emma stapte naar binnen. Op exact dat moment deed iemand anders precies hetzelfde in omgekeerde richting. Het werd een frontale botsing.

'Sorry,' stamelde ze terwijl ze de spulletjes die uit haar tas waren gevallen en over de grond rolden bij elkaar raapte.

'Gemma, toch?' klonk een stem met een zwaar accent boven haar.

Haar ogen schoten wijd open. Gemma. Er was maar één persoon die haar ooit zo had genoemd.

Langzaam gleed haar blik van de grond omhoog. Laarzen beplakt met allerlei verschillende kleuren stukje leer... een dikke suède broek... paarse fluwelen jas... ogen die nog blauwer leken dan die waar ze over had gedroomd.

De inhoud van haar tas bijeenrapen was makkelijker dan zichzelf in toom te houden.

'Winston, kun je niet iets rrrromantisch spelen?'

De *r*'en rolden van zijn tong alsof hij een leeuw was die in haar wilde bijten. Emma kreeg het er warm van.

'Kijk nou toch eens naar haar, wat een vrouw. Daar schrijven componisten toch voor, niet?'

Weer sprak hij alsof hij klaarstond om haar te bespringen en Emma hapte naar adem. De pianist keek op.

'Ach, meneer Ibravimovish, zoiets moois kan zelfs in muziek niet worden weergegeven.'

Emma werd knalrood. Ze kon het bijna niet geloven. Ze zat in de bar van de Gracht aan de Amstel met Volodya Ibravimovish, zij aan zij op een van de rood fluwelen banken. Op het tafeltje voor hen stond een schaaltje geroosterde hazelnoten, een whisky-cola en een glas kir, Emma's vierde. Ze waren al twee uur non-stop aan het praten, hij leek maar niet genoeg over haar te kunnen horen. Het leek niets met de werkelijkheid te maken te hebben om met een man als Volodya in zo'n chique gelegenheid te zitten. Normaal was ze altijd het kleine zusje, nu iets totaal anders. Een vrouw, bijna. Een vrouw naast de meest begeerlijke man ter wereld.

'Ik meen het, jij bent het type vrouw dat inspireert.'

'En omdat er muziek vóór me geschreven zou zijn, kan ik het uitvoeren ervan beter aan anderen overlaten?'

Ze keek geschrokken op, de zin die was bedoeld als een vrolijke vingertik over het feit dat zij de remplaçantenpositie in zijn orkest niet had gekregen, kwam er net iets vinniger uit dan de bedoeling was geweest. Gelukkig leek hij niet boos. Sterker nog, hij moest lachen.

'Mijn god, je bent een slimme!'

Hij leunde naar haar toe. Zijn hand raakte bijna de hare, het was een kwestie van millimeters, ze kon de warmte van zijn huid voelen.

'Je weet dat we je niet konden aannemen omdat je te goed was, het had niets met gebrek aan kwaliteit te maken. Bijna niemand kan zo zacht spelen als jij. Jij blinkt te veel uit om je ooit met een orkest te kunnen vermengen. Maar ik beloof je één ding. Ik zal ervoor zorgen dat je terechtkomt waar je thuishoort. En dat is vóór het orkest, niet erin.'

Emma wist niet wat ze moest zeggen.

'Hoe was je als klein meisje?'

Ze slikte.

'Een beetje vreemd. Een beetje eenzaam.'

'Omdat je dat hebt meegemaakt ben je de vrouw geworden die je nu bent.'

Weer was het even stil.

Hij excuseerde zich en stond op. Emma ving haar reflectie op in de spiegel naast haar. Het was of iemand terugkeek die ze niet kende. Iemand die het waard was er te zijn. Hij kwam terug en liep naar de barman om hem iets te vragen. De kelner fluisterde iets in zijn oor. Volodya knikte en ging weer naast Emma zitten op de rode bank. Hij pakte haar bij de hand.

'Schoonheid, het is laat. We zijn de tijd vergeten,' zei hij langzaam.

Emma keek om zich heen. Hij had gelijk. De bar was leeg en verlaten.

'Morgen vlieg ik naar San Francisco. Mag ik je bellen als ik terugkom?'

Hij begeleidde haar naar buiten en zette haar veilig in een van de taxi's die voor de ingang van het hotel stonden te wachten. Hij drukte de taxichauffeur een biljet in de handen, hij stond erop. Emma zwaaide vanuit de taxi totdat hij uit het zicht verdween.

De hele taxirit terug naar Amsterdam-Oost grijnsde ze van oor tot oor. De avond ervoor had ze zich nog een mislukkeling gevoeld. Alles zag er nu zo anders uit, door zijn ogen. Alles waar ze zich ooit voor had geschaamd metamorfoseerde zich door zijn toedoen in een geschenk. Hij had haar ogen geopend voor de persoon die ze nooit had durven zijn.

Voor het eerst in heel lange tijd leek alles mogelijk.

De straten waren donker en verlaten. Emma snelde langs het grasveld naar de jeugdherberg, haar oren gespitst op het geluid van voetstappen achter zich. Ze was dankbaar dat ze zo'n goed gehoor had. Niet dat ze zou weten wat ze zou doen als ze wel iemand achter zich zou horen, maar toch bood het een gevoel van controle. Het was iedere keer weer even doorbijten, die wandeling voor zonsopgang. Twee mannen lagen in een bushokje. Ze zochten warmte in hun slaapzak en troost in hun fles. Ze zeiden niets toen ze voorbijliep. Emma ook niet.

Opgelucht beklom ze de treden van de jeugdherberg. Raf was de lobby al aan het stofzuigen.

'Môgge,' zei hij, vrolijk als altijd. 'Wat zie jij er stralend uit. Hé, ik ben bang dat ze er echt een bende van hebben gemaakt gisteravond. Geef me een minuut en dan ruim ik het ergste op.'

Emma liep naar de bezemkast om haar emmer met schoonmaakproducten en zwabber te pakken.

'Leuke avond gehad?' hoorde ze achter zich.

'Ja hoor, dank je.'

Ze opende de bardeur. Raf had gelijk, het was een zootje. Het stonk nog meer dan normaal. Gebroken glas lag verspreid over de vloer, overblijfselen van patat lagen fijngeprakt op de grond alsof erop was gesprongen. Terwijl ze naar de spoelbak liep om een sopje te maken stapte ze in een grote gele plas. Opeens begreep ze waar de stank vandaan kwam. Ze rende naar het raam en hield haar hoofd in de frisse buitenlucht. De tranen stonden haar in de ogen. Achter zich hoorde ze Raf een grote emmer sop over de urine heen gooien, goddank.

'Ik zei al dat het geen pretje was deze ochtend. Maar goed, vertel, vanwaar het blije gezicht toen je binnenkwam? Leuke date gehad?'

'Eh...'

'Aha! Voor de dag ermee!'

Emma zette de stofzuiger aan en deed alsof ze zijn vraag niet had gehoord. Het leek de enige optie. Ze wilde niet liegen. Maar om te vertellen dat ze de hele avond aan de champagne had gezeten in de Gracht aan de Amstel met een van de grootste dirigenten van de wereld terwijl Raf in andermans verdunde zeik stond te ploeteren leek niet correct.

Het was bovendien maar beter als hij niet te veel over haar te weten kwam. Als hij erachter kwam dat ze violiste was, dan zou ze haar baan niet zeker zijn. En als de gasten erachter kwamen dat ze het zusje van Alex Weijman was, zou werken onmogelijk worden. Ze had die week al twee kamers schoongemaakt waarin een poster van Alex aan de wand hing, en een Française die afgelopen donderdag was gearriveerd had een Alex-handtas.

Tweeënhalf uur later was de bar weer spic en span, of iets wat daarvoor moest doorgaan. Schoner kon niet. Ze zette alle schoonmaakspullen terug in de bezemkast en pakte haar jas. De deur viel zachtjes achter haar in het slot.

De Grote Dag

Na twee weken die eerder op twee jaar hadden geleken was de grote dag voor het Alterium aangebroken. Eindelijk! Om acht uur 's ochtends hadden ze bij Nick thuis afgesproken. Het was een prachtige dag, de zon scheen volop tussen de flatgebouwen van de Bijlmer en kwiek beklom Emma de trap naar Nicks woning.

Terwijl ze hazelnotenkoffie dronken attendeerde Nick de overige leden erop dat het hun collectieve doel moest zijn om te 'genieten van de reis'. Emma had niet helemaal begrepen wat hij bedoelde (al begreep ze wel dat hij het niet had over de tocht naar Friesland), maar dat weerhield haar er niet van zich voor te nemen om met volle teugen van de dag te genieten.

Nick had van tevoren al gewaarschuwd dat de reis wat langer zou duren doordat hij tegen snelwegen was. De uren die volgden reed het witte busje door kilometers ongerept bos, langs hectaren weiland waarin de schapen zich wonderlijk onbewust leken van het bestaan van de mensheid. Alles leek zo schoon. Alsof het net frisgewassen op aarde was gezet.

Na exact twee uur de vijftig kilometer niet te hebben overschreden stopte Nick bij een open veldje om zijn ANWB-strekoefeningen te doen.

Emma liep een paar stappen van het gepuf van Nick vandaan. Zover haar oog reikte was ze omgeven door eindeloze velden. Haar longen vulden zich met de frisse plattelandslucht. Het gras was een beetje nat, ze kon het ruiken. Helemaal aan het eind van de horizon zag ze een dorpje met een kerk. Alom heerste stilte. Alles was bewegingloos, of bewoog met de rust die erbij hoorde. Vogels trokken naar het zuiden, bomen schommelden zachtjes in de wind. Ze wist niet van welk soort ze waren, maar ze stonden stevig en wijs. Die bomen hadden decennialang seizoenen zien komen en weer vertrekken. Ze hadden hun bladeren iedere herfst gedag gezegd, iedere winter om ze gerouwd en iedere lente hadden ze nieuw leven begroet. Zo was het leven. Alles was in bestendige beweging.

'Ik mis Tokyo!' schalde Kiko.

Nick keek haar aanbiddend aan. Walter schudde zijn hoofd. De strohoed die hoog op zijn afrokapsel zat deinde mee als een boot op het water.

'In de stad vergeet je makkelijk wat simpelweg *zijn* inhoudt. Te veel baksteen, te veel herrie,' zei Walter.

Het was de eerste keer dat zijn woorden Emma geen onbedaarlijke zin gaven hem een beuk te verkopen. Hij had gelijk. Dit was waar alles wat ooit was geboren behoorde te zijn: in de natuur. En – in haar geval: vlak voor een optreden.

Rond enen kwamen ze bij het gemeentehuis aanrijden. Het had verdacht veel overeenkomsten met een schuur. Meneer Hoitema, de organisator, liep al lachend op hen af.

'Mooi dat jullie er zijn.'

Hij had gitzwart Playmobiel-haar dat strak om zijn oren was geknipt. Hij was niet groot, maar hij was gebouwd als een blok beton. Zijn hand voelde ruw en solide.

'De nieuwe aanwinst?'

'Ook wel Emma genoemd,' lachte Emma terug.

'Ik heb wel over jou gehoord. Zus van Alex Weijman?'

Emma keek verbaasd.

'Ja, dat zul je wel vaker horen. Ik noem jou Emma als jij mij Tjerk noemt.'

Een vrouw kwam aangelopen. Ze nam krachtige stappen met haar kaplaarzen. Ze had een gezonde blos en was van dezelfde bouw als haar man.

'Hette,' stelde ze zich voor. 'Goede reis gehad?' vroeg ze, waarna ze zich weer omdraaide. 'De thee staat klaar.' De leden van het Alterium pakten hun instrumenten uit het busje en volgden haar de schuur in.

Het was een mooie ruimte. Houten balken stutten het plafond en creëerden een intieme sfeer. Rijen stoelen stonden nauwgezet in het gelid, daarachter een dozijn picknicktafels. In de hoek stond een tafeltje met thee en koekjes. Mevrouw Hoitema stond ernaast. Ze bloosde een beetje.

'Jullie laatste optreden was mooi.'

Timide keek ze naar de grond.

'Dit krijgen jullie vast de hele tijd te horen.'

Ze waren niet spraakzaam, Tjerk en Hette Hoitema. Toch voelde Emma zich erg op haar gemak. Ook Walter leek zich een beetje te laten gaan, hij had zelfs zijn strohoed afgezet. Het had een deuk in zijn afrokapsel achtergelaten die er van zijn levensdagen niet meer uit zou komen.

Ze stemden hun instrumenten, die tijdens de busreis een geheel eigengereid en atonaal geluid hadden gekregen, tot ze weer zuiver en vol klonken. Voor ze er erg in hadden was het tijd om zich te verkleden.

Vanuit de toiletten, die voor de gelegenheid in verkleedkamers waren omgedoopt, hoorde Emma het geroezemoes van de eerste mensen die in de zaal plaatsnamen en ze voelde de zenuwen in haar maag woeden. Ze gingen om beurten het wc-hokje in. Na Kiko was de beurt aan Emma. Ze had net de deur achter zich gesloten toen iemand klopte.

'Ik heb reclame voor jullie gemaakt,' herkende ze meneer Hoitema's stem.

Ze glimlachte. Door zijn manier van spreken leek alles wat hij zei eerlijk.

'Ik heb hier een reporter van het *Mid-Friesk Dagblad*. Is dat goed?'

'Ja, natuurlijk, kom binnen!' antwoordde Nick vanaf de andere kant van het waaibomenhouten toiletdeurtje. 'Hoe meer mensen over ons horen, hoe beter.'

Een luid en hysterisch klappen barstte los. 'Kiko wordt heet nieuws! Kiko wordt heet nieuws!' gilde Kiko.

Emma ritste haar jurk zo snel mogelijk dicht en gooide de toiletdeur open. Dit was niet het moment voor Kiko om door te slaan. Kiko bleef voor zichzelf applaudisseren. Nick deed het bijna in zijn broek van aanbidding. Walter stond in een hoekje met een speciaal stuk stro zijn chakra's schoon te maken. Onfortuinlijk genoeg was hij net met zijn voortplantingschakra bezig. Maar het meest verbazingwekkend was het feit dat meneer Hoitema met een blik van ontzag toekeek.

Mensen konden met het vreemdste gedrag wegkomen onder het mom van 'artistiek zijn'. Of Japans. Of hardcore zelfontplooiend.

Toen het concert was afgelopen, bleven de mensen in de zaal maar klappen en *bis* roepen.

Emma boog naar Nick.

'Ik vind het echt niet erg als jullie met z'n drieën een toegift spelen,' fluisterde ze.

Het kwartet in huidige opstelling was nog zo nieuw dat ze geen extra repertoire hadden kunnen oefenen. Ze keek nog eens de zaal in.

'En volgens mij vinden zij het ook niet erg.'

Het was niet comme il faut, maar de hele avond was toch al vreemd verlopen. Ze waren nog niet halverwege de vierde regel van Beethovens strijkkwartet in cis, Opus 131, toen een frêle stem uit de zaal opsteeg.

'Jullie moeten wel harder spelen, anders verstaan we er niks van!'

Terwijl de drie strijkers een toegift ten gehore brachten, bestudeerde Emma de gezichten in het publiek. Die stonden levendig, genietend. Emma genoot van hun genot. Meneer Hoitema had haar verteld dat het merendeel van het publiek nooit live klassieke muziek had gehoord. De meeste concerten waren te ver weg en te prijzig.

Het publiek klapte erop los. De spelers straalden. Nick maakte een buiging en gebaarde vervolgens naar Emma om ook nog een klein stukje te spelen.

Ze wist direct dat ze Janáček wilde spelen. Als klein meisje was het het eerste stuk dat ze publiekelijk had opgevoerd, en ze was er altijd een zwak voor blijven houden. Het publiek mocht de muziek misschien niet goed kennen, maar iedereen wist hoe het voelde om geen liefde te ontvangen. En dat klonk bij Janáček in elke toon door.

Enthousiast liep ze naar voren en ze begon rustig te spelen. Bijna moeiteloos beschreef ze de liefdesbrieven die Janáček aan zijn Camilla had geschreven en die altijd onbeantwoord zouden blijven.

Bij het dametje dat tot dan toe hun lastigste klant was geweest, stroomden de tranen over de wangen en ze liep, met behulp van haar stok, het podium op. Ze was verrassend snel. Emma ontving een natte, vertederende kus op haar wang. Het publiek lachte.

Als deze dame niet naast haar op het podium mocht staan, dan waren ze allemaal vergeten waar muziek voor was gemaakt. Om te delen. Om van te genieten. Om zielen mee te raken.

Dit was precies waar het om ging.

De leden van het Alterium zweefden bijna door de adrenaline toen ze zich naar hun 'verkleedruimte' haastten om zich om te kleden en zich daarna onder hun publiek te mengen. Meneer Hoitema kwam op hen afgestevend. Een vrouw van achter in de dertig volgde hem op de voet. Ze had een porseleinen huid en zwart glanzend haar dat in golven om haar gezicht viel.

'Dit is Ariane, de journaliste over wie ik het had.'

Het trof Emma hoezeer Ariane in deze omgeving misplaatst leek, met haar mantelpakje en hooggehakte schoenen.

'Ik heb een fotograaf meegebracht. Als ik een interview met een van jullie zou mogen afnemen, dan zou ik er een artikel van twee pagina's van kunnen maken.'

Nick, Kiko en Walter wisselden verheugde blikken uit. Emma huiverde. Bij het woord 'interview' alleen al kreeg ze flashbacks van *Superstar.*

'Kunnen jullie met z'n vieren naast elkaar gaan staan? Ja, mét instrumenten, graag,' verzocht de fotograaf.

Met lood in haar schoenen deed Emma wat haar werd gevraagd. De fotograaf schoot plaatjes dat het een lieve lust was. Binnen een mum van tijd was het over; de angst ervoor was groter geweest dan het lijden zelf.

'Met wie van ons zou u willen spreken?' vroeg Nick alsof het Alterium iedere dag aanvragen voor interviews kreeg.

De journaliste knikte naar Emma.

'Waarom niet met de soliste.'

Emma zette grote ogen op van schrik.

'Dat gelijk even duidelijk moge zijn: ik ben niet de eerste violiste, dat is Kiko. Ik ben als laatste bij het Alterium gekomen. Dat is de reden dat we nog geen tijd hadden om...'

'Prima,' onderbrak Ariane. 'Is hier ergens een rustig plekje?'

Voor ze goed en wel doorhad wat haar overkwam werd Emma al naar de keuken geleid. *Nee, nee, nee!,* galmde het in haar hoofd. Het ging allemaal zo snel dat ze nauwelijks kon protesteren. Ariane nam een cassetterecorder uit haar tas en zette hem op de tafel tussen hen in. Emma voelde haar keel dichtknijpen terwijl ze ernaar keek. Dit is anders, moest ze zichzelf toespreken. Dit is maar een gesprekje over je muziek. Je kent de muziek. Niemand gaat je idiote vragen stellen.

'Dus jij bent violiste,' zei Ariane. Het klonk meer als een stelling dan als een vraag.

'Luister, ik zit nog maar net bij het kwartet. Weet je zeker dat je niet liever een van de anderen interviewt?' smeekte Emma bijna.

'Nee, nee! Ik vond jouw solo juist geweldig!'

Emma bloosde. 'Het was niet echt een...'

'Wat vind je er nou van om in dit soort afgelegen plekken te spelen?'

Emma glimlachte.

'Het is geweldig om muziek naar de mensen te kunnen brengen. Niet iedereen heeft zo makkelijk de kans anders een concert bij te wonen. Live muziek heeft iets magisch.'

Ariane keek haar lachend aan en knikte instemmend.

'Maar je zou ook wel een keer op een groot podium willen staan?'

'Ja, natuurlijk. Welke artiest zou dat niet willen?'

'Dat was nogal een reactie die je net kreeg van het publiek. Komt je zus wel eens naar je kijken?'

Emma keek verbaasd op.

'Je zus. Of ze wel eens naar je komt kijken. Wat vindt ze ervan dat jij in dit soort plaatsen speelt? O ja, en hoe gaat het met de opnamen van haar nieuwe album? Klopt het dat ze haar management aan de kant heeft gezet?'

Emma wilde weg. Heel graag zelfs.

'Nou?'

'Eh... Ja, ze is wel eens komen kijken.'

'Maar nu niet?'

'Nee, vandaag niet, nee.'

'Gaan jullie goed met elkaar om?'

Emma schoof ongemakkelijk in haar stoel. De recorder zoemde zacht.

'Ze is mijn beste vriendin.'

'Dus je bent niet jaloers op haar?'

'Nee, natuurlijk niet. Ik ben misschien jaloers op Jochem van der Schaaf omdat hij op een violoncel nog een capriccio kan spelen, maar niet op mijn bloedeigen zus.'

'En hoe is het nou om het zusje van Nederlands beroemdste zangeres te zijn?'

Emma's hoofd tolde. Ze móést hier onderuit zien te komen, ze móést het gesprek bij de muziek van het Alterium houden.

De kleine wieltjes die het opnamebandje deden draaien gingen onverstoorbaar door.

'Fijn. Maar om heel eerlijk te zijn, als u het niet erg vindt zou ik liever praten over het optreden van het Alterium van vandaag.'

Ariane leunde naar achteren en tikte met haar pen tegen haar tanden.

'Natuurlijk,' lachte ze. Ineens leek ze weer aardig. 'Je bent zelf immers ook iemand, niet?'

Emma lachte opgelucht terug. 'Dat mag ik toch hopen.'

De volgende ochtend zat Emma in de ontbijtzaal van het pension waar ze hadden overnacht. Voor haar lag het *Oost-Friesk Dagblad*, geopend op de shownieuwspagina (en niet op de kunstpagina). IK BEN OOK IEMAND! schreeuwde de kop boven een foto waar zij op stond met haar viool. Het was overduidelijk uit de groepsfoto geknipt, een stuk van Walters afrokapsel hing voor haar slaap.

Op de voorpagina, boven in de rechterhoek, werd het onheil al voorspeld: 'ONTMOETING MET ZUSJE VAN... ALEX WEIJMAN! op pagina 6'.

Het stuk zelf was nog erger dan de aankondiging deed vermoeden. De naam van het kwartet werd maar één keer genoemd, wat vier keer minder was dan de typering van de concertlocatie in de bewoordingen 'vieze schuur'. Tot overmaat van ramp leek de krant veel meer op een echte krant dan ze had aangenomen.

ZUSJE: Alex is mijn beste vriendin. Ze komt zelfs wel eens naar mijn optredens kijken. Het is heel fijn om het zusje van Nederlands grootste ster te zijn.
FRIESKER: Wat vind je ervan dat jij maar zo'n klein publiek trekt, terwijl je zus massa's fans heeft?
ZUSJE: Ik vind het niet erg om op afgelegen plekken te spelen, zelfs niet in een vieze schuur, zoals nu. Maar ik wil wel heel erg graag op de grote podia staan zoals mijn zus.

Nick kwam de ontbijtzaal binnen. Haar eerste impuls was om op de krant te gaan zitten. Nick had zich twee jaar in bloed, zweet en tranen geploeterd om het Alterium uit de grond te stampen en hij was zo blij geweest met hun eerste persbericht.

De busreis terug leek uren te duren. Het zeek ook nog eens van de regen. Kiko had de avond ervoor een kleine aanvaring gehad met een fles wodka en wilde met niemand praten. Walter bleef maar naar Emma omkijken, zichtbaar in dubio of zíj nou verantwoordelijk was voor het feit dat het Alterium op de showbizzpagina was terechtgekomen (direct naast het artikel over de heroïneverslaving van Boy George), of dat het universum zich tegen hen spande.

Nick hield zijn blik op de weg. Hij leek in zichzelf gekeerd.

Emma had zich steeds weer verontschuldigd en voor de zoveelste keer uitgelegd dat ze juist expliciet tegen de journaliste had gezegd dat ze niet over haar zus wilde praten.

Ze geloofden haar wel. Alleen veranderde dat niets.

Emma kon niet wachten tot ze thuis was. Amy was thuis en ze was blij dat ze niet alleen zou zijn. Het witte busje stopte als eerste voor haar deur. Er werden geen groepsknuffels gegeven ditmaal, God zij geprezen.

Ze stond nog niet binnen of Amy kwam naar beneden gerend.

'Wat balen allemaal zeg,' zei ze toen Emma het laatste etmaal voor haar had samengevat. ‘Maar kijk eens: er ligt een cadeautje voor je op de keukentafel.’

Emma omhelsde haar vriendin.

‘Ah, dat had je niet moeten doen! Ik ben nog lang niet jarig!’

‘Je naam stond erop,’ grinnikte Amy.

Er zat een briefje bij: ‘Ik had de spreuk eigenlijk liever op wc-papier gehad, maar op deze manier kun je het in ieder geval nooit vergeten!’

Emma scheurde het pakpapier van het cadeau. Het was een deurmat. Hij was groen en beschreven met bruine letters.

God, grant me the serenity,
to accept the things I cannot change.
The courage to change the things I can,
And the wisdom to know the difference.
... And a shotgun if all else fails!

God's bad posse

De huiskamer zat vol met mensen die waren gekomen om Emma's tweeëntwintigste verjaardag te vieren. Om de bank heen had Emma kussens gelegd waarop de gasten konden zitten en in de vensterbanken brandden waxinelichtjes. De schemer transformeerde de schimmelplekken op de muren tot vage impressionistische schilderingen.

Die ochtend had Amy twee enorme schalen lasagne gemaakt, één met vlees en één zonder, zodat iedereen zou kunnen blijven eten. De indoorpicknick die het opleverde was onconventioneel, maar zeker gezellig. De leden van het Alterium mengden makkelijk met haar oudmedestudenten. Het merendeel van de studievrienden had elkaar sinds het verlaten van het conservatorium niet meer gezien. Een avond zou nooit genoeg zijn om alles bij te praten, maar het was een goed begin. Emma bleek niet de enige te zijn die moeite had om na het verlaten van de opleiding werk te vinden.

'We zijn na ons afstuderen direct begonnen met lesgeven,' zei Luc.

Loïc knikte uitbundig. Ze hadden nog steeds iets van de Japanse cartoons weg, al was het wel minder geworden.

'Ik heb me laten inschrijven bij Jones' Diary, en in het begin was het heel moeilijk, maar inmiddels krijg ik regelmatig werk. Meestal in de orkestbak van musicals, maar ik verdien in ieder geval de kost met het maken van muziek,' zei Jonathan.

Emma kende het bureau waar Jonathan het over had. Jones' Diary was een soort van uitzendbureau voor musici. Het nadeel van dat soort werk was dat de buitenwereld je automatisch indeelde in een lagere plaats in het muzikale kastesysteem en dat stigma raakte je verdomd moeilijk kwijt. In de orkestbak van een musical zitten betekende dat je een kans op een solocarrière vaarwel zwaaide. Vandaar dat Emma het liever nog even hield bij het schoonmaken van toiletten en het opruimen van katerkots om in haar financiële behoeften te voorzien.

Terwijl de wijnflessen leeg begonnen te raken, nam het geroezemoes en het gelach in volume toe. Emma keek trots naar haar gasten. Kaarslicht weerkaatste op de vrolijke gezichten.

De bel ging. Pas toen ze opstond merkte ze dat haar been was gaan slapen. Het bezweek bijna onder haar gewicht. Onder luid gejuich sleepte ze haar tegenstribbelende ledemaat naar de voordeur.

Heel even dacht ze dat er een oranje Pino voor de deur stond.

'Gefeliciteerd!' riep de verschijning. Alex' gezicht piepte vanuit de wolk van veren vandaan. 'Ik weet het, ik ben een beetje opgedirkt, maar ik kom net uit de studio. Zulke losers vandaag, ze hadden niet eens een bak met blauwe M&M's kunnen regelen. Nou, die assistent zal dat niet nog een keer vergeten...'

Haar ogen waren zo zwart aangezet dat ze bijna niet meer te zien waren en haar haar was zilver gekleurd. In haar armen hield ze een groot cadeau. Een volle vuilniszak stond aan haar voeten. Alex omhelsde haar zusje in een verige doch stevige verjaarsknuffel.

Alex moest hoesten.

'Heb ik de hele week al last van. Laat me niet te veel drinken vanavond, en stuur me voor twaalven naar huis. Maar mijn pleuritis daar gelaten klinkt het gezellig hier.'

'Laat me je aan iedereen voorstellen,' zei Emma terwijl ze haar zus aan de hand meetrok.

Het moment dat Alex de kamer binnenstapte leek het alsof het geluid werd uitgezet. Iedereen bevroor. Alle gezichten staarden naar Alex. Zelf leek ze het niet door te hebben, ze stelde zich gewoon aan iedereen voor. Alex deed haar oranje jas uit en gaf hem aan Emma. Onder de jas droeg ze een zwarte catsuit met hoge rubberlaarzen. Nick liet zijn glas vallen.

Alex plofte op de bank neer en klopte naast zich op de lege zitruimte. Nick tijgerde al in haar richting om naast haar op de bank te kruipen.

'Em, kom, tijd voor cadeaus!' riep Alex snel voordat hij daadwerkelijk kon plaatsnemen.

Emma kwam zitten en Alex reikte haar een prachtig ingepakte doos aan met een breed zijden lint eromheen. Nick liet zich weer op de grond zakken. Zijn ogen schoten de kamer door om zich ervan te verzekeren dat niemand het had gezien. Hij had geluk: de andere gasten staarden slechts – met open mond – naar de verschijning op de bank. Om Emma en Alex heen groeide de berg inpakpapier. Het ritselde door de stilte.

'Het is een vochtgraadverhoger!' legde Alex trots uit. 'Voor je vingers! Je eelt is toch altijd te droog? Nou, als je dit manneke thuis aanzet, dan wordt het vochtgehalte in de lucht hoger en dan barst het niet meer!'

Emma haalde het laatste cadeaupapier eraf.

'Jeetje, wat goed,' zei ze bewonderend terwijl ze de foto van het apparaat op de kartonnen doos bestudeerde. Iedereen in de kamer boog naar voren. Deze wondermachine zou menig vingertop in de kamer kunnen sparen.

'Hoe je daar op bent gekomen! Dit zou een uitkomst zijn. Ontzettend bedankt.'

'Volgende, volgende!' riep Alex.

Nog voordat Emma de doos van de vochtgraadverhoger kon openmaken, kreeg ze het volgende cadeau al in haar handen gedrukt.

Dit had Alex schijnbaar helemaal zelf ingepakt. In een plastic tas. Onder in de tas vond Emma nog een tas. Een zwart-en-donkerrood bowlingmodel. Het leer was het zachtste wat Emma ooit had gevoeld.

'Prada!' kraaide Alex blij. 'Iedere vrouw heeft een goeie handtas nodig. Vooral als je je kleedt zoals jij.'

Direct zag ze haar faux pas in: het merendeel van de gasten was bepaald niet modebewust. Emma hield haar adem in.

'Niet dat daar iets mis mee is of zo, hoor,' corrigeerde Alex zichzelf gelukkig. 'Maar als je je alternatief kleedt heb je Prada nodig om het hip te maken.'

In de tweede plastic tas zat de gehele huidverzorgingslijn van Clinique.

'Dat is de crème die mijn allergie zo veel minder maakt!' herkende Emma direct. Ze gaf haar zus een dikke pakkerd. 'Echt enorm bedankt.'

'Ben je er blij mee?'

'Superblij.'

Alex begon weer te hoesten.

'Godver de godver,' mompelde ze. 'Ik moet morgen optreden voor vijftigduizend man. Gaat lekker zo.'

Alex greep naar haar handtas en pakte er een pakje Marlboro uit.

'Laat iemand ze van me wegnemen!'

Nick was er als een speer bij.

Terwijl Amy de vulkanische uitbarsting van inpakpapier van de grond raapte, bracht Emma de cadeaus naar de keukentafel. Ze schoof de twee gietijzeren kippen ('Bedankt mam, precies wat ik wilde hebben!'), het pakje wierook en het schrijfpapier dat ze van oma had gekregen opzij en deed een stap naar achter. De verhoudingen lagen niet helemaal goed. Alex' cadeaus namen driekwart van de tafel in beslag. Ze verplaatste die van Alex naar het kastje tegen de muur. Weer deed ze een stap naar achter. Ze keek van tafel naar kast, van kast naar tafel. Dat klopte ook weer niet, realiseerde ze zich. Alsof er twee verschillende groepen waren. Ze legde ze maar weer terug.

Wat maakt het ook uit dat die van Alex groter zijn, besloot ze. Wat dan nog, als iets van Prada was? En die kippen, hoe afgrijselijk ze ook waren, ze kwamen recht uit het hart.

In de woonkamer had Kiko Emma's plaats op de bank ingenomen. Het was een raar stel om te zien. Haar zus was een en al vrouwelijke vorm in niets verhullend zwart, Kiko was uitgemergeld in de corduroy broek, waar ze wel drie keer in paste. Kiko leunde gretig naar voren, alsof ze ieder moment haar grote tanden in Alex wilde zetten. De toeschouwers op de grond keken nog steeds met open mond toe.

'Ik haat Aziaten,' declameerde Kiko. 'Vooral Japanners. Te nerveus. Net mieren.'

Niemand ging ertegenin. Er lijkt een onuitgesproken regel te bestaan dat het toegestaan is je racistisch uit te laten over je eigen volk.

Alex keerde zich naar Emma. Ze lachte nog steeds, leefde waarschijnlijk nog steeds in de veronderstelling dat Kiko een grapje maakte.

'O, Em, volgens mij is deze wijn gekurkt,' zei ze.

Emma haastte zich naar de keuken om een nieuw glas voor haar zus te halen. Ze schonk maar weer uit dezelfde fles, het leek haar onwaarschijnlijk dat de draaidop een rare smaak had achtergelaten. In de huiskamer bleek de sfeer totaal te zijn omgeslagen.

'Luister, het is niet mijn schuld dat degene die de weersvoorspellingen presenteert bekender is dan degene die het medicijn tegen aids gaat ontdekken!' riep Alex opgewonden. Haar gezicht was rood aangelopen. Ze trilde zelfs een beetje.

'Maar ben je het met me eens dat dat belachelijk is?' argumenteerde Jonathan rustig.

Hij zat achterover geleund op de grond, hij steunde op zijn armen.

'Daar kan ík toch niks aan doen?!' gilde Alex bijna.

'Je werkt er wel aan mee.'

'Eh, kunnen jullie deze discussie misschien een andere keer voeren?' stelde Amy voor.

'De maatschappij is gewoon zoals ze is,' hield Alex vol. 'En daar maak ik het beste van. Overigens, mag ik je eraan herinneren dat de helft van jouw collega's van een uitkering leeft? Te artistiek om een echte baan te accepteren, maar niet te goed om hun hand op te houden. Uitkeringen die overigens worden betaald van de belastingen van mensen die míjn cd's opzetten nadat ze een dag hard hebben gewerkt. Dus laat die principes van jou nou maar lekker varen. Als jij je hele leven wilt opofferen voor muziek, ga ervoor. Maar loop dan ook niet te zeiken als je niet de aandacht krijgt die je ook nog eens zegt oppervlakkig te vinden.'

Daar had Jonathan niet van terug.

Vijf minuten later gooide Emma de deur achter hem dicht.

Opgeruimd stond netjes.

Een dag later was de repetitie van het Alterium geannuleerd. Emma was blij dat ze Alex' uitnodiging om naar een van haar concerten te komen had kunnen aannemen. Die ene keer dat Alex niet in het buitenland optrad, niet voor tientallen duizenden in het Wembley of Stade de France, maar gewoon in De Kuip in Rotterdam, dat wilde Emma voor geen goud missen. Daarbij had Alex het specifiek gevraagd. Ze had de hele week al een 'lichte pleuritis' gehad, zoals ze de hoest zelf noemde, maar die ochtend was haar stem bijna helemaal weg en leken haar sinussen uit elkaar te knallen. Emma was blij dat ze de dag met Alex zou kunnen doorbrengen.

Ze nam eerst de bus en stapte over op de tram. Op de Jan van Galenstraat wachtte ze op de limousine waarin Alex en Ed haar zouden oppikken.

Ed, haar manager, was al de hele ochtend in de weer geweest om een arts uit Frankrijk naar Nederland te laten komen om Alex nog voor die avond te behandelen. Dokter Lepère was de beste stemdokter van Europa. Zijn consulten hadden de reputatie wonderen te verrichten, ook al waren ze compleet illegaal, zo werd er gefluisterd. Emma zag de limousine al aan komen rijden. Met piepende banden stopte hij voor de tramhalte.

Alex en Ed zaten op de achterbank, Alex had een dekentje tot vlak onder haar kin over zich heen getrokken. Emma gaf haar snel een kus. De man die naast haar zat stak een grote kolenschop van een hand uit.

'Ed,' zei hij. 'Leuk je eindelijk te ontmoeten. En lief van je dat je met je zus meekomt. Ze kan wel wat hulp gebruiken vandaag.'

Emma wilde naast zijn voeten op de bank tegenover plaatsnemen, maar Ed schoof op en maakte plek tussen hem en Alex.

'Word je hartstikke misselijk van, joh, achteruitrijden. Plaats genoeg voor iedereen.'

Emma begreep waarom Alex zo blij was geweest dat hij hen was komen ophalen. Zelfs zij voelde zich veilig naast Ed. Ze voelde zijn enorme bovenarm tegen haar schouder en ze kon haar ogen maar niet van zijn voeten afhouden. Niet alleen waren ze maat 50+, maar ze raakten ook nog eens bijna de tegenovergestelde zitbank, die toch echt heel ver weg was.

Vanuit haar ooghoek gluurde ze naar links.

'Wil je ook wat soep?' bood Alex aan. Ze hield een thermosfles omhoog. 'Heeft Eds vrouw voor me gemaakt.'

'Ik heb extra plastic bekertjes meegenomen,' klonk Eds bas. 'Neem maar flink, hoor. Het is wel goed om wat extra vitamines binnen te krijgen als je in de nabijheid van zieke mensen verkeert.'

Emma glimlachte. Als de mensen die met hem moesten onderhandelen wisten dat hij een pluizig dekentje en een door zijn vrouw gevulde thermosfles met huisgemaakte soep voor Alex had meegenomen, dan zou hij hun een stuk minder angst inboezemen. Of misschien juist meer.

'Ik denk niet dat ik dit kan doen,' kreunde Alex.

Ze leek op een ziek elfje, met haar dunne, wit weggetrokken bekkie. Emma was nog niet gewend aan Alex' nieuwe uiterlijk. Ze was zeker twaalf kilo afgevallen en het zilveren haar was strak om haar gezicht geknipt. Het scheen er geweldig uit te zien op camera. In de echte wereld deed het ziekelijk aan.

'De keuze blijft aan jou, meid,' zei Ed met rustige, diepe stem, terwijl hij Alex nog een lepel honing gaf. De vibrato van zijn stem gaf rust, als een grondtoon.

'Herinner je je wat de dokter heeft gezegd? De kans dat je je stem permanente schade toebrengt is niet groot, maar wel degelijk aanwezig. Natuurlijk is het niet geweldig om op zo'n laat tijdstip af te gelasten, maar tussen ons gezegd en gezwegen: er valt altijd wel wat te regelen.'

Ze reden het terrein van De Kuip op. De buitenkant van het ovale gebouw was hoog en breed en donkergrijs. Alex trok wit weg. Ed klopte met zijn kolenschoppen zachtjes op Alex' knie.

'Maak je geen zorgen meis, je kunt dit. Je hebt binnen een uur zestigduizend plaatsen verkocht, weet je nog?'

'Kylie heeft 't in een kwartier gedaan,' antwoordde Alex trillerig.

Kylie was Alex altijd een stap voor. Bij de promotie van een nieuwe cd kreeg Alex de internationale cover van *Marie Claire*, Kylie die van *Vogue*. De Engelse én de Amerikaanse.

Emma sloeg een arm om Alex heen.

'Kom op! Met die stem van jou komt het wel goed. Vergeet niet, zestigduizend in een uur, ze zullen je heus wel een foutje vergeven.'

Alex draaide zich naar Emma toe. Heel even leek ze niet ziek meer.

'Om zover te komen dat je het in een kwartier voor elkaar krijgt kun je je geen fouten permitteren.'

'Alex! Alex! Alex! Alex! Alex!' galmde het door het stadion. Sommige mensen droegen een Alex-T-shirt, andere hielden spandoeken omhoog met liefdesverklaringen. Een aantal fans vooraan was al aan het gillen nog voordat Alex haar gezicht had laten zien. Emma keek nog eens om zich heen. Het was een gekkenhuis, zoals gewoonlijk. Hoe langer Alex op zich liet wachten, hoe gekker het publiek werd. Een elektricien kwam het podium op om iets bij te stellen. Een fractie van een seconde werd hij voor de ster aangezien, maar het welkomstgekrijs verstomde snel. Hij repareerde iets aan de microfoon en zwaaide triomfantelijk naar het publiek terwijl hij wegliep. De helft van de toeschouwers lachte. De andere helft bleef gewoon doorgillen. Emma zag links twee meisjes, een aantal stoelen voor haar, met rood bezwete gezichten op hun stoelen klimmen. De één leek te hyperventileren, de ander huilde tranen met tuiten. Op het podium gebeurde nog steeds niets.

Weer liep iemand het podium op, nog slechter belicht. Beducht niet weer een elektricien te bejubelen, hield het publiek zich in. Het duurde even voordat ze haar herkenden. Kilo's lichter en in plaats van haar karakteristieke zwarte haar een zilveren kapje leek ze in niets meer op de Alex die *Superstar* had gewonnen.

Maar met enige vertraging viel het kwartje. Een van de twee meisjes links van Emma viel flauw. Twee Rode Kruisvrijwilligers droegen haar op een brancard weg. Emma keek op haar horloge. Het was een kwartier voor de officiële aanvang van het concert.

Het andere meisje leek zich er niet van bewust dat haar vriendin was afgevoerd en ze bleef gillen als een speenvarken. Alex klopte op de microfoon.

'Voordat het concert begint wil ik wat zeggen...'

Alex kon zo veel willen. De hysterie nam in volume toe bij ieder woord dat aan haar verafgode lippen ontsnapte.

'Vanavond ben ik niet erg goed bij stem en daar wilde ik me bij voorbaat voor verontschuldigen. Mochten er...'

Alex werd volledig overstemd door het publiek. Met name de voorste rijen waren van god los: ze schreeuwden, huilden, brachten de idolatrie op een hoger plan. Emma moest haar best doen niet te lachen.

Alex liep het podium af. Het duurde een hele tijd voor er weer wat gebeurde. Emma keek nogmaals op haar horloge. Twintig over negen, een volle vijftig minuten te laat. Het meisje dat was flauwgevallen was teruggekomen. De sfeer in de zaal was aan het omslaan. Ofwel, de eerste rijen waren nog luidruchtig, maar in de geledingen waar Emma stond klonk gemor. Een uur. Een uur en tien minuten. Zelfs Emma werd het wachten beu.

Plotseling klonk een oorverdovende knal vanaf het podium. De zaal werd verlicht door duizenden kleuren, spetters vuurwerk die de lucht in vlogen en doofden in hun val naar beneden.

Het publiek leefde op, al het wachten was vergeven en vergeten.

Alex verscheen vanachter het vuurwerk hoog in de lucht. Ze hing aan onzichtbare touwen en leek te vliegen, badend in ijsblauw licht en publieke adoratie. Een zilveren cape, die zeker drie maal haar eigen lichaamslengte mat, wapperde om haar heen, dansers cirkelden op het podium onder haar. Zestigduizend toeschouwers, de dansers, het vuurwerk – Alex was het epicentrum van een kolkende Kuip.

Langzaam streek ze neer. Twee van de dansers sprongen hoog de lucht in en rukten haar cape af. Een meter boven de grond hing ze in een bewegingloze pose; haar armen bedekten haar borsten, één been was hoog opgetrokken en verhulde haar kruis, haar hoofd hing gebogen.

Emma knipperde met haar ogen. Zag ze het nou verkeerd, of hing Alex helemaal in haar nakie boven het podium? Het publiek viel stil. Emma hoorde gefluister om zich heen. Alex landde zachtjes op het podium. Opzwepende oosterse tonen hitsten het stadion op. Alex strekte haar armen omhoog als in een buikdanserespose. Er viel niets te zien, alleen huid. Op haar linkerborst flikkerde iets. Emma keek nog eens goed. Op haar onderbuik flikkerde ook iets. Langzaam drong het tot Emma door dat Alex iets droeg wat leek op een minuscuul gewaad van geraffineerd geplaatste spiegeltjes. Een beat knalde door de oosterse tonen heen. Alex ging helemaal op in een buikdans. De fans raakten nog meer in extase dan daarvoor.

Na het concert zou Emma alleen naar huis gaan; Alex zou nog wat journalisten te woord moeten staan. Aangezien er nogal wat verhalen de ronde deden sinds ze het vriendje had afgepikt van Wendela van Dam, de meest geliefde BN'er ooit, leek het Alex beter de pers te spreken met alleen Ed aan haar zijde.

'Weet je zeker dat je niet wilt dat ik even wacht?' vroeg Emma bezorgd.

'Nee, dank je, dit is prima, anders gaan ze jou ook nog vragen stellen. Hier is geld voor een taxi, nee, neem nou maar, je hebt me enorm geholpen door mee te komen, en dan hoef je niet met de trein en alles.'

Een assistente regelde een taxi. Buiten op het parkeerterrein was het pikkedonker, maar ze hoefde niet lang te wachten. In het licht van de lantarenpalen zag Emma de laatste fans naar de trein lopen. De meeste leken uitgelaten, zongen Alex' liedjes, deden haar choreografieën na. Een paar fans stonden na te huilen omdat ze hun grote heldin zojuist in levenden lijve hadden gezien. De hele terugweg bleven die beelden op Emma's netvlies plakken. Het was ongelooflijk hoe Alex in haar liveshows het publiek wist te beroeren. Ze had iets magisch op het podium. Iets ongrijpbaars.

Thuis zette ze een kop thee en kroop ze direct onder de wol. Er klonk onafgebroken een piep in haar oren. Met een trotse glimlach op haar gezicht viel ze in slaap.

Emma was al in diepe slaap toen de telefoon ging. In eerste instantie hoorde ze hem van heel ver weg en hoopte ze in haar slaapdronkenschap dat het deel uitmaakte van haar droom. Toen ze doorhad dat hij in de droomloze wereld afging rende ze met bonzend hart de trap af. De slechte voortekenen leken met elke trede in aantal te groeien. Een telefoon om drie uur 's nachts opnemen bood een tamelijk grote zekerheid dat je leven daarna nooit meer hetzelfde zou zijn.

Een hartverscheurende snik klonk aan de andere kant van de lijn. Alex.

'Wat is er?' vroeg Emma, zich tot het uiterste inspannend om helder te blijven. 'Is er iets met papa of mama?'

'Nee,' snikte Alex.

Emma slaakte een zucht van opluchting. Maar de opluchting was niet van lange duur. Oma! Ze was al zevenentachtig en vorige week had ze er niet best uitgezien. Ze had al zo veel onder de leden gehad, en sinds haar heupoperatie... Ze zette zich schrap.

'Vertel het maar.'

'Ze klapten even hard als altijd!' brulde Alex.

'Sorry?'

‘Mijn stem was shit, en ze klapten even hard als altij-ij-ijd.’

Emma keek naar de telefoon. Ergens was een kabeltje niet helemaal goed aangesloten.

Amy kwam in haar ochtendjas de huiskamer binnengelopen. Haar haar zat in de war en ze wreef slaperig in haar ogen.

‘Alles goed?’

Emma legde haar hand voor de hoorn.

‘Ga maar weer slapen, niks aan de hand.’

‘Weet je wel wat dat betekent?’ vroeg Alex hard in haar rechteroor. ‘Dat betekent dat het er alleen maar om gaat dat ik *Alex* ben... Dat roepen ze toch de hele tijd? *Alex... Alex... Alex...*’

Haar imitatie van de publieksmantra klonk duivels. Haar tong klonk een beetje dubbel. ‘Altijd maar *Alex*! Weet je wel niet hoe zwaar dat is, om een personage te zijn, een naam, een imago? Een verhaal dat mensen lezen als vermaak?’

‘Schat, heb je niet een pietsje te veel gedronken?’

‘Misschien een half flesje wodka,’ antwoordde Alex met een kinderstemmetje. ‘Een half ietsie pietsie flesje.’

Ze klonk als een schorre kleuter met een alcoholprobleem.

‘Ach, joh, zie je wel, dát is het gewoon! Heus, daardoor lijkt het allemaal erger, echt. Ga maar lekker slapen en morgen ziet alles er veel beter uit.’

‘Denk je?’

‘Ik weet het wel zeker. Ga maar lekker slapen.’

Het snikken nam wat af.

‘Wil je me dan een verhaaltje vertellen terwijl ik in slaap val?’

Emma keek naar de hoorn in haar hand. Het was kwart over drie in de ochtend en ze was zojuist ontsnapt aan de hartverzakkingsdood. De gevoelstemperatuur in de huiskamer was min twintig en haar dekbed lag op haar slaapkamer.

‘Alsjeblieft... Een sprookje,’ piepte Alex. ‘Die van het prinsesje!’

Mozeskriebel. Emma haalde diep adem.

‘Er was eens, in een heel ver land, een prinsesje. Het prinsesje had een mond zo rood als rozenbotteltjes en ogen zo blauw als de lentelucht...’

Een paar minuutjes later hoorde ze Alex ronken.

Des duivels

Zenuwachtig stapte Emma de receptie van de Gracht aan de Amstel binnen. Het leek er honderd keer groter dan ooit. Het was een grijze dag, maar nog steeds vielen er zonnestralen op wonderlijke plaatsen naarbinnen. De kleuren waren hetzelfde: gifgroen en wit. Om er zonder haar zus naarbinnen te gaan leek een heel ander verhaal, zo zonder iemand aan haar zijde om haar aanwezigheid te verklaren. De portier die de deur van haar kant van de auto honderden keren had opengedaan, leek haar niet te herkennen en keek haar afkeurend aan. Met knikkende knieën liep ze naar de balie.

'Hallo, ik ben Emma,' begroette ze de receptionist.

Was het haar verbeelding of deed de man instinctief een stap naar achteren?

'U hebt een gast die Volodya, eh, ik bedoel meneer Ibravimovish heet.'

Terwijl ze zichzelf hoorde praten moest ze aan de fans denken die zich altijd voor Alex' appartement posteerden.

'Hij heeft me uitgenodigd,' drukte ze hem op het hart.

'Ik zal hem laten weten dat u er bent.'

Zijn hand dekte de nummers van de telefoon af terwijl hij ze intoetste.

Ongemakkelijk stond Emma te wachten. Ze had nog wel haar mooiste truitje aan, eentje van Vivienne Westwood waarvan Alex zei dat hij heel hip was, ook al leek-ie nogal apart. Ze had zich in de jeugdherberg omgekleed en Raf had haar gezegd dat ze er oogverblindend uitzag, maar nu voelde ze zich er minder zeker over.

'Juffrouw?'

'O! Haha, o, sorry,' giechelde ze.

De meneer lachte niet terug, zelfs niet een heel klein beetje voor de vorm. 'De maestro moet een telefoongesprek afsluiten. Daarna ontmoet hij u in de lobby.'

Hij gebaarde naar de kanariegele bank die achter de pilaar in het midden van de ruimte stond. 'Als u daar zou willen wachten?'

Emma zat en verzat, zich ervan bewust dat ze uit de toon viel. Het was stil in de lobby. Ze wierp een blik op de receptie. Een jonge vrouw vroeg wat aan de receptionist. Ze had prachtig geföhnd donker haar tot op haar middel en ze droeg een simpele beige pantalon en een wit getailleerd shirt. De man achter de balie stond haar vriendelijk te woord. Emma keek naar haar eigen truitje. Het was wat te strak. Ze wilde dat er iets minder franjes en Schotse ruiten in alle kleuren van de regenboog op zaten.

'Gemma!' hoorde ze op hetzelfde moment.

Volodya stond net buiten de lift. Hij maakte pas op de plaats, bekeek Emma schaamteloos van top tot teen en bracht zijn handen naar zijn hart. Het bloed schoot haar naar het hoofd, haar mond werd droog. Zijn kleding was nog extravaganter dan de voorgaande keren, maar halleluja, hij kon het hebben. Zijn ogen waren blauwer dan ooit en ze leken een gat in haar te branden en iedere atoom wilskracht te willen wegnemen. Langzaam liep hij op haar af. Hij kuste haar op de wangen. Zijn gezicht bleef net iets te lang hangen bij het hare.

'Kijk eens hoe prachtig je bent,' fluisterde hij haar in het oor.

Hij legde een hand in de holte van haar onderrug.

'Kom, laten we naar de bar gaan.'

Met bibberende benen volgde Emma hem. De bar was leeg. Volodya wees naar zijn favoriete hoekje, waar ze de keren ervoor ook hadden gezeten.

'Ik moet heel even de barman gedag zeggen, ik ben nog maar net aangekomen.'

Tien minuten later kwam Volodya terug met een kir voor haar en een whisky-cola voor zichzelf.

'En, schoonheid, waar ben je geweest de afgelopen maand?'

Zijn *r*'en rolden hongerig over zijn tong. Emma kreeg het er warm van.

'Je hebt je toch niet al te veel geamuseerd zonder mij, hoop ik?'

Emma's gezicht werd knalrood.

'Ik heb mijn eerste optreden met het strijkkwartet gehad,' piepte ze.

'Ah, dat is wat ik wilde horen. Dat is wat je nu moet doen, ervaring opbouwen en doorstuderen. De rest komt later wel.'

Ze draaide het glas tussen haar vingers. In de stilte kon ze de bubbels van de champagne horen.

'Ik probeer meer werk te vinden, maar het gaat nog wat moeizaam.'

'Als ik je ergens mee kan helpen, dan doe ik dat.'

'Dat is niet waarom ik hier ben.'

'Dat weet ik, anders zou ik het niet aanbieden. De meeste musici proberen wat uit me te krijgen, maar jij niet. Jij bent geboren om te spelen.'

Weer ervoer ze dat ze een ongehoord talent voor blozen bezat.

'Vertel me over jezelf. Ik wil alles weten. Vertel me iets over je familie. Wie zijn je ouders, heb je broers en zussen?'

Een rilling liep over haar rug.

'Wat, is dat zo'n vreemde vraag?'

'Nee, mijn excuus, helemaal niet. Ik heb een zus. Ze is nogal beroemd, vandaar.'

'Wie is ze?'

Emma had een lief ding gegeven om het niet te hoeven zeggen. Nu zou hij veranderen, zoals mensen altijd deden als ze erachter kwamen wie haar zus was.

'Alex Weijman.'

Hij knikte langzaam. Zijn uitdrukking gaf niet veel weg.

'God schiep talent en de duivel schiep sterrendom.'

Emma verslikte zich bijna in haar champagne.

'Om mijn zus nou met de duivel te associëren lijkt me wat ver gaan!'

Volodya pakte haar hand.

'Mijn lieve Emma, ik zou nooit wat slechts zeggen over je zus. Maar nadat God het geloof creëerde, maakte de duivel religie. Alle goede dingen zijn kwetsbaar. Sterrendom overschaduwt talent maar al te vaak. Maar het een sluit het ander niet uit. Ik noem mijzelf nog steeds een religieus man. Ik sla mijn bijbel iedere dag open. De mens heeft er misschien een potje van gemaakt, maar de boeken mogen daardoor niet genegeerd worden.'

Tot drie uur in de ochtend zaten ze er die keer. Af en toe ging ze zo in zijn woorden op dat ze bijna vergat hoe verliefd ze op hem was. Alles, maar dan ook helemaal alles was perfect aan deze man. Behalve dan dat hij haar weer in een taxi naar huis zette.

'Ja, wat een pracht, hè, die schimmelvlek op de muur?'

Emma schrok op. Amy's hoofd piepte om de deur van Emma's kamer.

'Je realiseert je wel dat je er al een uur naar aan het staren bent?'

Emma legde haar viool naast zich in zijn kist. Ze keek op haar horloge. Amy was nog mild geweest. In feite had ze tweeënhalf uur repetitietijd verloren.

Sinds hun laatste ontmoeting werd alles overstemd door Volodya. Het leek alsof er een gigantische Volodya-magneet in de lucht hing waar al haar gedachten naartoe werden getrokken. Emma was verloren.

'Je zus heeft net gebeld. Ze zit in een auto vijf minuten hiervandaan. En iets over dat ze je ergens voor nodig had, maar wat precies zei ze niet.'

Emma hoopte maar dat alles goed ging. In een vlaag van verstandsverbijstering had Alex gezegd dat ze helemaal niks aan *Superstar* te danken had; het bewijs lag bij het feit dat de winnaar van de volgende edities niks had gepresteerd. De week na deze opmerkelijke uitspraak was ze onder het oog van de nodige fotografen straaldonken de Sjorsies uit gerold en tot overmaat van ramp was ze uitgerekend die avond vergeten een onderbroek aan te trekken, al werd haar onkuisheid in de bladen verhuld met een zwart balkje.

Even later zaten ze met zijn drieën in de huiskamer. Alex en Emma op de bank, Amy op de poef.

'Em, probeer je die kurk nou met wilskracht uit de fles te krijgen?' vroeg Alex ongeduldig.

Shit. Ze had weer zitten staren.

'Je kunt ook een kurkentrekker proberen,' stelde Amy voor.

Alex leunde naar Amy.

'Is ze al lang zo?'

'Een dag of drie.'

Alex draaide zich naar Emma. Ondeugende sterretjes schitterden in haar ogen.

'Oké, nu wil ik het weten. Wie is het en heb je het al met hem gedaan?'

'Pardon?'

'Ja, het is overduidelijk een man. Wie?'

Wederom werd ze Volodya-rood.

'Is het nog steeds die Russische dirigent? Ibravimo-nog-wat?'

Amy's mond viel open. 'Ibravimovish?'

'Heb je het al met hem gedaan?' schreeuwde Alex eroverheen.

'Ik heb hem nog maar een paar keer ontmoet!' sputterde Emma tegen.

'Em, luister: het is normaal om seks te hebben.'

'Maar...'

'Je hebt afspraakjes met Ibravimovish?!' klonk Amy plotseling vijf octaven hoger dan normaal.

Alex maakte een handgebaar naar Amy dat dit niet het moment was om te interrumperen.

'Heus,' drong Alex aan. 'Vraag aan iedere willekeurige man met hoeveel vrouwen hij naar bed is gegaan. Dan vraag je hetzelfde aan vrouwen, en het antwoord is geheid een stuk minder dan de helft. Dus met wie doen die mannen het? Tenzij er ergens twee ongelooflijke slettenbakken liggen in permanente staat van paraatheid en zo de halve mannelijke populatie bedienen, klopt er statistisch gezien iets niet. De seksuele activiteit van vrouwen moet ongeveer even groot zijn aan die van mannen.'

'Ibravimovish?' slaakte Amy nog eens uit. Ze wuifde met haar hand haar gezicht lucht toe. 'Denk je dat hij misschien ook eens hier over de vloer zal komen?'

Alex greep Emma bij haar schouders.

'Serieus, laat niet een hoop lol aan je neus voorbijgaan om wat je zou horen te doen. God heeft ons niet voor de kat z'n kut met een clitoris op de wereld gezet.'

Emma wilde haar vingers in haar oren stoppen en hard een liedje neuriën. Ze had er spijt van dat ze hun over Volodya had verteld. Het leek alsof Alex en Amy nu een stukje van haar geheime verhaal in hun bezit hadden om mee te doen wat ze maar wilden.

'Ibravimovish, oei, oei, oei!' joelde Amy nogmaals. 'En hij neemt ook nog eens de tijd om je echt te leren kennen. Niet eens zo van hop-hop-erbovenop.'

De zusjes keken Amy vertwijfeld aan. Zelfs Amy leek verbaasd over de meligheid van de zin die zojuist uit haar mond was gerold.

Niet dat Emma dat had gedaan, dat van 'hop-hop' en alles. In het geheel niet zelfs. Dan was hij erachter gekomen dat ze nog maagd was. Dat zou pas vernederend zijn.

Ze zuchtte. Ze was tweeëntwintig. Het was redelijk normaal om rond je zestiende nog maagd te zijn. Op je achttiende was het respectabel. Maar zij was naar het conservatorium gegaan en had zich op haar studie geconcentreerd. Terwijl anderen het studentenleven en elkaars lichamen hadden ontdekt, had zij eigenlijk alleen maar gestudeerd.

'Wijn?' bood Emma aan.

Met de jaren die vervlogen leek het vreemder om nog maagd te zijn.

'Een knabbeltje?'

Alex daarentegen had weinig moeite met haar seksualiteit. Het leek wel een missie om de feministische strijd voor eens en voor altijd over de finishlijn te halen, zoals ze haar theorieën luid en publiekelijk uitte. Haar toch al verslechterende reputatie deed het weinig goed. In tegenstelling tot haar beste vriendin Sonja, die haar escapades met de grootste discretie verhulde, etaleerde Alex haar verliefdheden uitbundig. En het waren er nogal wat. Dinand Huisman, Jan Zegers, Matthijs van der Vaart. Ze was gezegend met het feit dat de meest begeerde vrijgezellen van Nederland háár begeerden. Over het algemeen duurden die relaties niet lang. Met onbekende mannen overigens ook niet. Mannen ontdekten snel hoe vervelend het is om een relatie te hebben met zo'n beroemd persoon. Ze ervoeren het als castrerend om voor 'meneer Weijman' door te gaan, of om haar nooit ergens mee naartoe te kunnen nemen waar ze niet werden aangestaard.

Wat overbleef waren de slechte mannen.

Alex had recentelijk weer een prototype slechte man aan de haak geslagen: Fred. Fred was de afgelopen jaren regelmatig in het nieuws geweest omdat hij met een prinses, een topmodel, een gevierd actrice en een andere popster was uitgegaan. Emma had de alarmbellen al horen afgaan. Als iemand uit de drie miljard vrouwen die er op de aardkloot rondliepen steeds koos uit het minuscule segment van de rijke en beroemde dames, dan was er zonneklaar iets niet koosjer. Maar zo zag Alex het niet... Emma probeerde niet te oordelen, maar het leek haar dat van alle dingen die Alex niet nodig had op dat moment, Fred veel te hoog op het lijstje stond.

Ten eerste had dat verhaal van 'G.' een vervelend staartje gekregen. Na het meesterlijk staaltje van journalistieke vlijt bezat 'G' ineens een Harley Davidson en werd hij gesignaleerd met stapels bankbiljetten in zijn kontzak. 'G' had, zo bleek, zijn verhaal niet voor niets onthuld. Zo gauw Alex' voormalige beste vriendinnen van de Sexy Piano's hem in de smiezen hadden, wilden zij ook profiteren van de situatie. Het resultaat was vreselijk geweest. De kop had op de voorpagina van *Midweek* gestaan, in koeienletters schreeuwde het je tegemoet, vakkundig voorzien van een rechtszaakvoorkomend vraagteken.

ALEX EEN BEDRIEGSTER?

Alex had het Emma uitgelegd, van die vraagtekens. Zolang je een beschuldiging maar met een vraagteken afsloot, dan is het niets dan een vraag, en een vraag was geen laster. De beschuldiging bleef hangen. In elke kiosk, op elk treinstation, in elke supermarkt, op elke koffietafel werd de vaag gesteld.

ALEX EEN BEDRIEGSTER?

Op pagina vier werd het vraagstuk geanalyseerd. Verscheidene deskundigen van de Sexy Piano's deden hun zegje.

> ALEX WEIJMAN is lange tijd de lieveling van het publiek geweest. Sinds zij internationaal is doorgebroken lijken de mensen die haar het eerste succes zo hebben gegund, niet meer belangrijk.

Toen zij uiteindelijk weer eens optrad in ons land kwam ze anderhalf uur te laat op, waardoor menig concertbezoeker was flauwgevallen. Ook aan die trouwe fans heeft ze niets van zich laten horen. Ze lijkt compleet in de ban te zijn van alcohol en deinst er zelfs niet voor terug om voor een cover te poseren en haar meest intieme delen te tonen. Wij vroegen ons af hoe wij ons zo hebben kunnen laten foppen? *Midweek* sprak met ALEX' oud-collega's. Geen van hen leek verbaasd over het ware gezicht dat ALEX nu laat zien.

CHANTAL (foto links in gele top), met wie ALEX meer dan een jaar in de SEXY PIANO's heeft gewerkt, wordt nog giftig als ze ALEX' naam hoort.

'Waar ik gek van werd is dat ze altijd als zo'n lief meisje werd afgeschilderd, terwijl ze altijd de eerste was die haar ellebogen gebruikte. Ze heeft mij mijn eerste vriendje afgepakt, GERRIT. ALEX is een serpent, ze zal alles doen om hogerop te komen. Het Gooise matras? Ha! ALEX heeft elk matras in Eikelscha gezien. Maar ik maak me geen zorgen. Haar ware aard zal op den duur wel naar boven komen.'

Zo ging het drie pagina's door. Iedere sloerie die in de Sexy Piano's had gewerkt, wilde met haar oranje kop in de *Midweek* en schudde een nog sterker verhaal dan haar voorgangster uit de mouw. Emma keek naast zich op de bank, naar haar zus. Hoe mensen het over hun hart konden verkrijgen om dat soort verhalen te verzinnen om maar in zo'n blaadje te komen, om maar wat aandacht te krijgen, was haar een raadsel.

'Hoort er allemaal bij,' zei Alex op een keer.

Hoe hard Alex het ook probeerde, Emma kon zich niet voorstellen dat het haar zo weinig deed. Ze zag witjes, de laatste tijd. Nou zag ze wel vaker bleek sinds ze zo veel was afgevallen, maar ze had ook nog eens donkere kringen onder haar ogen. Een publieke beschuldiging, hoe vals ook, had gevolgen die er niet om logen. Emma kreeg iedere keer weer een brok in haar keel als ze aan het telefoontje dacht dat ze in de nacht na publicatie van dat bewuste artikel had ontvangen. Het was vijf uur 's ochtends geweest, Amy was haar kamer binnengekomen met de mededeling dat haar oma aan de telefoon was. Huilend. In niets dan haar onderbroek was Emma naar beneden gerend.

'Het spijt me dat ik zo vroeg bel en ik wil niet de overbezorgde oma uithangen, maar ik heb de hele nacht niet kunnen slapen van dat verhaal over Alex,' had oma trillerig opgebiecht. 'Ik weet niet meer wat ik met mezelf aanmoet.'

'Je moet die verhalen niet geloven, hoor!' schreeuwde Emma in de telefoon. Oma was wat doof aan het worden.

'Het staat er toch? Ik ben wel doof, maar ik kan toch zeker nog wel lezen?'

'Dat weet ik wel, maar het zijn roddelbladen.'

Even was het stil geweest aan de andere kant van de lijn.

'Ik heb zelf ook de nodige neut in mijn leven genuttigd, maar ze moet wel heel ongelukkig zijn als ze zich zo gedraagt.'

'Nee, heus, zo moet je niet denken. Er is helemaal niks van waar!'

'Maar is er dan niets wat we voor haar kunnen doen?'

'Heus, geloof me alsjeblieft, mensen verzinnen dit soort verhalen maar bij elkaar!'

Even was het stil.

'Waarom zouden ze dát nou doen?' klonk het alsof het het stomste was wat oma ooit had gehoord.

'Omdat ze daar geld mee verdienen. Of omdat ze dan het idee hebben dat ze er dan bij horen, bij de showbizzwereld.'

Het duurde een half uur voordat haar oma eindelijk de handdoek in de ring gooide en zei haar te geloven. Emma was in de tussentijd verkleumd van de kou. Het kussen van de bank trok ze zo strak mogelijk tegen haar borst, haar blote benen duwde ze tegen de armleuningen. Nog een geluk dat oma Emma's zucht van verlichting niet horen kon, want dan had Emma van voren af aan kunnen beginnen. Ze kletsten nog eventjes, totdat Emma zag dat het half zes was en ze zich gereed moest maken om naar de jeugdherberg te gaan. Ze wenste haar oma nog een goede nacht.

'Jij ook, lieverd,' zei oma. 'Maar nog even, tussen ons... Als er iets is waar ik haar mee kan helpen, vertel je het me dan alsjeblieft?'

Terwijl Emma terugdacht aan dat tragische telefoongesprek, kreeg ze weer zin om naar de Sexy Piano's te gaan en de haarextensies uit de hoofden van die kutwijven te trekken.

De volgende ochtend moest Emma weer vroeg uit de veren. De binnenkant van haar lippen en haar tong waren nog rood. Vooral die tweede fles rode wijn was soepel naar binnen gegaan. Ze kleedde zich snel aan, dronk een glas melk en haastte zich de deur uit. De grasvelden op de route naar de jeugdherberg waren stil en verlaten. Ze was blij dat ze niet op Alex' voorstel was ingegaan om bij haar thuis nog een flesje wijn open te trekken. Emma beklom de trap naar de ingang en toetste de alarmcode in.

Raf kwam aangerend een deed van binnenuit de deur open. Emma was blij zijn vrolijke gezicht te zien, de ogen die straalden, wat voor een bende ze ook aanschouwden.

'Môgge, schoonheid.'

'Goedemorgen,' lachte ze.

'Leuke avond gehad?'

'Prima.'

Ze liep naar de werkkast. Ze pakte haar emmer en stopte hem vol schoonmaakmiddelen, dweilen en sponzen. Het was raar hoe Alex en zij het nooit over haar baantje hadden, bedacht ze zich terwijl ze de stekker van de stofzuiger in het stopcontact deed. Niet dat het haar stoorde. Helemaal niet zelfs. Het zou iets vrij ongemakkelijks hebben om te vertellen over toiletten schoonmaken of kots opruimen terwijl je in een limousine zat.

'Kun je iets langer blijven vandaag voor het geval de slotenmaker komt?' vroeg Raf.

'Dat ligt eraan, hoe laat komt hij?'

'Het is een ochtendafspraak. Dat betekent tussen nu en vieren.'

Raf knipoogde. Dat deed hij wel vaker, heel snel: knip! Emma vond het wel leuk. Zijn vrolijkheid was aanstekelijk.

Ze werkte rustig en methodisch. Het was grappig hoe snel ze aan haar bijbaantje gewend was geraakt. Vuil bleek, net als alle dingen in het leven, een volstrekt relatief verschijnsel.

'Als je nog een Engelse krant wilt lezen terwijl je op de slotenmaker wacht, een lekkere tabloid, dan kun je achter de receptie gaan zitten.'

Raf hield een krant omhoog.

'Hebben die jochies achtergelaten die net zijn weggegaan.'

Hij legde de krant op de bar en keek ernaar.

'Veel soeps is het niet.' Raf sloeg de krant lachend open. Zijn gezicht betrok. 'Eh, misschien is 't maar beter dat je dit vandaag even overslaat.'

Emma greep de krant uit zijn handen. De foto op de opengeslagen pagina was van Alex terwijl ze een auto uit stapte. Ze droeg een kort rokje en was wederom haar onderbroek vergeten. Ditmaal was er geen zwart balkje dat beschaving van de uitgever veinsde.

Emma staarde naar de foto. Haar hoofd was leeg, haar bloed trok uit haar gezicht.

'Gaat-ie?'

Ze knikte. Hoe had Alex nou zo stom kunnen zijn? Ze wíst toch dat er overal fotografen waren. Ze wíst toch dat dit zou kunnen gebeuren?

Ze voelde Rafs hand op haar schouder. Ze schrok ervan.

'Emma, ik weet dat je op je privéleven bent gesteld, maar als er iets is kun je altijd bij me terecht, dat weet je toch?'

Hij gaf haar een klein kneepje in haar schouder.

'En voor wat het waard is: Alex mag in haar handjes knijpen dat ze zo'n zus heeft als jij.'

Emma wachtte tot hij uit haar gezichtsveld was verdwenen en sloeg de krant open op de pagina's waar nog meer '*shocking pictures*' van Alex werden beloofd. De foto's van Alex waarop ze intiem was met een man waren buiten haar medeweten genomen, dat zag je aan de gebrekkige belichting. De tranen sprongen Emma in de ogen bij de gedachte aan het moment waarop Alex dit onder ogen zou krijgen. Ze rende naar de telefoon achter de balie. Alex nam niet op. Ze sprak een boodschap in.

'Ja, Alex. Eh, ik neem aan dat je het gezien hebt? Eh... Ik weet niet helemaal wat ik zeggen moet. Ik vind het echt superrot voor je. Eh... bel me terug, oké? Hou van je.'

Behalve de laatste woorden wilde ze dat ze alles kon terugnemen. Hoe kon de wetenschap dat haar kleine zusje semipornografische foto's van haar had gezien haar beter doen voelen?

Raf stak zijn hoofd de hoek weer om.

'Weet je zeker dat het gaat?'
'Ja hoor, prima.'

De slotenmaker kwam niet eens zo vreselijk laat en had de deur die tijdens een korte schermutseling zwaar gehavend was geraakt snel gerepareerd. Daarna pakte Emma haar tas en ging ervandoor. Ze moest naar huis om haar viool te halen en dan meteen door naar haar repetitie met het Alterium. Ze versnelde haar pas steeds meer. De tranen kwamen dichter bij de oppervlakte. Ze stak de sleutel in de voordeur en gooide hem open.

'Amy?' riep ze.

Niets dan stilte groette haar terug. Ze voelde zich alleen in Amy's afwezigheid, nog eenzamer dan ze al was. Amy was de laatste tijd veel bij haar nieuwe vriendje, ene Tim. Emma rende naar haar kamer om haar viool te pakken en verstopte de Engelse krant onder haar bed. Ze moest er niet aan denken dat Amy haar zus zo zou zien.

Emma deed haar jas aan en liep naar de bushalte. Of ze het nou wilde of niet, ze moest naar haar repetitie met het Alterium. De bus was vol. Een tweeling van een jaar of zes zong een liedje en speelde handjeklap.

'Er is een vrouw vermoord, aan een gordijnenkoord,' zongen de piepstemmetjes. Ze lachten en gilden het uit als er een van hen verkeerd sloeg en begonnen opnieuw.

'Het bloed liep van de trap, het leek tomatensap!'

De moeder zat ernaast en ze maakte niet de minste aanstalten haar vrolijk gestrikte herrieschoppers te vragen iets stiller te doen.

'Hola-dijiska, holadi-o...!'

Tegen de tijd dat de tram bij de overstaphalte voor de metro naar de Bijlmer was gekomen, wilde Emma maar één ding. Haar viool. Ze wilde rammen. Hard.

Het waren drie lange weken geweest. Alex had gehuild en gehuild. Het enige wat Emma had kunnen doen was een luisterend oor en een troostende schouder bieden. Het enige wat hielp was als Fred langskwam en beloofde de zaak op te lossen. Emma was zich steeds schuldiger gaan voelen over haar voorbarige veroordeling van hem. Nou had ze wel eens een artikel over hem gelezen dat beweerde dat hij drie maanden in de bajes had gezeten, onder andere wegens het verduisteren van geld van zijn ex-vrouw (Sónja, nota bene) en het witwassen van geld voor een maffiafiguur, maar ze schaamde zich dat ze zich door die onzin op de kast had laten jagen. De verhalen die over Alex de ronde deden waren immers ook prietpraat, en door de woorden ook maar enige waarheid toe te kennen verlaagde ze zich tot het niveau van de lui die aan de blaadjes meewerkten.

De zusjes zaten aan de bar van het Hilton aan de Apollolaan te wachten op Fred, de man in kwestie. Emma zou hem eindelijk ontmoeten. Ze zaten op barkrukken en Emma kon zichzelf zien in de spiegel achter de flessen drank. Het leek wel alsof de spiegels nog nooit in aanraking waren geweest met stof. Achter hen stonden beige lederen banken, diep en comfortabel. De marmeren vloer was gedeeltelijk bedekt met Perzisch tapijt. Mensen flaneerden er met een vanzelfsprekendheid alsof ze voor dit soort luxe waren geboren. Emma keek naar de hoeveelheid flessen achter de bar en vroeg zich af of ze hier ook kotsers hadden. Vast wel, dacht ze. Al was het maar in het geniep.

Alex keek op en zwaaide naar iemand. Emma draaide zich om en keek in de richting waar Alex naar zwaaide, maar ze zag niemand, behalve een bejaarde man.

'Dat is 'm,' fluisterde Alex.

Emma fronste.

De man was kaal en had overhangende wenkbrauwen.

'Weet je het zeker?'

'Ja natuurlijk, ik ken mijn eigen vriend toch wel?'

Met iedere stap dat hij dichterbij kwam leek hij ouder te worden. Emma probeerde haar glimlach zo oprecht mogelijk te laten lijken. Ze stond op van de barkruk om Alex' substituut-vader in de familie te verwelkomen. Hij liep langs hen zonder hun een blik waardig te gunnen. Alex viel bijna van haar kruk van het lachen. Heel even stond Emma haar niet-begrijpend aan te staren.

'Tut,' lachte Emma nadat het kwartje was gevallen. Zachtjes stompte ze haar zusjes arm.

'Hierna kan ik alleen nog maar meevallen, toch?' klonk een stem achter hen.

Emma draaide zich om en staarde in een lachend, zongebruind gezicht.

Alex sprong van haar kruk en gaf hem een kus.

'Emma, dit is Fred,' zei ze. 'Fred, dit is mijn kleine zusje Emma.'

'Hallo, kleine zusje Emma.'

Hij gaf haar een knuffel, gevolgd door twee dikke pakkerds.

'Betekent dat dat je nu ook mijn kleine zusje bent?'

Emma giechelde. Deze leek zeker een stuk beter. Hij had een waanzinnige kop met haar, als leeuwenmanen, en zijn lippen zagen eruit alsof ze geruime tijd in de stofzuiger hadden klemgezeten, maar hij had iets allercharmantst.

'Nou, kleine zusje Emma, wat zeg je ervan. Ben je rijp voor adoptie of niet?'

'Ik protesteer niet.'

Hij knipoogde naar Alex.

'Voordat ik ga zitten moet ik mezelf excuseren, ik moet even naar het toilet.'

'Ik ga met je mee! Em, kun jij een chocolademelk voor Fred bestellen?'

Emma keek hen na terwijl ze hand in hand wegliepen. Er zat een hupje in Alex' loop dat ze al lange tijd niet had gezien. Ze bladerde wat door de krant die Fred op de bar had achtergelaten. Haar oog viel op een fotootje van Alex. Nummer zoveel die week. Een enquête had Alex uitgeroepen tot meest irritante bekende Nederlander. Emma voelde het bloed sneller door haar aderen pompen terwijl ze de mengelmoes van redenen las: 'ze kijkt zo irritant uit haar ogen', 'ze vindt zichzelf fantastisch', 'ze is haar beste tijd voorbij', 'slet'. Allemaal mensen die geen 'irritantere' Nederlander konden bedenken dan haar zus. Alsof ze niets beters te doen hadden.

'De wereld is een harde plek voor je zus, op het moment,' klonk een diepe stem achter haar.

Emma schrok op.

Fred nam plaats op de kruk naast haar.

'Mensen zijn jaloers. Je moet me vertrouwen, ik zorg wel voor haar.'

Hij stak een sigaar op.

'Kijk naar mij: ik ben van de meest verschrikkelijke dingen beschuldigd. Dat ik een drugshandelaar ben, een chanteur, pooier en fraudeur. Vreselijk.'

'Waarom zeggen ze dat dan?'

Direct zag Emma een flits van argwaan in zijn ogen. Een fractie later welden er tranen op in zijn ogen. Hij keek schaamtevol naar beneden om het te verbergen, maar het was te laat, ze had het al gezien.

'Ik weet het niet,' antwoordde hij toch nog. 'Misschien staat mijn kop ze gewoon niet aan.'

Emma had er een lief ding voor overgehad om haar vraag terug te kunnen nemen.

Met de dag leek Alex zich meer en meer aan Fred vast te klampen. De pers had zich na het tweede sliploze incident opgesteld als aasgieren en het doen voorkomen alsof Alex het opzettelijk had gedaan om de aandacht op haar gericht te krijgen omdat haar platenverkoop afnam. Er was geen roddelblad waar ze de laatste tijd niet op de cover had gestaan.

Alex deed verwoede pogingen zich groot te houden, maar veel stelde het niet voor. Alles raakte haar alsof haar huid van haar lichaam was gestroopt. Emma was 's ochtends na haar schoonmaakdienst langsgegaan. Het leek een normale ochtend: er had weer iemand achter de bar gezeken, de zon scheen, honden werden uitgelaten op het grasveld.

Alex stond haar op te wachten, ze had haar jas al aan. Ze was in geen dagen buiten geweest omdat er een peloton paparazzi voor haar huis stond te posten en ze had niets meer in huis. Als ze dan toch op de foto moest, dan met Emma aan haar zijde. Ze waren halverwege de bakker toen twee jonge vrouwen van ongeveer hun leeftijd voorbijliepen. Allebei hadden ze exact hetzelfde kapsel als Alex.

'Bitch,' hoorde Emma hen fluisteren.

'Pardon?' zei Emma en ze draaide zich om.

Nog voordat ze konden antwoorden werd er vanaf de overkant van de straat geroepen.

'Hoer! Hé, hoer!'

Een man riep naar hen vanaf een stellage die tegen een gebouw aan stond. Zijn collega's lachten. Niemand leek het opmerkelijk te vinden dat iemand vanaf de andere kant van de straat een hoer werd genoemd. Mensen liepen langs als altijd, alsof ze allemaal te laat waren voor dezelfde afspraak.

Het was een ochtend als alle andere. Maar de wereld van een vierentwintigjarige was totaal veranderd.

Emma keek voorzichtig naar Alex' reactie. De grootste schok was nog wel Alex' onverschilligheid.

'Dat gebeurt wel vaker de laatste tijd,' verklaarde Alex met een klein stemmetje. 'Eigenlijk is het heel snel gegaan.'

Zwijgend liepen ze door. Vanuit de verte zag Emma een kioskje. Terwijl ze dichterbij kwamen herkende ze de foto die ze die ochtend al eerder had gezien, die van Alex terwijl ze naast een onbekende de Koko Klub uit stapte.

Impulsief wees Emma naar een tekst die in groot neonlicht boven de statige entree van een kerk stond.

GOD IS OVERAL, was er in lichtgevend blauw geschreven.

'Is het niet ordinair?' zei ze, vooral omdat ze niets beters wist te zeggen om te verklaren waarom Alex ernaar moest kijken.

Terwijl ze de kiosk voorbijstapten gluurde Emma snel naar de koppen van het blad dat ze uit Alex' gezichtveld wilde houden

Het was dezelfde foto, maar met een ander bijschrift. *'Alex is net als herpes: je denkt dat je ervan af bent, maar het komt altijd weer terug!'*

De neonletters boven de kerk knipperden.

Volodya had gelijk gehad.

God was overal. Maar de duivel volgde hem in zijn schreden.

De vraag van tien miljoen I

'Tweede violisten, jullie zijn te laat.'

Emma zette haar schouderstuk voor de duizendste keer die middag vast. Pfff... Wie had ooit gedacht dat het zo moeilijk zou zijn om tweede viool te spelen?

Haar plaats was helemaal achter in het orkest. Leeuwenhoek, de dirigent, stroopte zijn mouwen nog eens op.

'Jullie moeten naar elkaar luisteren.'

Makkelijker gezegd dan gedaan, als je direct naast de blaas- en slaginstrumenten zit.

'Waarom kunnen gorilla's geen trompet spelen?' fluisterde Peter, de violist met wie ze een muziekstandaard deelde.

Emma gluurde zijwaarts en seinde dat ze het niet wist.

'Ze zijn te gevoelig.'

Ze hield haar lippen stijf op elkaar. Het laatste wat ze wilde was dat iemand haar zou zien lachen.

De aanbieding om in het Breda's Philharmonisch Orkest te komen spelen was niet minder dan een wonder geweest. Emma was bij Alex koffie aan het drinken toen hun vader in kennelijke staat van paniek naar Alex had gebeld. Het feit dat hij belde was bijzonder, maar hij was bijna onverstaanbaar geweest. De aanleiding voor zijn opgewondenheid was dat Steman, het hoofd van de strijkers van het conservatorium, naar het ouderlijk huis had gebeld. Ze was vreselijk nieuwsgierig naar de reden voor Stemans telefoontje. Enigszins gespannen toetste ze zijn telefoonnummer in.

'Emma, wat fijn om van je te horen!' klonk de vertrouwde stem vrolijk. 'Hoe is het met je?'

'Oakahmmm...' antwoordde ze, in de hoop dat het geproduceerde geluid zou kunnen worden geïnterpreteerd als *oké*.

'En hoe gaat het met je zus? Ik las net een mooi artikel over haar in het *AD*.'

Emma knikte geluidloos. Ze wilde niet laten merken dat zijn opmerking over haar zus haar gunstiger stemde; het was aardig van hem een artikel te noemen dat tamelijk positief was. Daar waren er de afgelopen weken wel meer van geweest, van kranten en tijdschriften die het voor haar opnamen. Wat dat betreft was de pers zo onpeilbaar als het weer.

'Goed, bedankt.'

'Luister, ik heb misschien iets voor je. Ken jij het Breda's Philharmonisch?'

Emma's hart maakte een sprongetje.

'Hun management heeft net gebeld, ze zoeken naar iemand voor een freelance positie voor de tweede violen. Ze hebben vandaag nog iemand nodig. Denk je dat je voor vieren bij het kantoortje in Amsterdam kunt zijn?'

Emma's blik vloog naar haar horloge. Shit! Dat zou ze nooit redden.

'Uiteraard.'

Half bezeten stond ze op. Alex moest haar een tik in haar gezicht geven om rustig te worden.

'Drop mij maar bij mijn producer, dan kan Morris je daarna langs huis rijden om je viool op te halen en daarna bij je auditie af te zetten. Waar moet je zijn?'

Emma stopte Alex het papiertje met het adres in haar handen. Alex knikte.

'Vlak bij het bureau van Freds advocaat. Haal me daar na afloop maar op. Kom op!'

De meiden sprongen in hun jassen en renden de lobby door naar buiten, een verbaasde Azziz achterlatend. Alex floot op haar vingers naar Morris, de limochauffeur.

'Morris, plankgas. Als je een bekeuring krijgt geef ik je duizend piek,' riep Alex terwijl ze de passagiersdeur opentrok.

Op volwaardige Charlie's Angels-min-één-wijze sprongen de zusjes achter in de auto.

Stoplichten werden genegeerd, snelheidslimieten overschreden. Via

Alex' producer en Emma's huis stopte de limo uiteindelijk met nog twee minuten op de klok, met piepende banden, voor de steeg waar de artiesteningang van het oude theatertje moest zijn. Morris gooide de autodeur open en Emma rende op de artiesteningang af. Afvalzakken stonden open te rotten in de steeg. De stank plakte aan haar longen als dikke stroop. De deur was dicht en er was geen deurknop of bel te ontwaren. Wanhopig keek Emma om zich heen en rende dieper de doodlopende steeg in, desperaat om een deur te vinden. Ze rende alsof haar leven ervan afhing. Zelfs de angst om te vallen en haar viool te beschadigen remde haar niet af. Haar longen leken te bloeden tegen de tijd dat ze achter een donkere metalen brandtrap een tweede deur ontdekte. Nog steeds wist ze niet of dat nou de juiste was totdat ze een memo naast de deurpost geplakt zag.

BEL STUK. VOOR BREDA'S ORKEST:
GA NAAR DE TWEEDE VERDIEPING.
WILDPLASSEN OF SLAPEN IN DE GANG WORDT AANGEGEVEN.

Het was de fijnste berichtgeving die ze in tijden had gelezen.

Twee verdiepingen hoger deed een man van haar vaders leeftijd de deur naar zijn kantoor open.

'Hallo,' hijgde Emma buiten adem. 'Emma.'

'Leeuwenhoek, aangenaam,' zei de man.

Zijn ogen leken zo groot als schotels vanachter zijn gestaalde brillenglazen. Ze lachten haar uitvergroot toe. De paar witte strengen op zijn hoofd krulden wild de lucht in. Emma kon niet geloven dat ze de hand van Anton Leeuwenhoek aan het schudden was, voormalig artistiek leider van het Rotterdams.

'Dank dat je op stel en sprong langs kunt komen,' zei hij. 'Wil je iets te drinken? Ik ben bang dat er alleen oploskoffie is, maar het dient zijn doel.'

'Dank *u* dat u de tijd neemt om mij te ontvangen. Het Breda's Philharmonisch is altijd een van mijn favoriete orkesten geweest.'

Haar ogen vergrootte zich van schrik.

'Het Rotterdams natuurlijk ook, ik...'

Leeuwenhoek lachte.

'Ik ben blij dat te horen.'

Emma lachte opgelucht terug. Ze dronken ieder vier koppen koffie, met poedermelk en gestolen HEMA-suikerzakjes. Ze bespraken hun favoriete componisten en musici. Zij speelde een kort stukje Kurtág, hij gaf haar wat simpele aanwijzingen om te kijken hoe ze op zijn instructie reageerde. Hij vroeg haar niet om achter een scherm een kunstje te doen, hij gaf haar geen nummer alsof ze een Febo-kroket was die uit de muur kon worden getrokken. Ze waren twee mensen die liefde voor muziek en een cafeïneroes deelden.

Leeuwenhoek leunde achterover in zijn stoel. Hij keek ernstig.

'Luister. Voordat ik je de positie aanbied wil ik je wat vragen. Het heeft weinig met de professie uit te staan, dus als het kan zijn dat ik hier mijn boekje te buiten ga... Maar reis je altijd per limousine, of doe je dat alleen naar dit soort afspraken?'

Emma trok wit weg.

'Ik keek net naar buiten toen je uit je auto sprong, vandaar,' ging hij door.

Het duurde even voordat ze de spot achter zijn uitvergrotende glazen zag. Ze deed haar best haar gezicht in de plooi te houden en knikte.

'Ik zal proberen het binnen de perken te houden.'

'Heel verstandig.'

'Opnieuw,' riep Leeuwenhoek vanaf de voorkant van het podium.

Gelukkig speelden ze Wagner, waarbij het halverwege de compositie zo'n lawaai was dat het waarschijnlijk niet eens vreselijk zou opvallen als ze 'Sinterklaaskapoentje' zou spelen. Het orkest zette weer in en ditmaal sloten de violen goed aan. Emma luisterde zo goed ze kon. Iedereen om haar heen was geweldig. Ze kon haast niet wachten tot Volodya haar weer zou bellen en ze hem zou kunnen vertellen over de ongelooflijke vooruitgang die ze aan het maken was. Hij zou trots zijn, dat wist ze zeker.

Het gezelschap bestond voornamelijk uit doorgewinterde instrumentalisten die seizoen na seizoen door de provincies hadden getoerd en al jaren op elkaar waren ingespeeld.

De eerste repetitie had ze zich meer dan onwaardig gevoeld. Ze was in het hoekje bij de deur blijven staan, erop beducht geen aandacht op zich te vestigen. Iedereen leek op zijn gemak. De theepauze van elf uur bracht ze op het toilet door. Tijdens de lunch zat ze in het verste en meest eenzame uiteinde van de lange kantinetafel, maar toch werd ze op haar schouder getikt. Geschrokken keek ze om. Achter haar stonden twee meiden van haar leeftijd. Ze zagen eruit alsof ze net een discotheek uit kwamen gelopen, met hun strakke spijkerbroeken en zomerse topjes.

'Jij moet de nieuwe zijn,' zei de blonde.

Emma wist niet wat ze moest zeggen.

'Valt het op?' vroeg ze verwonderd.

De donkerharige grijnsde.

'Het is dat, óf je geniet van een autistisch moment.'

'Niet naar haar luisteren, hoor, ze is niet goed bij haar hoofd,' onderbrak de blondine. 'Ik ben Lily en dit is Laura. Welkom. Maak je geen zorgen, de eerste dag is altijd een beetje een drama, maar we slepen je er wel doorheen. Heb je zin om na de repetitie thee te drinken?'

Dankbaar accepteerde Emma het aanbod.

Nog geen vier uur later zat Emma met Laura en Lilly in de kroeg, achter een glas thee dat verdacht veel op rode wijn leek. Het eerste wat Emma in die eerste uren ontdekte was dat de meisjes konden zuipen als bootwerkers en vervolgens allerlei uitspraken over het orkest deden die waarschijnlijk geen deel uitmaakten van de officiële verwelkoming. Ze waren aardig, Laura en Lilly. Grappig en wild. Alles wat men niet van jonge musici verwachtte. Het waren mooie meiden om te zien. Laura zag eruit als Sneeuwwitje, met haar donkere haren en lichte huid. Ze was fijntjes en elegant. Lilly was meer Hollands welvaren, ze was een en al spier, sproet en ongetemd haar.

'Als ik naar die solisten kijk, daar zou ik helemaal niet tegen kunnen. Veel te veel verantwoordelijkheid, ik moet er niet aan denken,' sprak Laura met een licht dubbele tong. Ze leunde zwaar met haar ellebogen op de tafel.

'En ze zijn ook altijd in hun eentje,' voegde Lilly toe. 'Ik vind het juist gezellig zo, met z'n allen.'

'Nou ja, met de meesten dan. Er zitten een paar oude zuurpruimen bij, hoor, en dat kan je al op héééél jonge leeftijd zijn!'

Lilly lachte.

'Ja, die voelen zich zwaar belazerd. Zij hadden degenen moeten zijn die zouden soleren en in plaats daarvan zitten ze tussen ons.'

'Het plebs!' kraaide Laura.

Lilly keek haar vriendin strak aan.

'Nou inderdaad, plebs kun je het wel noemen, ja.'

Laura gooide een stapeltje Guinness-bierviltjes naar haar hoofd.

Op de een of andere manier deden de twee haar denken aan Alex en zichzelf. Ze hadden een verbintenis die mensen uitnodigde te kijken en mee te genieten, maar die voor buitenstaanders ondoorgrondelijk was. Ze waren gul in hun informatie over het orkest en waarschuwden Emma voor de valkuilen van het orkestleven.

'Sommige leden zijn gewoon zeikerds,' legde Lilly uit. 'De dirigent is niet goed genoeg, de zaal is niet goed genoeg en zijzelf zijn té goed. Bloedje irritant, maar gewoon niet mee omgaan, dan heb je geen last van ze.'

Emma nam de informatie dankbaar in zich op en knikte. Laura nam de voordracht van de lijst waarschuwingen over.

'Dan heb je de ambtenaren, die doen hun kist buiten werkuren niet open. Ze gaan ook nooit mee een drankje doen. Dat je het alvast even weet, ze bedoelen het niet persoonlijk.'

'Verder moet je oppassen voor de blazers. Het is beroepsdeformatie: ze lopen allemaal hun fluit achterna.'

'Vooral Glenn, die is vorig seizoen met zes vrouwen van het orkest naar bed gegaan.'

'Onder wie jij, Lau!'

Laura trok een wenkbrauw op. 'Maar dat was wel míjn enige avontuurtje. Dat kun je van jou niet zeggen, hè, lellebel?'

Weer begonnen ze keihard te lachen.

De twee waren heel kinderachtig en heel leuk. De andere orkestleden bleken bij nader inzien ook niet zo eng en onbenaderbaar als Emma aanvankelijk dacht. Zou je een muzikant vragen wat hij zou meenemen naar een onbewoond eiland, dan was de kans klein dat het antwoord 'vijftig andere muzikanten' zou zijn. Toch was dat in feite wat een reizend orkest deed: je overleveren aan het gezelschap van vijftig collega's, afgezonderd van de rest van de wereld.

'Wat ga je vanavond doen?' vroeg Peter, de jongeman met wie ze haar muziekstandaard deelde, de week daarop tijdens de pauze.

'Ik neem de trein terug naar Amsterdam met een paar van de hoornspelers en dan gaan we wat drinken. Wil je mee?'

'Nee, dank je. Hoeveel hoornspelers heb je nodig om een lampje in te draaien?'

Emma haalde haar schouders op.

'Drie. Een om het vast te houden, en twee om de kamer te laten draaien.'

Emma lachte flauwtjes. Laura en Lilly hadden haar al gewaarschuwd dat Peter de clown van het gezelschap was. Ze wist niet hoe blij ze er nou mee moest zijn dat ze uitgerekend met hem een muziekstandaard deelde.

Toen ze die nacht om twee uur op haar bed plofte en ze haar kamer als een draaimolen om zich heen zag tollen, begreep ze dat Peters grappenstroom een kern van waarheid bevatte.

De volgende ochtend had ze in de trein bijna moeten overgeven. Ze had er zo verrot uitgezien dat een vriendelijke meneer haar zijn plaatsje had aangeboden. Tegen de tijd dat ze de repetitieruimte betrad was de misselijkheid omgevormd tot een knetterde koppijn. Het volume van de percussie was zo groot dat ze haar viool niet kon horen, wat spelen vrijwel onmogelijk maakte.

'Wat is een gemiddelde muzikant zonder orkest?' vroeg Peter tijdens een korte pauze.

'Weet niet.'

'Dakloos.'

En zo was het. Zo was het precies.

Want al waren er mensen die liepen te klagen en al waren er lui die het liefst een prikklok op hun vioolkist zouden bevestigen, het orkest deed onvoorwaardelijk zijn best.

Er waren stukken bij waarin zij slechts een simpel riedeltje hoefde te spelen, maar dan sloot ze voor de rest haar ogen en luisterde naar de muziek die ze met zijn allen maakten.

Emma genoot van iedere seconde.

Het bizarre was dat kort nadat Emma was aangenomen bij het orkest in Breda, ze een aanbieding kreeg van een ander orkest, één uit Groningen. Ze had een maand daarvoor bij hen voorgespeeld en een week daarna had ze een keurige afwijzingsbrief ontvangen. Maar de muziekwereld was nou eenmaal microscopisch, en zodra bekend werd dat Breda haar als freelancer had aangenomen werd ze hoger ingeschaald. Comités luisterden klaarblijkelijk niet alleen naar iemands voorspel, maar ook naar de mening van iemand als Leeuwenhoek. Een vaste positie als vierde violiste in Groningen betekende een stabiel salaris, pensioenopbouw en ziektekostenverzekering.

Ze wilde dat ze het aanbod een paar maanden eerder had gekregen, toen zou ze er een gat voor in de lucht hebben gesprongen. Maar ze wilde zo graag voor Leeuwenhoek blijven spelen. Of als ze het aanbod een paar jaar later had ontvangen, dan had ze haar kansen op de lange baan beter kunnen inschatten.

Ze belde haar vader. Aan wie kon ze beter advies vragen dan aan iemand die ruim dertig jaar ervaring had in de klassieke muziek. Er werd niet opgenomen.

'Alex,' dacht ze. Alex speelde wel een heel ander genre muziek, maar ze was zonder twijfel goed in het maken van keuzes en het sturen van carrières. Ze had zichzelf nota bene op eigen kracht (oké, met de hulp van Fred) uit het mediadal getrokken. Alex zou geweldig advies kunnen geven.

Ze toetste Alex' nummer in.

'Hallo,' klok een diepe mannenstem.

'Hoi, met Emma, hoe is het?'

'Ik geef je je zus.'

Ze hoorde wat gekus en gegiechel op de achtergrond.

'Pikkie, hoe gaat het?' klonk Alex.

Ze klonk gelukkig. Emma was blij haar weer zo te horen.

'Terug uit New York?' vroeg Emma glimlachend.

'Net aangekomen.'

'Als je jetlag niet te erg is, zou ik dan even kunnen langskomen? Ik zit met een probleem.'

'Geen jetlag is ooit te groot voor jouw problemen. Kom maar hierheen.'

Drie kwartier later zat Emma in de te diepe dozijnzitter in Alex' huiskamer. Het zag er een stuk gezelliger uit sinds Fred bij haar was ingetrokken. Ze waren constant, overal ter wereld, aan het winkelen met zijn tweeën; op de markt in Marokko, in achterafstraatjes in Venetië en op veilingen in New York.

Alex maakte popcorn in een grote zak in de magnetron, het hele huis ging er heerlijk van geuren. Emma stond ernaast en deed haar dilemma uit de doeken.

'Als vierde violist zou ik op een dag eerste kunnen worden en naast de concertmeester solo's spelen,' legde ze uit. 'Het zou jaren duren, maar ik zou het waarschijnlijk wel worden. Daarbij biedt het financiële zekerheid. Wat denk jij ervan?'

'O, nee,' had Alex geantwoord. 'Nee, nee, nee, je moet er niet eens aan denken!'

'Vind je?' vroeg Emma.

'Geef me een reden waarom je dit zou doen.'

Emma haalde haar schouders op.

'Iedere violist wil soleren. Maar tot nu toe, hoeveel ik ook met mezelf loop te leuren, ziet het er niet naar uit dat dat gaat lukken. Groningen is een vaste baan.'

'O, ja, zékerheid! Nou, dan krijg je in ieder geval de zekerheid dat je je voor de rest van je leven zult blijven afvragen wat er zou zijn gebeurd als je wél achter je dromen aan was gegaan.'

Emma knikte bedachtzaam. 'Weet je wat het is? Als het nou het Amsterdams Philharmonisch zou zijn, dan was het andere koek. Maar dit is toch wel een stapje minder. En Groningen...' ze rilde, 'ik wil helemaal niet in Groningen wonen.'

'Em, ik weet dat het eng is, maar serieus, als je een deur dichtdoet, gaat er ergens anders eentje open.'

'Maar waarom kunnen ze niet allemaal open zijn? Of dat er iets boven de deurtjes knippert, zodat je in ieder geval weet welke er ooit zullen opengaan?'

Emma staarde het raam uit.

Twee kleine meisjes in identieke wollen jasjes huppelden hand in hand over de stoep aan de andere kant van de straat. Ze hebben geen idee wat hun te wachten staat, dacht Emma. Alles lag nog voor hen, al hun dromen en mogelijkheden. Ze hadden waarschijnlijk nooit een afwijzing voor hun kiezen gekregen die een koekje of een uitgestelde bedtijd oversteeg. De meisjes huppelden vrolijk verder.

Alex ging voor Emma staan en pakte haar bij de schouders.

'Lieve schat. Je bent mijn zus,' begon ze. 'Op Fred na hou ik meer van je dan van wie dan ook. Maar als jij je dromen laat varen, dan vermoord ik je, dat beloof ik. Je bent nu goed bezig, steeds meer mensen beginnen je te kennen, je speelt in een orkest en in dat kwartet. Je hebt maar één kans nodig, ééntje maar!'

Emma liet Alex' woorden tot zich doordringen.

'Maar weet je wat het enge is? Hoe geweldig de positie ook is die ik nu in Breda heb, het kan morgen afgelopen zijn. Ik heb geen rooie rotcent om op terug te vallen.'

Alex draaide met haar ogen.

'We hebben genoeg geld om tot aan onze dood van te leven, dus maak je daar nou maar geen zorgen over.'

'Dat is jouw geld. Ik ben drieëntwintig, ik laat me niet onderhouden!'

'Qua geld kijk je gewoon hoe het gaat, en mocht het nou zo zijn dat je niks verdient, wat toch niet zo is, dan leun je maar even op mij. Zie dat geld van mij maar als een vangnet.'

Het klonk goed. Het voelde fout.

'Mijn vakantie heeft me vijftigduizend gulden gekost, ga jij je nou geen zorgen maken over die fooi die jij per maand uitgeeft.'

En zo werd Emma naar de rand van de rots geleid. Voor het mooie aanbod om vierde violiste te worden bedankte ze. Aan de hand van haar grote zus zou ze in het diepe springen.

Ze deed het bijna in haar broek.

De vraag van tien miljoen II

Na de doordeweekse repetities in Breda was het raar om de weekenden in Amsterdam door te brengen. Haar baan bij de jeugdherberg had ze opgezegd. Het had haar verbaasd hoe triest dat haar maakte. Hoezeer het ook niet in haar planning lag om de rest van haar leven wc's te schrobben, de tranen hadden in haar ogen gestaan toen ze Raf gedag zei. Ook hem leek het huilen nader dan het lachen te staan.

'Zul je af en toe nog eens langskomen?' had hij gevraagd. 'Niet voor werk of zo, maar gewoon, om eens te laten weten hoe het met je gaat?'

Het was te vreemd voor woorden, maar ze had hem bijna terstond besprongen en haar armen om hem heen geslagen. Hij had haar gezicht heel lichtjes aangeraakt met zijn duim en wijsvinger.

'Het ga je goed, Emma, je verdient het. Waar je ook naartoe gaat, de mensen die in jouw nabijheid mogen zijn, hebben geluk.'

Emma had moeten maken dat ze wegkwam of hij had haar zien huilen.

Pas toen ze langs de grasvelden naar huis liep liet ze haar tranen de vrije loop. Hoe idioot ze het zelf ook vond, ze kon ze niet tegenhouden. In die paar honderd meter leerde ze dat vooruitgaan gelijk stond aan gedag zeggen. En het voelde allesbehalve fijn.

Bij het Alterium waren ze ook niet zo blij geweest dat ze een echte baan had gevonden. Ze had Nick direct gebeld en een afspraak gemaakt met het hele kwartet om het hun persoonlijk te vertellen. Een paar uur later hadden ze aan Nicks keukentafel gezeten. Drie paar ogen keek haar boos aan.

'Lekker makkelijk voor jou,' had Kiko haar toegebeten. 'Als ik een beroemde zus had gehad, was het ook makkelijk geweest.'

'Nou ja, sorry hoor, maar dat heeft er niets mee te maken,' zei Emma verontwaardigd.

'Kiko, misschien is dat wel zo, maar we moeten Emma's keuze in haar persoonlijke ontwikkeling respecteren,' zei Nick.

'Ja, hallo, ik moet toch net zo hard auditie doen als ieder ander?'

'Alles is ons-kent-ons in dit wereldje, dat weet je zelf ook wel.'

'Misschien, maar mijn zus kent toch helemaal niemand in de wereld van de klassieke muziek?'

'Emma, jij bent nou eenmaal voor iedereen interessant omdat je het zusje van bent, dat weet je best,' zei Kiko.

Nick keek naar de grond. Walter zei niks. Zijn mond bleef samengeknepen.

'Nou, eh, dan ga ik maar.'

Emma stond op en stak haar hand uit naar Nick.

'Succes met alles,' zei ze.

'Jij ook,' antwoordde hij.

'Kiko, jij ook succes met alles.'

De Japanse nam haar hand niet aan. In plaats daarvan gooide ze haar armen om Emma heen en knuffelde zo hard dat ze geen lucht meer kreeg. Walter wendde zijn hoofd af.

'Misschien vindt Walter dat je beter had moeten nadenken voordat je je bij ons aansloot,' zei Nick met zachte stem. 'Misschien vindt hij dat je ons een beetje laat zitten.'

'Maar begrijp het dan toch, dit is een báán. Een orkest, loon.'

Nick keek gekrenkt. Walter snoof diep en beledigd. Kiko barstte voor de laatste maal in een hoog staccato uit.

En toch zou ze hen missen.

De witgeverfde entree van Alex' complex sprankelde in de zon en deed pijn aan haar ogen. Het was Alex' vijfentwintigste verjaardag. Emma was blij dat Alex in het land was om het te vieren, want de laatste tijd leek ze wel permanent op reis. Ze keek naar de geparkeerde Jaguars en Range Rovers in de straat en voelde zich ineens een beetje lullig met de cadeautjes die ze droeg. Maar goed, het was niet anders en ze had haar best gedaan. Bij een marktkraam in Breda had ze een oude wierookhouder gevonden, verfijnd bewerkt met bloemen en liggende naakten. Het had een fortuin gekost (naar haar maatstaven), maar ze wist zeker dat Alex hem prachtig zou vinden. Daarbij had ze een wintervoorraad van Alex' favoriete wierookkegeltjes gekocht. In het Vondelpark had ze bladeren verzameld die ze tussen dun papier en houten blokjes gedroogd had. Kunstig had ze ze tussen de dunne lagen vloeipapier gelegd waarmee ze alles had ingepakt.

Ze stapte het gebouw binnen. Azziz zat niet achter de receptie, dus ze liep direct de hal door, de trap op, en belde aan. Alex deed vrijwel meteen open. In één hand hield ze twee glazen champagne.

'Gefeliciteerd!' riep Emma.

Ze overhandigde de pakjes terwijl ze een van de champagneglazen aannam. 'Ik hoop dat je het mooi vindt.'

'Laten we naar de slaapkamer gaan, Fred is in de woonkamer.'

Alex liep voor haar uit en plofte neer op het grote berenvel op haar bed. Een scheut champagne klotste over de rand van haar glas, zo veel dat er bijna niets meer in zat. Een halfvolle fles stond op het nachtkastje. Ze schonk zichzelf bij en pakte gretig het cadeautje uit.

'Weet je wat ik vanochtend heb gedaan? Ik ben naar een waarzegster geweest.'

'Joh,' probeerde Emma neutraal te klinken. 'En kwam er wat uit?'

Te opgewonden om zich met plakband bezig te houden, rukte Alex het papier eraf. De bladeren vielen roemloos op het bed.

'Ik ga zo'n waanzinnige toekomst krijgen! Ik word nog bekender dan ik nu al ben. En ook...' ze leunde naar voren en fluisterde, 'Fred is de ware voor me. Ik zal hem nog wel een beetje "moeten opvoeden", zei ze, maar hij houdt heel veel van me.'

'Hoe kom je aan die waarzegster?'

'Van Fred gekregen voor mijn verjaardag. Ze is heel speciaal. Het is bijna onmogelijk om een afspraak met haar te regelen.'

Glunderend keek ze op.

'Ik denk dat ik ook een beetje helderziend ben. Die baan die je nu hebt is goed, ik voel het. Ben je niet blij dat je niet in dat stomme orkest in Groningen bent gaan zitten? Proost!'

Alex klapte in haar handen van verrukking toen ze de wierookhouder op het bed zag liggen, ze was zo in haar verhaal opgegaan dat ze het niet meteen had geregistreerd.

'Mag ik je opmaken?'

'Pardon?'

'Alsjeblieft?' keek Alex haar smekend aan. 'Iedereen die iemand is komt vanavond.'

'Wat heeft dat nou te maken met hoe ik eruitzie?'

'Alsjeblieft? Het is mijn verjaardag en ik vind het zo leuk om iets met make-up te doen!'

Met een zucht nam Emma plaats op de rand van het bed. Als Alex voor haar en haar carrière garant wilde staan, was toch geen al te grote wederdienst om zich te laten opmaken. Terwijl Alex in de badkamer haar verzameling crèmetjes en kwastjes bijeensprokkelde, kwam Fred de kamer binnenlopen.

'Zo, ben je er weer?'

Zijn telefoon ging. Hij beende in verhitte conversatie door de slaapkamer, Emma werd er een beetje ongemakkelijk van, hij schreeuwde zo hard in de telefoon.

Alex kwam terug met twee strooien manden vol make-up en begon aan haar missie. Het gekietel van de kwastjes werkte op Emma's zenuwen, maar veel meer nog het geschreeuw van Fred. Hij vloekte en tierde in de telefoon dat het een lieve lust was en hij leek geen enkele aanstalten te maken daarmee op te houden.

'Dat bedoelde de waarzegster nou met dat opvoeden,' fluisterde Alex in haar oor. 'Niet lachen, ik ben je wenkbrauwen aan het doen.'

Emma lachte ook niet. Was dit nou die charmante Fred die ze eerder had ontmoet?

Een paar uur later was Alex' huiskamer gevuld met mensen.

De eerlijkheid gebood te zeggen dat Alex' feestjes een lager muurbloemgehalte hadden wanneer de halve l'Oréal-collectie op je hoofd was gesmeerd. Niet dat ze meteen Miss World was geworden, maar Alex had enorm haar best gedaan. Emma zat in een strak Audrey Hepburn-achtige jurk en met opgestoken haar aan de oude opiumtafel in de huiskamer. Op het eerste gezicht stak ze niet eens zo heel erg af bij haar vrouwelijke tafelgenoten. Emma herkende geen gezichten van vorige feestjes. Er waren geen BN'ers te bekennen ditmaal, goddank.

Geld leek het favoriete gespreksonderwerp van de avond. Vooral de meneer rechts naast Emma kon er wat van. Hij had een wat pokdalig gezicht en sloeg de ene wodka na de ander achterover. Opnieuw stootte hij haar aan om de aandacht te krijgen. Haar rode wijn ging weer bijna omver.

'Twee miljoen wilde de fiscus me aftroggelen. Twee miljoen!'

Emma hield er niet van, gesprekken over geld.

'Nou, dan blijft er toch nog genoeg over, zou ik zo zeggen,' probeerde ze het gesprek af te ronden.

Tegenover zich hoorde ze het gesmoorde gegniffel van Barry. Barry was een oude kunsthandelaar ('Ik doe in doekjes,' had hij toegelicht). Hij kon zijn ogen niet van Emma afhouden, maar de aantrekkingskracht was niet geheel wederzijds. Hij was de zeventig ruimschoots gepasseerd, maar daar leek hij zelf geen weet van te hebben. Afgezien van zijn leeftijd werkte zijn uiterlijk niet echt mee – dikke, schildpadachtige mannen zouden geen witte pakken moeten dragen.

'Emma, wat ga jij doen deze week?'

'Mijn linker vingerwerk oefenen.'

De woorden waren haar mond nog niet uit of ze wenste dat ze ze terug kon nemen.

'Als je hulp nodig hebt?!' riep iemand aan de andere kant van de tafel.

Alsof ze die grap nog nooit had gehoord. Barry bulderde van de lach.

'Fred!' riep hij door de kamer. 'Hé Fred, waar heb jij dit meisje gevonden?!'

Achter hem zag Emma een nieuwe gast komen binnenlopen. Hij was de eerste die haar zowaar bekend voorkwam. Hij was vast een acteur, schatte Emma in. Hij had een mooie, arrogante kop en droeg zijn babyroze hemd met de bovenste knoopjes open. Ineens besefte ze dat hij wel heel erg leek op de man die haar ooit voor de serveerster had aangezien. Ze voelde een lichte walging. De man sloeg Barry op de rug alsof Barry nog niet van een leeftijd was dat een dergelijk gebaar permanent letsel kon veroorzaken. De rillingen liepen Emma over de rug. Niet omdat hij haar voor de hulp had aangezien, want waarom zou ze niet de hulp kunnen zijn, maar vanwege de arrogantie waarmee hij tegen haar had gesproken.

'Alfie, heb jij het geweldigste meisje ter wereld al ontmoet?' zei Barry. Hij keek naar Emma. 'Deze is als geen ander.'

De man met de mooie kop boog zich over de tafel om zich aan haar voor te stellen. Stiekem vond Emma het ineens leuk worden.

'Alfie,' zei hij.

'We hebben elkaar al eerder ontmoet,' zei Emma met een vriendelijke glimlach.

'Dat betwijfel ik. Zo'n mooie vrouw zou ik nooit vergeten.'

'Je drinkt gin en tonic met een schijfje limoen en twee ijsklontjes, toch?'

Hij keek verbaasd.

'Alex' vorige feestje,' legde ze rustig uit. 'Je dacht dat ik de hulp was. Ik weet het nog goed, want er was alleen citroen en daar werd je erg overstuur van. Maar dit jaar is er beter ingekocht, hoor, dus maak je geen zorgen.'

De schildpad liep rood aan van het lachen.

'Fred, wie ís dit meisje?' riep hij weer door de kamer. 'Ik hou van d'r, ik wil met d'r trouwen!'

Zijn grote rode levervlekkerige handen schoten over tafel en hij plaatste ze op Emma's gezicht.

'Dit heb ik nog nooit meegemaakt!' riep hij uit.

Emma ook niet. En dat wilde ze ook graag zo houden. Ze excuseerde zich en liep naar de keuken. Ze pakte een cola uit de koelkast en sneed een plakje citroen af. Even uit de drukte.

'Toch niet weer, hè?' hoorde ze een hoge, licht verwijfde stem achter zich.

Ze keek om en zag een man die de hele avond al aan de andere kant van de tafel had gezeten. Van de verte had ze de donkere stipjes niet gezien die in gelijke intervallen in halve-maanpatronen over zijn kale hoofd liepen. Het leek een soort tribal tatoeage. Hij zag er wel grappig uit. Zijn ogen seinden naar de citroen die ze nog in haar hand had. Ze begreep wat hij bedoelde en moest lachen.

'Ja, ik kan het niet laten. Wat had je gehad willen hebben?'

'Alsjeblieft, zeg, na zo'n verhaal?'

Hij ritste het reeds opengemaakte blikje cola van het aanrecht vandaan en schonk het in een schoon wijnglas. Van dichtbij bleken de tatoeages mislukte haarimplantaten te zijn.

'Voilà!' presenteerde hij met een royaal gebaar, '*madame est servie!*'

Voor zichzelf pakte hij een glas water. Gewoon uit de kraan. Haar of geen haar, hij was een verademing.

De rest van de avond was het Harry en Emma. Hij was een leuke vent. Onmogelijk te verstaan door de aardappel die diep in zijn keel was geteeld, maar zeker een leuke vent.

'Sorry, ik versta er echt niks van,' giechelde Emma.

Hij had zich op zijn beurt verontschuldigd.

'Weet je dat ik de Nederlandse Lord Fauntleroy ben?' vertrouwde hij haar toe. 'Van kinds af aan al in die strakke pakjes, naar kostschool in Engeland, het was vreselijk. Polo, Eton, alles is me opgedrongen, en kijk nu eens wat er van me is terechtgekomen.'

Hij pakte haar hand en trok haar mee de huiskamer in.

'Kom op, we gaan dansen.'

Harry deed verwoede pogingen om Michael Jackson na te doen. Vooral zijn moonwalk scoorde hoge ogen. Emma deed het bijna in haar broek toen hij zich zonder blikken of blozen herstelde van een spagaat die was mislukt.

Alex tikte haar op de schouder.

'Sorry, Har, ik moet mijn zusje heel even meenemen.'

'Goed feest, Alex,' zei Emma terwijl ze haar hand in die van Alex liet glijden. 'Kan ik je ergens mee helpen?'

Twee tellen later stond ze weer in de keuken.

'Fred vraagt of je niet wat aardiger zou kunnen zijn tegen Alfie. Luister, ik weet niet wat er is voorgevallen en daar wil ik nu ook eigenlijk helemaal niet over nadenken, want ik ben jarig. Maar pas op, alsjeblieft Em: Fred en Alfie doen zaken.'

Alex gaf haar een snelle kus op de wang.

'Je hoeft niet zo verdrietig te kijken, het is geen ramp. Maar pas voortaan een beetje op. Ga maar lekker weer dansen.'

Aan het eind van de avond bracht Harry haar naar huis. Het was vreemd om in zijn kanariegele Lamborghini te zitten. De auto was zo laag dat ze het gevoel had dat ze met haar kont over de straat moest schrapen, maar ze vóélde niks. Harry sprak honderduit over wat hij overdag zoal deed, te weten: niks.

'Maar binnenkort schijn ik iets te gaan doen met pandjes,' giechelde hij.

Hij leek de hele tijd een beetje dronken, ook al hij had niets dan water gehad. Hij had iets kinderlijks. Alsof hij wel opgegroeid was, maar nooit helemaal volwassen was geworden. Misschien was het dat Fauntleroy-verhaal wel. Dat alles te makkelijk was geweest.

'Spannend, hoor, dat je hier woont. Ik ben wel eens 's nachts in de buurt van Artis geweest, maar dit is toch veel echter.'

Hij keek met grote ogen naar een groepje mannen die op een hoek van de straat stonden.

'Zijn dat nou de crackmensen? Denk je dat het gevaarlijk is om ze van dichtbij te bekijken?'

Een paar jongens liepen op de auto af. Harry deed de deuren met een druk op een knop dicht. Langzaam trok hij op.

'Het lijkt de Beekse Bergen wel, hè?' lachte hij.

Ze reden haar straat in.

'Mag ik iets indiscreets zeggen, Emma?'

'Ik ben benieuwd,' knikte ze, benieuwd naar wat hij indiscreet zou vinden.

'Zonder een kwade tong te willen zijn, maar waarschuw je zus wel een beetje voor Fred, hij heeft niet de reputatie zijn vriendinnetjes met erg veel geld achter te laten.'

Emma grinnikte.

'Harry, ik denk niet dat mijn zus zich erg veel zorgen hoeft te maken over hoeveel haar vriendje verdient, ze doet het zelf behoorlijk goed.'

'Dat weet ik. Daarom zeg ik het ook.'

'Ik weet dat Fred een slechte reputatie heeft, maar geloof me, daar is echt helemaal niks van waar.'

'Hoe dan ook, het gaat me niks aan, en vertel in godsnaam nooit dat ik dit heb gezegd, want dat kan me in de grootst mogelijke problemen brengen. Waarom wil jij mij overigens niet vertellen bij welk bureau je zit?'

'Harry, nogmaals: ik ben geen model.'

'Larie! Waarom zou je anders zo dun zijn? Ik kan bijna door je heen zien! Dus ik geloof er niks van. Nou, zeg op, bij wie ben je, Elite of Metropolitan?'

Emma zuchtte.

'Ik ken het Londen Metropolitan, maar van een elite weet ik niks af. Af en toe neem ik de metro naar de Bijlmer, maar veel verder kan ik je niet volgen.'

Ze kuste zijn wang.

'Bedankt voor de lift.'

'En dat is het? Geen nummer, niks? Maar als je me zelfs niet wil zeggen wat je agentschap is, hoe kan je ik dan ooit weer vinden?'

'Noem het het lot, Harry. Niets meer of minder dan het lot.'

Drie dagen na Alex' verjaardag was die van haar moeder. Genoeg tijd om in de media weer eens uitvoerig besproken te worden. Het begon met een foto van Alex waarop ze wat dikker leek dan normaal. Misschien was het slechte belichting, misschien moest ze ongesteld worden, maar volgens een opiniemaker van *The Daily Post* was ze zwanger. Vervolgens werd er in *Persoonlijk* hardop afgevraagd of het van Fred was of van de 'lange en mysterieuze vreemdeling' op de bijgeplaatste foto (Emma herkende Cymon, assistent van Alexandr, buiten de kapsalon). Gelukkig wist *Die Wahrheit* de volgende dag te melden dat Alex niet zwanger kón zijn omdat ze geboren was als man. Deze stelling was natuurlijk wel afgesloten met de veiligheidsclausule van de roddeljournalistiek: het vraagteken.

ALEX WEIJMAN EEN MAN?

De leugen bestond niet. Er bestonden alleen vraagstekens.

Het leek vooral mis te gaan bij de grensovergangen. De ene krant uit land X nam informatie over van de andere krant uit land Y en deed er dan een schepje bovenop. Het was één grote sensatiekruisbestuiving.

'En nou moeten we vanavond ook nog uit eten voor mama's verjaardag,' had Alex gesteund. 'De pr-mensen zijn nog maar net weg, die gasten staan daar al vier dagen en volgen me zo op de voet dat ik gisteren bijna een auto-ongeluk heb gehad. Ik kán niet meer. Ik zweer het je, ik verdien hier zeker een half aureooltje of één vleugel voor.'

Vijf minuten daarna en een uur te laat, verklaarde Alex klaar te zijn voor het diner dat ze ter ere van haar moeders verjaardag had georganiseerd.

Ze wierp een laatste blik in de spiegel en zette haar kekke bolhoedje nog iets schever op haar hoofd.

'Paparazzi, kom maar op,' riep ze strijdlustig.

Vader en moeder zaten nerveus naast elkaar in de zitkamer, te rechtop voor de diepte van de bank. Moeder droeg de parelketting die ze altijd om had op haar verjaardag. Vader vroeg voor de zevende keer of ze het restaurant niet moesten bellen dat ze te laat waren. Ze deden hun jas aan.

'Helen, heb jij de strippenkaart?' vroeg vader.

Fred keek alsof hij water zag branden. Alex onderdrukte haar lach.

'Waar denk je die voor nodig te hebben, pap?'

'Ik ga niet met de auto, hoor. Parkeren is niet te doen in Amsterdam.'

Alex knipoogde naar Emma.

'Vind ik ook, pap. Belachelijk plan om in Amsterdam te willen parkeren.'

Ze liepen naar buiten. Moeders kaak viel naar beneden toen ze de limousine zag staan.

'Heb je die speciaal voor mij geregeld? Wat lief van je.'

De hele weg naar Nuha, het Japanse restaurant, zat ze te glunderen.

Een zee van flitsen wachtte hen op toen Alex de autodeur opende. Het leken er inmiddels zeker twee keer meer dan ervoor. Emma vroeg zich af hoe die paparazzi er toch altijd weer achterkwamen waar Alex zou zijn op een avond. Alex hielp haar moeder de auto uit en poseerde arm in arm voor het flitsspektakel. Fred, Emma en vader hielden afstand en wachtten tot alles een beetje was gekalmeerd. Alex en moeder liepen gearmd voorop naar het restaurant. Het was er rumoerig. Maar zoals overal werd het stil toen Alex binnenkwam, in ieder geval in een radius van vijf meter om haar heen.

'Alex, schat, het is éééééuwen geleden!' stortte de hostess zich op Alex. 'Wat zie je er gewéééééldig uit!'

Vader fronste zijn wenkbrauwen. Hij had het niet zo op dat geëxalteerde. Moeder stond te stralen. Zij vond het allemaal juist wel spannend. Ze werden naar hun tafel geleid. Fred vertelde de ober dat ze geen menu hoefden te zien.

'Geef ons maar wat ik altijd neem. En drie flessen warme sake.'

Hij slipte een paar bankbiljetten in de vuist van de ober.

'En snel graag.'

Emma wreef alvast in haar handen. Sake. Heerlijk. Zo verraderlijk als de pest, maar heerlijk.

De ober was vrijwel direct terug met een grote schaal sashimi. Emma herkende de verschillende vissoorten: yellow fin-tonijn, garnalen, zalm, zeebaars. Ze keek verlekkerd toe hoe een tweede ober vanuit piepkleine theepotjes sojasaus in de kleinere schoteltjes goot. Een derde schonk de sake in de kleine eierdopkopjes tot de nok toe vol. Vader verbleekte bij de aanblik van de rauwe vis.

'Sorry, kunt u die van mij even bakken?' vroeg hij aan de ober op een te geprononceerde toon, die hij aan zijn jarenlange onderwijservaring had te danken.

Enkele gasten om hen heen keken op. Sommige geamuseerd, andere omdat het een legitieme aanleiding bood om Alex flink te kunnen aanstaren. De ober bleef hardnekkig glimlachen.

'Alstublieft, gooit u het voor mij nog even in de pan? Ik heb het graag goed doorbakken,' specificeerde vader.

De obers gastvrije glimlach verdween als sashimi boven vuur. Vader kreeg prompt een menukaart in zijn handen gedrukt.

'Pap, je kunt het toch tenminste proberen,' opperde Emma voorzichtig.

Vader keek mokkend naar de sashimi.

'Nee, getsie, ik ga geen rauwe vis eten.'

'Ik neem jouw portie wel!' stelde moeder voor.

Alex stond op om naar het toilet te gaan.

'Alex? Alex! Neem wat wc-papier voor me mee?' riep moeder voordat Alex de hoek om verdween. 'Ik ben mijn zakdoek vergeten!'

Alex deed nogal lang over haar toiletbezoek. Tegen de tijd dat ze terugkwam stond het hoofdgerecht al lang en breed op tafel. De *blackened cod* was koud. Om de tafel was iedereen een beetje stil. Fred had nog geen woord gezegd. Hij keek veel om zich heen op zoek naar bekenden. Hij leek niet op zijn gemak. Emma schonk nog maar een rondje sake in. Het was vast de inrichting van Nuha, bedacht ze zich: tl-licht kwam de sfeer nooit ten goede. Ze wenste dat de mensen aan de tafeltjes om hen heen ophielden met staren.

Na het eten kreeg moeder een Prada-handtas met bijpassende portefeuille en een gouden met robijnen ingelegde armband.

'Dit is het mooiste wat ik ooit heb gezien,' riep ze uit.

Ze trilde er helemaal van. Emma gaf haar een geurende kaars en badolie, die ze zelf had samengesteld van rozemarijn, sinaasappel en lavendelolie. Van vader kreeg ze een flesje Paris, zoals elk jaar.

'Hoeveel karaat zou dit nou zijn?' vroeg moeder.

Na nog wat glaasjes sake kwam de stemming er een beetje in en werd het uiteindelijk toch best gezellig.

'Kijk nou toch eens, Albert, hoe het glimt. Zoiets heb ik nou altijd al willen hebben, hè?'

Fred kwam terug van het toilet en fluisterde iets in Alex' oor. Alex sloeg met haar stokjes tegen de porseleinen sakekopjes alsof ze een speech wilde houden.

'Het spijt me heel erg, wij kunnen uiteindelijk niet mee naar de voorstelling. We moeten naar een feestje, het spijt me, maar het is werk.'

Ze depte haar mond met haar servet en bekeek haar lipgloss in een klein spiegeltje in haar tas.

'Maar de auto brengt jullie naar de show en erna weer naar huis, en bestel nog maar lekker wat jullie willen. De rekening wordt naar mij gestuurd.'

Ze stond op en gaf haar moeder een dikke zoen.

'Nogmaals gefeliciteerd, mam. Doei pap. Ze hebben gewoon ijs als dessert, dus maak je geen zorgen. Em, regel jij de kaartjes als jullie bij het theater zijn, hier is wat cash. Veel plezier!'

Ze stopte een stapeltje biljetten in Emma's hand en weg was ze.

In de auto naar de voorstelling van de *Phantom of the Opera* deed Emma haar best de sfeer erin te houden. Moeder antwoordde niet. Ze keek naar haar armband.

'Ik wil helemaal geen Prada,' zei ze met trillende stem. 'Ik wil mijn dochter, waar is ze toch steeds?'

Emma zat vlak naast haar en pakte haar hand.

De vraag van tien miljoen III

De avond erop was Emma weer uitgenodigd om een voorstelling bij te wonen.

Meneer Leeuwenhoek had haar en een aantal anderen gevraagd met hem mee te komen naar een optreden van het Amsterdams Philharmonisch. Dat deed hij wel vaker, schijnbaar, met nieuwe orkestleden.

'En jullie hebben geluk,' had hij aan de uitnodiging toegevoegd, 'want Ibravimovish, de virtuoos, is gastdirigent en hij is een vriend van mij, dus misschien kunnen we hem na het concert even ontmoeten.'

Bij het horen van zijn naam was de wereld even stil blijven staan. Al dagen verwachtte Emma een telefoontje, maar dat was uitgebleven.

Misschien is hij vanochtend pas geland, had ze zich haar teleurstelling weggeredeneerd. Daarbij is Leeuwenhoek ook dirigent, dus dat is professioneel. Werk gaat voor het meisje.

Ze hadden ruim op tijd met zijn allen afgesproken bij de ingang van de Stopera. Emma was de eerste. Het was druk op het Waterlooplein. Emma keek haar ogen uit naar de bonte types, hopend Volodya te ontwaren.

Achter hen tikte iemand op het raam. Het was Leeuwenhoek, hij stond al binnen en seinde hun ook naar binnen te komen. Er stonden wat mensen bij hem, allemaal muzikanten met wie hij in het Rotterdams Philharmonisch had gewerkt. Het was grappig: ze keken allemaal met dezelfde blik van respect en verstandhouding naar hem. Hij stelde leden van beide orkesten aan elkaar voor. Ze gaven hun jas af bij de garderobe en zochten naar hun plaatsen in de enorme zaal. Het voelde vreemd om plaats te nemen in de wetenschap dat ze Volodya over enkele momenten zou zien terwijl hij geen notie had van háár aanwezigheid. Onder luid applaus kwam Volodya op. Zijn tred was langzaam. Zijn haar zat nog redelijk netjes, zijn smoking nog recht. Hij had een bepaalde rust over zich. De rust van een wilde kat.

Volodya zette in. Hij leidde het orkest en het publiek door Prokofievs *Romeo en Julia*. Elk deel was levendig en aansprekend. Emma luisterde, maar ze keek vooral naar hem. Ze las iedere aanwijzing die hij zijn orkest gaf, zelfs die die de spelers misten.

God, wat een man, gonsde het de hele voorstelling door haar hoofd. Wat een echte, echte man.

Volodya kwam het podium weer op om de derde staande ovatie in ontvangst te nemen. Hij draaide zich naar het orkest en gebaarde gul dat hij alles aan zijn spelers te danken had. Terwijl Emma trillend op afstand naar hem stond te kijken vroeg ze zich af hoe het toch mogelijk was dat ze zich zo verwant voelde met iemand die ze relatief gezien nog maar kort kende.

Volodya maakte een teken van dank naar het alsmaar luider klappende publiek.

Emma glimlachte in zichzelf. Natuurlijk begrepen ze elkaar. Ze spraken immers dezelfde taal.

In de artiesteningang kon Emma zich nauwelijks beheersen. Grote rode vlekken stonden in haar nek. In de hal was het een wirwar van musici en organisatoren. De backstage was de tegenpool van de lobby: de muren waren van onbeschilderd beton, bij wijze van verlichting hingen er kale peertjes aan de plafonds. Haar collega's stonden op een rijtje om zich heen te kijken, enthousiast en vol verwachting. Emma had het gevoel een verboden zone te betreden, ze wist dat ze een grens overschreed. Tot haar afgrijzen ontdekte ze grote transpiratieplekken onder de oksels van haar rode jurk. Op dat moment verstilde het geroezemoes. Alle hoofden draaiden één kant op.

De krokodillenleren schoenen die van de bovenste treden van de trap naar beneden kwamen lieten weinig te raden over de eigenaar ervan, evenals de donkergroene leren broek. Haar hart begon sneller te kloppen. De zweetplekken werden nog groter.

Volodya stond stil om iemand te begroeten. Een houten balk belemmerde haar het zicht op zijn bovenlichaam. Het leer van de broek zag er ruw en prijzig uit. Plotseling merkte Emma een paar hooggehakte zwarte laarzen op die achter hem bewogen. Volodya nam nog twee treden naar beneden om iemand anders te begroeten. De laarzen volgden hem op de voet. Ze waren gevuld met eindeloos lange benen die in een netpanty waren gestoken. Na de ellenlange benen volgden een minirokje, wespentaille en een enorme boezem in een strak coltruitje. Volodya deed een laatste stap en keek door de hal. Ze had hem volledig in beeld. Zijn gezicht was nog rood van de inspanning die hij had geleverd. Emma schoof opzij en zocht beschutting achter een pilaar. Ze stak haar hoofd er net zo ver achter dat ze iets kon zien.

De vrouw die achter Volodya stond was prachtig. Ze had gitzwart lang haar en helgroene ogen. Een volbloed, dat was ze. Met slanke, lang gespierde benen, een getraind lichaam, glanzende manen en een arrogant opgehouden kop.

'Ibravimovish, mijn vriend!' riep Leeuwenhoek uitbundig. Hij strekte zijn armen wijd uit.

'Leeuwenhoek!' lachte Volodya, zijn *l* zwaar als dikke stroop.

De twee dirigenten omhelsden elkaar in Russische stijl, met veel geklop op elkaars ruggen. Leeuwenhoek draaide zich om.

'Volodya, mag ik je enkele van mijn oude en nieuwe orkestleden voorstellen? Dit is Hans Witteman, hij maakt sinds dit seizoen deel uit van onze blaassectie. Medina van de Beek, briljant op de altviool.'

Emma bleef achter de pilaar staan. Het liefst was ze weggerend, maar ze wist niet waarheen.

'En dit,' zei Leeuwenhoek terwijl hij Emma bij haar arm de groep in trok. 'Dit verlegen meisje is...'

'Gemma!' riep Volodya in verbazing.

Verlegen stak Emma haar hand op en zwaaide ermee. Spontaan gaf Volodya haar een knuffel, warm en intiem. Zijn arm bleef om haar schouder geslagen. Direct was dat speciale gevoel dat ze altijd bij hem had terug.

'Leeuwenhoek, ben jij zo slim geweest om deze prachtvrouw in je orkest op te menen?' lachte Volodya.

Alle ogen van de Bredase en Rotterdamse orkestleden waren op Emma gericht. Zijn arm voelde beschermend en warm.

'Leeuwenhoek, laat me je voorstellen aan de sopraan met wie ik op het moment werk en met wie ik bovendien ben verloofd: Eva Kurnikova.'

De lucht werd uit Emma's borstkas gerukt. Ze probeerde rechtop te blijven staan en haar gezicht net zo te houden als tevoren. De volbloed bood Leeuwenhoek een karakterloos handje terwijl ze ongeïnteresseerd de andere kant op keek. Emma keek haar glimlachend aan. In een perfecte wereld had ze Eva een kopstoot gegeven.

'Laten we allemaal naar de bar gaan,' stelde Leeuwenhoek voor. 'We moeten proosten op de terugkomst van een goede vriend en een prachtig concert!'

Ze liepen achterom, door de betonnen gangen. De andere meiden knepen Emma in de arm en fluisterden dat ze niet konden geloven dat zij Ibravimovish persoonlijk kende. In de bar kwam Emma twee plaatsen naast Volodya te zitten, schuin tegenover Eva. Vanuit haar ooghoek kon Emma haar onopgemerkt observeren.

Eva was prachtig.

Eva deed de hele avond geen bek open.

De tranen prikten achter Emma's ogen.

Eva was geen volbloed, maar een dekmerrie.

Emma wachtte tot ze de voordeur achter zich kon dichttrekken voordat ze haar tranen de vrije loop liet. Zíj had daar horen te zitten tegenover Volodya, niet Eva. Ze smoorde haar snikken in haar kussen. Urenlang bleef ze zo liggen. De eerste ochtendtrein denderde voorbij, het moest al zeker half zes zijn. Ze stond op. Over twee uur zou ze er weer vandoor moeten gaan om te repeteren, en ze was niet van plan haar collega's onder ogen te komen met opgezwollen ogen. Ze liep naar beneden, door de koude keuken naar de douchekast en plensde wat water in haar gezicht. In de spiegel boven de wastafel zag ze dat ze veel van een opgeblazen varken weg had. Roze neus, roze ogen, roze hoofd. Ze keek nog eens goed.

Jij zou naast hem wíllen zitten, maar je zult nooit degene zijn die er zit, fluisterde ze naar haar reflectie.

Ze schudde haar hoofd. Volodya was een genie, maar ook een man. Hoe goed zij ook met elkaar konden praten, hoeveel passie zij ook gemeen hadden.

In de competitie tussen een dekmerrie en een geëxplodeerde big zou zij het altijd afleggen.

Een week of wat later zat Emma in de artiestenkleedkamer voor zich uit te staren. Rondom haar liep iedereen in verwarring door elkaar heen. De sfeer was blij en uitgelaten. Ze waren eindelijk op tournee en hadden zojuist een concert gegeven in het concertgebouw in Den Haag. Emma kon bijna niet bevatten dat ze er daadwerkelijk had opgetreden. Hoe vaak had ze daar niet van gedroomd, als studente. Ze wilde dat ze de blijdschap meer kon voelen. Volodya had ze niet meer gezien, na hun laatste ontmoeting. Ze hadden elkaar wel aan de telefoon gehad, maar hij was erg druk geweest en daarbij scheen Eva nogal veel van zijn aandacht te vergen. Het enige lichtpuntje was dat Emma het gevoel had hierdoor als violiste te groeien. Bepaalde stukken begreep ze van de ene op de andere dag. Niemand kan zich inbeelden hoe het voelt als je hart breekt totdat het met het jouwe gebeurt. Ze had nooit verwacht dat het zo fysiek zou zijn. Ze voelde zich constant misselijk. 's Ochtends stroomden de tranen al uit haar ogen voordat ze ze had geopend. En elke dag werd het erger.

Ze studeerde meer en meer, tot laat in de nacht, om vervolgens de slaap niet te kunnen vatten. Met haar viool was ze bij hem, kon ze met hem spreken, was hij bijna tastbaar, totdat de laatste toon was vervlogen. En dan bleef het verlangen, de belofte. Ze bestonden nog samen, ook al was het enkel in muziek.

'Emma, er is iemand voor je,' riep Mischa, een van de bassisten, vanuit de deuropening. Hij keek verbaasd. 'Iemand van een platenmaatschappij.'

Het geroezemoes in de kleedkamer verstomde. Ook Emma wist niet helemaal wat ze ervan moest denken.

'Voor mij?'

Mischa knikte.

'Van een nieuw klassiek label, schijnbaar.'

Emma fronste. Iemand van een platenmaatschappij, wat moest die nou in hemelnaam met haar? Ze was tweede violiste.

Volodya, schoot haar door het hoofd. Hij had gezegd dat hij haar zou helpen en...

'Emma!' riep Mischa.

Ze schrok op.

'Zal ik hem binnenlaten?'

Ze keek naar haar collega's om haar heen. De meeste gezichten staarden vol ongeloof terug. Laura seinde met haar hoofd naar de deur.

'Ik kom wel naar buiten.'

Haar knieën knikten. Als dit toch eens waar zou kunnen zijn. *Eén kans is het enige wat je nodig hebt*, echoden Alex' woorden. Ze deed een schietgebedje. Eén kans op een solocarrière was alles waar ze om vroeg. Eén kans om zich aan te kunnen vastklampen.

Buiten stond een man te wachten. Hij zag er belangrijk uit, met zijn diepe zijscheiding en krijtstreeppak.

'Serge Wouda,' hij stak een melkwitte hand uit. 'Medeoprichter van het nieuwe label ICC. Ik ben met een nieuw project bezig waar je misschien geschikt voor zou kunnen zijn. Heb je even?'

Emma knikte en volgde hem de gang in, naar het bankje even verderop in de gang. Terwijl ze liep dacht ze aan Volodya. Hij had een droom van haar afgenomen, maar het leek alsof hij er een voor wilde teruggeven.

'Ten eerste gefeliciteerd met een formidabel optreden,' zei Serge. 'Ik kan niet anders zeggen, ik ben diep onder de indruk. Om maar met de deur in huis te vallen, het ICC is een klassiek platenlabel met als doelstelling klassieke muziek toegankelijker te maken voor jongeren. Scholen geven tonnen uit aan lichamelijke opvoeding, maar voor de geest, voor muziek, is geen geld meer over.'

Emma knikte, dat was juist iets waar ze zich over opwond.

'Wij werken aan een project om een serie cd's te maken die we in scholen zullen gaan promoten. Ik weet niet of zoiets je zou interesseren?'

'Uiteraard! Ik zou vereerd zijn.'

'Eerlijkheid gebiedt mij te zeggen dat je in het begin niet of nauwelijks betaald zult krijgen.'

'Meneer Wouda, het enige wat ik wil is spelen.'

'Dat dacht ik al, het is je aan te zien. Je pikt ze er altijd gelijk uit, de mensen die helemaal opgaan in de muziek. En noem me Serge, alsjeblieft.'

Emma bloosde.

'Dan is er nog wat anders. We zouden graag willen dat je zus ook deel uitmaakt van het project. Om die brug tussen populair en klassiek te bouwen.'

Emma's glimlach verstijfde.

'Denk je dat het haar zou interesseren?'

'Ik zal het vragen,' antwoordde ze beleefd.

'Geweldig. Ik heb haar management ook wel gebeld, maar die bellen nooit terug. Dus toen ik hoorde dat jij hier zou komen optreden, dacht ik: dit heeft zo moeten zijn! Hier is mijn kaartje, bel me zo snel mogelijk met het antwoord, het liefst morgen al, we willen snel beginnen.'

De volgende middag zat Emma op de bank in de zitkamer van haar antikraakhuisje in Amsterdam-Oost. Ze keek naar de schimmelvlek op de muur. Hij was groter en groener geworden het afgelopen jaar. In haar linkerhand had ze het kaartje van Serge Wouda, in haar rechter- de telefoon.

'Voor mij is dit ook niet leuk!' slaakte Alex met een diepe zucht in de telefoon. De zucht klonk alsof het uit haar tenen kwam.

'Alex, maak je nou alsjeblieft geen zorgen, ik dacht al dat het je niet zou interesseren, maar ik dacht: ik geef het toch maar door.'

'Maar nu voel ik me schuldig.'

'Dat is niet nodig. Ik geef het bericht alleen maar door voor het geval je wilt meedoen, het hoeft echt niet.'

'Nogal logisch dat ze mij willen. Ik ben hun enige strohalm, zonder mij gaat hun kansloze plan sowieso mislukken. Volgens mij moet jij het ook niet doen.'

Emma staarde naar haar voeten. Ook al dacht Alex dat het ICC haar alleen maar wilde omdat ze haar zusje was, dan hoefde ze dat toch nog niet meteen zo te zeggen?

Alles was stil in huis. Amy zat weer bij Tim, bij wie ze de laatste tijd eigenlijk steeds zat. Emma keek om zich heen. Het enige wat ze hoorde was hoe de wind door de kieren van het raamkozijn de huiskamer in waaide.

'Ze willen je alleen maar om mijn naam. Als je het doet moet je wel een goed contract afsluiten, hoor. Ik laat Fred er wel naar kijken.'

'Dank je,' zei Emma beledigd.

'Er ligt gewoon te veel druk op mij. Niemand heeft het mij uitgelegd hoe het moet, beroemd zijn. Ik heb de spelregels nooit ontvangen. Alles gaat maar om mij, mij, mij. Ik begin er behoorlijk genoeg van te krijgen.'

Het gesprek was snel afgerond, want Alex moest zich haasten om te gaan lunchen in het Okura met Fred. Emma moest wat moed verzamelen voor het tweede telefoontje, maar niet veel later had ze de nummers op het kaartje dan toch ingetoetst.

'Hallo Serge, met Emma van het Breda's Philharmonisch Orkest.'

'Ja, natuurlijk, Alex' zusje. Heb je haar al gesproken?'

Emma beet op haar onderlip.

'Ik ben bang dat het moeilijk gaat worden.'

'O. En waarom dan?' klonk Serge gekrenkt.

Emma verzon maar snel wat om zijn teleurstelling te verzachten.

'Nou, ze vond het project wel heel interessant, maar ze heeft er gewoon niet genoeg tijd voor op het moment.'

'Oké, oké, nou, daar valt in ieder geval mee te werken,' zei hij opgelucht. 'Heb je haar wel verteld dat het niet tijdrovend zou zijn? Een of twee optredens op scholen en een dag opnames is alles wat we nodig hebben.'

'Ik ben bang dat zelfs dat niet mogelijk gaat zijn, het spijt me. Maar als het enige troost is: ik ben nog steeds zonder twijfel van de partij!'

'Eh, ja, dat gaat alleen niet werken, natuurlijk. Niemand kent jou.'

Emma voelde haar hart in haar maag vallen.

Niemand kent jou, het klonk als een verwijt.

'Ja, het is leuk dat je het project zo goed vindt, maar zo gaat het niet lukken. Ik zou zeggen: probeer je zus nog eens over te halen. Geef mij anders even haar nummer, dan kan ik haar zelf het project uitleggen.'

'Sorry, haar nummer kan ik niet doorgeven.'

'O... Nou, als je dat niet wilt. Lijkt me niet echt een goede start van een samenwerking.'

'Dat is het niet, ik wil juist heel graag meedoen.'

'Ja, sorry hoor, maar waarom zou jij zonder je zus interessant zijn?'

En dat, dames en heren, was de vraag van tien miljoen.

Zelfverdediging

De tequila brandde door haar slokdarm. Ze moest kokhalzen, maar de schijf limoen waar ze in beet blokkeerde de boel.

'Nog één laatste?'

James, de hoornist die haar in de wereld van tequilashots had geïntroduceerd, seinde naar de barkeeper.

De barman gebaarde dat hij hem had gehoord.

'Nog een kleine weggooitequila?'

In zijn Vlaamse tongval klonk het drankje een stuk minder giftig.

Emma schudde van nee, maar strooide toch nog wat zout op haar hand. De bar was ruim en donker. De muziek stond hard, Emma wist niet wat voor een genre het was.

'Houd de limoen eens in je mond.'

Ze staarde naar James' onderarmen. Ze waren wit en er groeiden lange, rechte haren uit.

'Mond open,' beval hij terwijl hij een partje tussen haar tanden plaatste, de schil naar buiten gekeerd. 'Hap.'

De zurigheid stroomde langs de binnenkant van haar lippen haar mond binnen. James lachte.

'Niet bijten, eikeltje, vasthouden!'

Hij plaatste een vers partje limoen tussen haar tanden.

Ze probeerde zich op James' gezicht te concentreren teneinde de ruimte wat minder te laten draaien. Hij kwam dichterbij. De duisternis danste achter hem.

Het partje limoen viel tussen haar tanden vandaan en ze voelde James' mond op de hare. Zijn lippen waren nat, zijn tong drong haar mond binnen. Hij smaakte meer naar tequila dan zij. Op de een of andere manier smaakte het wel lekker, vanaf zijn tong. Een vleug vers zweet drong haar neus binnen en een warme gloed stroomde door haar lichaam. Opeens kreeg ze een overweldigende behoefte om in te ademen, om haar lippen harder tegen de zijne te drukken, of nee, haar lichaam, haar onderlichaam, daar waar het klopte.

Achter zich hoorde ze joelen en fluiten.

'Zouden jullie twee niet een kamer nemen?'

Schijnbaar was ze van haar kruk afgegleden, want ze bevond zich staande tussen de benen van James, haar kruis tegen het zijne gedrukt. Ze veegde wat speeksel van haar kin. De ruimte begon weer te draaien.

'Zullen we ervandoor gaan?'

'Onssshettend goed idee,' antwoordde ze.

Hoe ze precies op zijn hotelkamer waren gekomen, wist Emma niet meer, maar een half uur later lag ze in zijn bed. De opgewondenheid was verdampt. Al wat overbleef was een rationeel verlangen om voor eens en voor altijd van die maagdelijkheid af te zijn.

Een vinger baande zijn weg tussen haar benen.

'Wat ben je lekker strak...' kreunde hij in haar oor.

Het deed zeer.

'Je wordt nat.'

Ze hoopte dat ze niet te veel zou bloeden.

Hij klom op haar. Makkelijk ging het vervolgens niet. Hij zat er wel voor, maar hij kwam er niet in. Plotseling zette hij door. Het voelde alsof ze uit elkaar werd gescheurd en ze moest op haar tanden bijten om het niet uit te krijsen van de pijn. Ze greep zich vast aan zijn klamme borst. 'Heerlijk, zo'n geil wijf.'

'Wacht even,' fluisterde ze door haar tranen heen.

'Ja, maak me gek.'

Het leek eeuwig te duren voor hij er helemaal in zat en het scheuren iets afnam. Net toen ze dacht dat het ergste voorbij was begon hij op en neer te gaan. Het was te diep, hij stootte tegen haar baarmoeder of wat daar dan ook zat.

'Vind je 'm lekker?'

De pijn was rauw en misselijkmakend.

'Is-ie groot genoeg voor je?'

'Hum...'

'Heb je wel eens...'

Er was één lichtpuntje: door zijn dronkenschap realiseerde hij zich waarschijnlijk niet dat ze dit nog nooit had gedaan.

Terwijl ze eenzaam en in het donker onder de dekens lag gleed haar hand naar beneden. Het voelde klam en warm. Een druppel van het een of ander lag op een krulletje schaamhaar. Ze bracht haar vingers naar haar mond en stak het puntje van haar tong uit. Het proefde zout, niet metaalachtig zoals de smaak van bloed die ze had gevreesd. James deed de badkamerdeur open en hel licht stroomde de kamer in. Emma gluurde en merkte opgelucht op dat de toppen van haar vingers niet rood zagen.

Hij stapte de kamer in. Emma wenste dat hij een handdoek om zijn middel had geslagen, maar toch staarde ze nieuwsgierig naar het ding dat tussen zijn benen hing. Het was nog bijna net zo lang als toen het woest rechtop had gestaan, James zocht iets in een lade. Ze had geen idee wat hij kwijt zou kunnen zijn, ze waren nog maar net in het hotel ingecheckt, maar hij zei in ieder geval niets over bloed, en daar ging het om.

Ze wachtte totdat hij met zijn rug naar haar toe stond om op haar beurt de badkamer in te snellen. Ze deed de deur achter zich op slot en ging zitten op het toilet. Ze moest niet, maar het brandde wel. Zelfs de paar druppels plas deden pijn. Ze kon niet zien wat er tussen haar benen was gebeurd, maar ze had het gevoel dat ze door de gehaktmolen was gehaald. Wat ooit mooi en intact vlees was geweest, was veranderd in een tartaartje.

Ze stapte onder de douche. De druppels vielen als spelden op haar huid. Emma keek toe hoe de stroom water de afvoer in cirkelde en iets onzichtbaars van haar met zich meenam. Ze draaide de doucheknop dicht, veegde de condens van de spiegel en keek naar haar naakte lichaam. Het leek meer opgezwollen, vrouwelijker bijna. Ze had nog steeds dezelfde knokige schouders en knieën, maar haar borsten en heupen leken kneedbaarder. De lijn die de spieren van haar buik maakten leek als een pijl naar haar nu gedeelde intimiteit te wijzen. Ze keek totdat de stoom haar reflectie weer wegnam.

Toen ze de kamer eindelijk weer in stapte schreeuwden alle lichten volop. Emma trok de handdoek die ze om zich heen had geslagen wat dichter om zich heen. James stond in dezelfde kleren die hij voorheen aan had gehad naast het bed.

'Ik ga nog even naar de bar, als je het niet erg vindt,' zei hij.

Hij klonk heel normaal.

'Oké,' antwoordde ze.

'Ik had de heren beloofd tot sluit te blijven. Je mag mee als je wilt. Of hier blijven slapen.'

'Dat is goed,' knikte ze. 'Ik blijf wel hier dan.'

Hij liep op haar af en kuste haar mond. Ze wilde dat hij iemand anders was. Volodya. Of dat er zelfs maar iets van warmte tussen hen was, zoals met Raf.

Hij deed de deur open en draaide zich om alsof hij iets was vergeten.

'Ik hou van je,' zei hij.

'Ik ook van jou,' mompelde ze terug.

De deur viel in het slot. Emma keek beduusd voor zich uit. Wat was er in godsnaam gebeurd? Ze trok de dekens over zich heen. Ze waren te dun om geborgenheid te bieden. Ze wilde dat ze lekker op haar eigen kamer kon zijn, maar na wat er net was gebeurd was dat ondenkbaar. Ze was blij dat ze alleen was.

Ze kon de slaap niet vatten. Alles was zo snel gegaan. Ze was nog wel zo blij geweest dat ze in België zouden optreden. Iedereen in het orkest was blij, ze konden wel een oppeppertje gebruiken. Leeuwenhoek had een maand geleden tijdens de repetitie een licht hartinfarct gehad, iedereen was zich wild geschrokken. Leeuwenhoek zelf zou er met de schrik afkomen, maar het orkest bleef lamgeslagen in de afwezigheid van hun geliefde leider.

Emma drukte haar handen tegen haar slapen. Voor de ogen van iedereen had ze met James staan vrijen en was ze schaamteloos met hem mee naar zijn kamer gegaan. Wat zouden ze niet van haar denken?

Met lood in haar schoenen liep Emma de volgende ochtend naar de ontmoetingsplaats. Ze was al bijna te laat, de bus stond al klaar met ronkende motor. Een paar orkestleden stonden voor de open deuren nog een laatste sigaretje te roken. Emma bad voor een gat in de grond waarin ze kon verdwijnen. Of desnoods voor een gat waarin alle andere orkestleden konden verdwijnen.

Ze haalde diep adem en stapte de bus in. Laura en Lilly zaten vooraan, op dezelfde plekken als op de heenweg. Ze hadden beiden thermosflesjes thee in hun handen en zagen er slaperig uit. Laura mompelde goedemorgen alsof het een ochtend was als alle andere. Lilly's voorhoofd leunde zwaar tegen het raampje. Ze bewoog alleen haar hand om gedag te zeggen. Heel even stak de hoop de kop op dat het allemaal nog wel mee zou vallen.

'De volgende keer dat je tequila gaat drinken, kun je ons dan even van tevoren waarschuwen?' riep iemand vanachter in de bus.

Emma draaide haar gezicht naar beneden en hoopte dat niemand zou zien hoe knalrood ze was.

'En neem je je zus dan ook mee?' juichte iemand anders.

Een heel groepje, Emma vermoedde de blaassectie, begon te joelen.

'Net zo geil als d'r zuster!'

Het was onmogelijk dat wie dan ook in de bus het niet had gehoord. Jan en Magda, twee wat oudere orkestleden, keken fronsend op. Emma's hoofd begon te tollen en ze kreeg spontaan de hik. Mocht er nog enige twijfel bestaan of James en zij iets zouden hebben, dan was die zojuist weggenomen. Ze was geen meisje voor één nacht. En als ze die naam niet wilde krijgen, dan moest ze zich ook niet zo gedragen. Ze zag maar één mogelijkheid: ze moest minimaal drie maanden met James verkering hebben. Ze zag hem in het midden van de bus rechts alleen op een bankje zitten. Hij droeg nog steeds hetzelfde shirt als de avond ervoor. Ze haalde diep adem, liep naar hem toe en nam plaats. En zo had ze van de ene op de andere dag een vriendje.

Het moest er toch ooit van komen.

Blij om haar eigen huis weer te zien liep Emma in een stevig tempo onder het viaduct door. Een paar meter boven haar bulderde een trein voorbij. Zelfs toen de donderslag gepasseerd was bonsde haar hart nog in haar keel. In de verte liepen twee dames met boodschappenkarretjes, maar verder was de straat verlaten. De krokussen die Amy en zij bij de intrek van het pand in het tegenovergelegen plantsoen hadden geplant, staken hun kopjes alweer op. Er verscheen een glimlach op haar lippen. Hoe rumoerig ook, dit was haar stekkie. Ze had zin om naar de jeugdherberg te lopen en Raf gedag te gaan zeggen, maar ze bedacht zich toen ze het gewicht van haar weekendtas voelde en maar beter direct naar huis kon gaan.

Op de deurmat lag wat post, voornamelijk rekeningen. Dapper pakte ze ze op en bracht het stapeltje naar de keukentafel. Bovenop lag een brief van de gemeente. Een duizeling beving haar. Het was de brief die ze al sinds haar intrek in de antikraakwoning had gevreesd. Haar vinger gleed naar de bovenkant van de envelop en ze scheurde hem open. In de brief werd Amy en haar vriendelijk verzocht het pand binnen twee weken te verlaten.

Voordat ze te veel in paniek was om nog uit haar woorden te kunnen komen belde ze Tims huisnummer. Daar zou ze haar vriendin vast en zeker treffen. Amy zelf nam de telefoon op.

'Amy, slecht nieuws,' waarschuwde Emma. 'We moeten eruit! Ze hebben een andere bestemming voor onze woning gevonden!'

In gedachten zag Emma zich alweer in Eikelscha tussen twee kibbelende ouders op de bank zitten.

'O,' antwoordde Amy.

'Amy, blijf rustig! Er valt vast wel iets te vinden. Als we onze budgetten bij elkaar leggen, dan moet er wat te vinden zijn in Amsterdam. Ook al is het binnen twee weken. En ook al is er voor elke woning een wachtlijst van tien jaar.' Haar stem klonk hoger en hoger. 'O, Amy wat gaan we doen? We zijn niet eens werkgebonden!'

Het was stil aan de andere kant.

'Emma, ik moet je wat vertellen. Het spijt me heel erg, ik wist ook niet dat dit zou gaan gebeuren. Maar Tim en ik hebben het erover gehad en we willen bij elkaar gaan wonen.'

Emma's ogen sperden zich wijd open.

'Gefeliciteerd.'

De *Via Via* lag voor haar op schoot. Haar blik gleed over de woonadvertenties. Het was een enorme rij, half Amsterdam leek pandjesmelker te zijn geworden.

60 m², West. Half gem. 1200 euro.

Driekamerapp. 45 m², ideaal voor gezin. 950 euro.

Ze belde naar alle adverteerders die niet bij voorbaat een onmogelijk bedrag leken te vragen. Ze toetste weer een nummer in.

'Uitdenhaage,' klonk het aan de andere kant van de lijn.

'Ja, hallo, met Emma Weijman, ik bel voor de kamer.'

'Wacht even, ik schrijf je gegevens alvast even op. Hoe spel je Weijman, zoals Alex Weijman?'

'Precies.'

Ze hoorde wat gekrabbel.

'Nou, het gaat om een grote kamer. Het is de zolderkamer, dus je hebt veel privacy. De ligging is prachtig, vlak bij de Westergasfabriek. Ik vraag er vijfhonderd euro per maand voor. Dat is inclusief gas, licht en water.'

Ze zette een streep door de advertentie.

'Ik ben bang dat dat iets boven mijn budget ligt.'

'Aan hoeveel zat je zelf te denken? Ik neem aan dat iedereen dit zegt, maar geloof me, als je de kamer ziet dan wil je er wel wat extra's voor neerleggen.'

Hij had een prettige stem. Emma rekende zo snel ze kon.

'Rond de tweehonderdvijftig?'

Hij kreeg er een hoestaanval van.

'Succes ermee.'

De verbinding was verbroken. En dan te bedenken dat dat een van de betere telefoongesprekken was geweest. Bijna alles was te duur en niemand wilde een muzikant in huis.

Toen ze bijna de moed had opgegeven was het raak: een jongen die had gezegd dat muzikanten juist welkom waren en die een huur van tweehonderdvijfenzeventig euro in de maand vroeg.

Ze pakte haar tas. Voordat ze de flat boven het IJ zou gaan bekijken, had ze bij Alex afgesproken. Omdat Alex binnenkort weer voor een langere periode op reis zou zijn wilden ze nog even wat tijd met elkaar doorbrengen. Bovendien snakte Emma naar een vriendelijk gezicht. Ze sprong op de tram en keek naar de mensen om haar heen. Hoe deden mensen het in hemelsnaam? Hoe kon iedereen het zich veroorloven om in Amsterdam te wonen?

De stad trok aan haar voorbij. Met iedere halte begon het meer op het Amsterdam van de briefkaarten te lijken, de stad waarover werd gezongen. Grappig, in die volksliederen had ze nog nooit iets over huren van vijfhonderd euro voor tien vierkante meter gehoord. Emma stapte uit en wandelde de straat van haar zus in. Ze zag Azziz al zitten voordat ze door de draaideuren liep. Binnen was het veilig en warm.

'Hoi, Azziz. Alles goed?'

Azziz keek haar zoals altijd vrolijk aan.

'Prima, hoor, met mij altijd alles prima.'

De telefoon ging en Azziz moest opnemen. Emma stak haar hand op en liep naar boven. De deur stond al open. Ze was net haar schoenen op de mat aan het vegen toen Fred met grote vaart langs kwam stormen. Hij keek nauwelijks op en stormde verder zonder gedag te zeggen. Emma keek hem na terwijl hij de slaapkamer in verdween. Wat had hij nou weer?

Ze sloeg links de huiskamer in. Alex zat op de bank, omgeven door modebladen. *Vogue*, *Elle*, *Elegance*, ze lagen er in dozijnen. Ze was bruin gekleurd en droeg een witte kaftan. Haar dunne armpjes staken als lucifersstokjes uit de mouwen. Er waren nieuwe dingen bijgekomen in de huiskamer. Venetiaanse lampen stonden naast de bank, een kleinere bank stond aan de andere kant van de opiumtafel. Emma kuchte en Alex keek op.

'Pikkie!' riep ze uit.

Haar dunne luciferarmpjes staken hoog de lucht in. Emma liep op haar af en gaf haar een kus.

'Wat heb jij een goede kleur.'

'We zijn een paar dagen naar Saudi-Arabië geweest. Eén optreden, een miljoen dollar. Niet slecht toch?'

'Voor een paar dagen maar? Jeetje, je zult wel moe zijn.'

'Nee, hoor, want we vlogen privé. Moet je echt ook doen als je voor korte tijd ergens heen moet. Scheelt enorm.'

Emma moest lachen.

'Ik zal eraan denken, de volgende keer dat ik naar België ga. Maar deze keer hadden we de bus.'

Alex keek nadenkend.

'Nou ja, naar België is dat nog wel te doen.'

Emma deed haar jas uit.

'Hé, vertel eens, jij gaat zo naar een nieuw huis kijken? Weet je, volgens mij is dat helemaal zo slecht nog niet, die Amy is maar een slome. Het is wel dichterbij dan dat je nu woont, hoop ik?'

Emma deed maar alsof ze het gedeelte over Amy niet had gehoord.

'Ongeveer hetzelfde. Het is een klein huisje om te delen met twee anderen. De jongen klonk wel aardig.'

'Waar?'

'Ergens boven het IJ.'

Emma pakte haar tas en vouwde de kaart van Amsterdam uit. Alex schoof wat dichter naar haar toe. Emma wees de straat aan.

'Maar dat is helemaal aan de andere kant van de wereld!' Alex sloeg een arm om Emma heen. 'Als je zo ver weg gaat wonen kunnen we elkaar nooit meer zien.'

'Hoezo dan, we zien elkaar nu toch ook genoeg?'

Alex haalde haar arm van Emma's schouder. Ze frunnikte wat met haar nagels.

'Ja, ik weet niet zo goed hoe ik dit moet zeggen, maar Fred heeft liever dat je hier niet meer zo vaak bent.'

Emma keek Alex niet-begrijpend aan.

'Het is niet dat hij je niet aardig vindt of zo, maar hij vindt het niet leuk als hij thuiskomt van zijn werk en jou hier aantreft.'

Emma begreep er nog steeds niks van. Ten eerste mocht Alex toch zelf wel weten wie er bij haar op bezoek kwam. En daarbij had ze Fred nog nooit naar zijn werk zien gaan, laat staan ervan terugkomen.

'Als je nou ook in het centrum komt wonen, dan kan ik naar jou toe,' stelde Alex voor.

'Dat kan niet, het centrum is te duur.'

Fred kwam de kamer binnenlopen. Hij liet zich op de sofa tegenover hen vallen.

'Ik heb hier zo een afspraak. Kunnen jullie niet even weggaan?'

Emma lachte. In ieder geval had hij wel een gevoel voor humor.

Toen zag ze dat hij geen grapje maakte.

Emma keek opzij, naar haar zus. Alex keek alsof er niks aan de hand was.

'Zal ik een taxi bellen?' vroeg Alex. 'Dan ga ik mee naar die flat boven het IJ. Is misschien wel leuk, ik ben nog nooit boven het IJ geweest!'

De taxi kwam aangereden terwijl de zusjes naar buiten liepen. Alex keek vanaf de achterbank opgewekt naar buiten.

'Ik vind het wel leuk om doodnormaal in een taxi te zitten,' zei ze. 'Raar eigenlijk, hè, hoe je denkt dat je een limo met getinte ramen móét hebben? Af en toe is het wel goed om even zonder luxe te doen. En kijk, alles gaat goed!'

Emma keek haar zus aan. Ze zag er weer zo anders uit, met haar asblonde haarextensies die tot op haar billen reikten. Het leek wel alsof iedere keer dat Emma aan een nieuw uiterlijk was gewend Alex het weer veranderde.

'Doet hij dat wel vaker, vragen of je weg kunt gaan uit je eigen appartement?'

Alex stootte haar aan met haar elleboog.

'Em, hou je in,' bestrafte ze liefjes.

'Wat? Het is jouw huis, hij woont bij je in. Dat hij het gebruikt om zijn zaakjes te doen alla, maar om je nou je eigen huis uit te laten gooien?'

'Het huis is van ons allebei, ik heb de helft ervan op Freds naam laten overschrijven.'

Emma verslikte zich bijna.

'Waarom in hemelsnaam?'

Alex keek Emma aan alsof ze een klein meisje was.

'Je bent jaloers,' glimlachte ze.

'Wat? Nee, helemaal niet, ik...'

'Ik vind het wel lief, jullie zijn allebei jaloers op elkaar. Geeft niet hoor, ik begrijp het wel. Eerst was ik altijd alleen van jou, en nu moet je me delen.'

Emma schudde haar hoofd. Alex leek haar absoluut niet te begrijpen. Ze zag dat ze al in de straat waren aangekomen, dus ze hield haar mond maar. Het zag er deprimerend uit. Armoedig. Niet eens zozeer qua huisjes, ook al waren ze klein en stonden ze slecht in de verf, maar qua ziel. Niemand gaf er klaarblijkelijk genoeg om hun woning om de houten planken voor de ramen weg te halen.

'Em, je kunt hier niet gaan wonen, hoor!' zei Alex verschrikt.

Emma opende de autodeur.

'Wil je mee naar binnen?'

Alex keek haar aan alsof ze water zag branden.

Een mevrouw kwam van de verte aangelopen. Ze was schrikbarend dun, haar knieën waren het dikste gedeelte van haar benen. Ze belde aan bij nummer 16. Fronsend keek Emma naar het papiertje in haar handen. Slijstraat 16. De deur ging op een kiertje open. De vrouw zei wat en de deur ging weer dicht. De vrouw zette haar gewicht ertegenaan, maar was te laat, of te dun, hoe dan ook, de deur werd voor haar neus dichtgeknald. Ze begon te gillen en tegen de deur te schoppen.

'Hoe kan ik hier nou high van worden?' krijste ze door de brievenbus. 'Hoe kan ik hier nou high van worden?!'

Emma zag dat ze maar één tand in haar mond had. In paniek draaide Emma zich om naar Alex. Ook al woonde ze al anderhalf jaar in Amsterdam, hieraan zou ze nooit gewend raken.

Alex lachte vertederd.

'Maak je niet druk,' zei ze. 'Fred weet vast wel wat.'

Een dag later had Emma de sleutel van een flat in haar handen. Het lag zo'n beetje aan de Overtoom, maar dan in stilte verborgen in een klein steegje boven een biljartzaal. De woning was volledig ingericht met alles wat een mens maar kan wensen en ze zou er zo kunnen intrekken. Normaal gesproken had Emma het niet zo op de kleur groen, maar hier stond het rustgevend. Het had iets weg van een suite van een chic hotel. Zevenhonderdvijftig euro bedroeg de huur. Per week.

'Em, kom eens kijken naar de badkamer! Echt leuk!' gilde Alex.

Emma liep door de slaapkamer (wat op zich al een vreemde ervaring was om dóór een slaapkamer te kunnen lopen). Tegen de muur stond een groot tweepersoonsbed met kraakwitte, geborduurde lakens en achterin waren een paar treetjes naar beneden die links om het hoekje naar de badkamer leidden. De badkamer was niet groot, maar had een luxe, diep verzonken bad vanwaar je via het hoge raam de toppen van de bomen en de lucht kon zien. Het leek een poort naar de hemel.

Ze zuchtte.

'Alex, kunnen we hier weggaan?'

'Maar ík wil toch dat je hier komt wonen? Ja, anders maak ik al dat geld op aan auto's om naar je toe te komen, dus ik zie het punt niet. Uiteindelijk bespaar je me alleen maar tijd, en mijn tijd is duur.'

'Alex, alsjeblieft. Echt, ik vind het heel lief van je, maar ik heb nog twee dagen om iets nieuws te vinden voordat ik terug moet naar pap en mam, en ik moet verder zoeken.'

'Weet je hoeveel ik heb verdiend sinds we hier zijn?'

'Hoe bedoel je? In Amsterdam?'

'Nee, sinds we híér zijn, in dit schattige flatje dat ik voor je ga huren. Uit mijn hoofd iets van vijfhonderd euro. Deze week komt de kalender uit die ik samen met Fred heb geproduceerd, wat denk je dat we daarmee gaan verdienen? Daarbij heb ik Ed en alle andere managers ontslagen, dus...'

'Wat? Heb je Ed ontslagen?! Hoezo?'

'Em, Ed deed helemaal niets voor mij. Hij gebruikt mij om zijn nieuwe klanten te pushen, maar voor mij doet hij niets dan de telefoon oppakken als hij rinkelt. En daar krijgt hij twintig procent voor.'

'Weet je dat wel zeker?'

Alex keek Emma met een zachte blik in haar ogen aan.

'Zo willen ze precies dat je denkt, dat je ze nodig hebt. Maar ik ben groter en intelligenter dan zij. Ze waren mijn grootste kostenposten, en die zijn nu allemaal weg. Ik ga heel erg rijk worden, Em. Geloof me, dit appartement voor jou huren is voor mij hetzelfde als dat jij voor mij een colaatje zou kopen.'

'Nou, dat lijkt me toch wat anders.'

'Nee hoor, helemaal niet. Ik weet het goed gemaakt. Jij koopt zo voor mij een cola, en ik zet hiervoor mijn handtekening. Eerlijk is eerlijk.'

Later die week zat ze met Peter, James en Amy aan de bar van haar open keuken te eten. Ze had kip gemaakt. Kip uit de oven met aardappels, groente en gedroogd fruit van een recept dat ze in een kookboek in de keuken had gevonden. Het was nog lekker ook. Ze kon er nog steeds niet helemaal bij, dat zij daar daadwerkelijk woonde. De gordijnen hoefden overdag niet dicht om de tocht buiten te houden, er stonden geen kussens tegen de muren om de schimmel te camoufleren. Zelfs de verwarming werkte. Ze had een tekening van een violiste die ze op de markt in Breda had gevonden ingelijst en opgehangen, en al haar rommeltjes waren opgeborgen. Het liefst wilde ze het huis niet meer uit. Zelfs niet om te gaan repeteren met het Breda's Philharmonisch Orkest. Sinds de aankondiging van het vertrek van Leeuwenhoek was het hetzelfde niet meer.

'Weten jullie de overeenkomst tussen een dirigent en een condoom?' vroeg Peter.

Hij zat schuin tegenover Emma. Hij had zijn bord al leeg en zijn servet lag grondig gebruikt tussen de botjes.

'Het is veiliger om het met te doen, maar leuker zonder,' antwoordde James terwijl hij zijn kip afkloof.

Peter keek teleurgesteld.

'Oké, en het verschil tussen een dirigent en God?'

'God mag het weten, hij is geen dirigent,' wist James weer.

Emma had zin om hem te schoppen. Peters grapjes waren alleen leuk als je hem zelf liet antwoorden. Nog twee maanden en drie weken, hield ze zichzelf voor.

'Komt je zus ook vanavond?' vroeg James.

'Nee, hoezo?'

Hij haalde zijn schouders op.

'Zomaar. Lijkt me wel leuk om de schoonfamilie te ontmoeten. Hé, zagen jullie dat vanochtend, hoe Ribowski Laura op haar flikker gaf?'

Peter knikte.

'En de muziekkeuze van de leiding dan,' ging James door. 'Een nog vreemder programma en er komen alleen nog maar marsmannetjes kijken.'

'Ja, de kritieken logen er ook niet om. Wat stond er nou ook alweer?' zuchtte Emma.

'"Ribowski slaagt er niet in om het houterige orkest het publiek in vervoering te brengen",' citeerde Peter.

'Ja, wíj zijn houterig! Die Ribowski, die staat daar als een malloot te dirigeren, maar wíj zijn houterig. Vorig jaar schreef diezelfde man nog dat we subliem waren,' schreeuwde James bijna.

'Ach joh, die mensen kunnen zelf nog geen noot spelen,' probeerde Emma hem te bedaren.

Amy nam nog een slok wijn.

'Je bent wel negatief, hoor, Em.'

James moest lachen.

'Het is dat je bij de opera werkt, maar geloof me, je zou net zo negatief zijn.'

'Nee, onzin! Bij ons zitten er ook mensen die op alles afgeven, al is het dan omdat wij te populaire muziek moeten spelen. Maar uiteindelijk spelen we toch? Em, hoeveel mensen in ons jaar spelen er sowieso nog? Drie, vier? De rest is allemaal aan het lesgeven of iets anders aan het doen. Nou, dan mogen we toch blij zijn?'

Emma hield haar mond dicht. Ze had haar oma die middag gesproken en die had ook al gezegd dat ze zo negatief was.

De volgende dag was ze bij Alex langsgegaan. Fred was uiteindelijk alleen naar St. Tropez gegaan, op zakenreis, en Alex vond het niet lekker om alleen thuis te zijn. James had gevraagd of hij mee mocht, en Emma was maar wat blij geweest toen Alex zei dat het haar niet zo'n goed idee leek. James wilde de hele tijd maar overal mee naartoe, ontzettend irritant. Die nacht was hij nog blijven slapen, maar 's middags had ze hem de deur uitgebonjourd. Huppelend was ze in haar eentje bij Alex aangekomen.

Ze leek weer magerder te zijn geworden.

'We gaan lekker tv-kijken, goed?' zei Alex terwijl ze Emma binnenliet. 'Dan bestel ik een pizza. Farluccio's van om de hoek maakt de lekkerste vegetarische pizza's met kappertjes en courgette, wil je er eentje delen?'

'Ja, lekker,' zei Emma.

De volgende ochtend werd Emma wakker met een enorme jointkater. Haar hoofd leek gevuld met watten. Ze glipte de badkamer in om wat water te drinken en zag de gigantische kringen onder haar ogen. Haar huid zag eruit alsof hij die nacht was overleden.

'Ik voel me in ieder geval beter dan ik eruitzie,' mompelde ze in zichzelf.

Hoe Alex die dingen dag in dag uit kon roken was haar een raadsel.

Ze sloop via de slaapkamer, waar Alex nog opgekruld om een kussen lag te ronken, naar de keuken. Ze was maar net klaar met sinaasappels persen toen ze Alex hoorde stommelen aan de andere kant van het appartement. De koffie pruttelde in de ouderwetse Italiaanse percolator, de mango was in stukjes gesneden en ze had de juiste honing voor de yoghurt in de provisiekast gevonden. Ze zette alles op het dienblad. De koffie rechtsboven, jus links, mango en yoghurt in het midden, servet ernaast, precies zoals Alex het prettig vond. Voorzichtig om niets te laten vallen liep ze over de houten vloer van de hal en zette haar schouder tegen de slaapkamerdeur.

'Goedemorgen,' zei ze terwijl naar binnen ging.

Alex lag in bed de *Vanity Fair* te lezen. Drie kussens lagen onder haar hoofd gestapeld en de gordijnen waren al open.

'Je hebt me wakker gemaakt,' zei Alex bits zonder haar ogen van de *Vanity Fair* af te halen. 'Ik heb al in geen weken kunnen uitslapen en je hebt me wakker gemaakt.'

Emma liep naar Alex' kant van het bed en zette het dienblad met de pootjes naar beneden voor haar neer.

'Sorry.'

'Geen toast?'

'Ik kon geen brood vinden.'

Alex keek geïrriteerd op.

'De broodtrommel staat in de bijkeuken.'

Emma haastte zich naar de bijkeuken voor brood en roosterde het. Op het volgende dienblad, het hare, zette ze boter en jam. Met het overvolle blad in haar handen liep ze weer terug naar de slaapkamer.

Alex zat met een rood, betraand gezicht een stukje mango te eten.

'Wat is er?'

'Niks.'

'Alex, hou op! Wat is er?'

Alex keek zijwaarts. Haar mond was niets meer dan een streep.

'De koffie is te sterk.'

'O.'

Even was het stil.

'Nou, dan maak ik toch nieuwe,' probeerde Emma monter te blijven klinken. 'Dat apparaat van jou is niet echt makkelijk.'

Uit het niets greep Alex het dienblad en smeet het onder een luide krijs door de kamer. De koffie landde op het roomwitte tapijt, een blokje mango droop langzaam van de spiegel op de schoorsteenmantel.

In eerste instantie dacht Emma nog dat ze een grapje maakte. Ze probeerde te lachen, al was het maar om de spanning te doorbreken, maar ze hoorde zelf ook wel hoe onecht het klonk.

Alex stond op uit bed, nam een grote stap en gilde net zo hard tot Emma's trommelvliezen pijn deden. Het gillen leek niet eens tegen Emma gericht, maar tegen iets in Alex zelf. Ze hield zo plotseling op als ze was begonnen. Met haar handen nog steeds gebald naast haar lichaam, haar armen gespannen, schoot Alex de badkamer in en smeet de deur achter zich dicht.

Het was ineens stil in het appartement. Een oncomfortabele stilte waarin Emma alleen haar eigen hartslag kon horen en de steeds weer terugkerende vraag wat er in vredesnaam met haar zus aan de hand was. Ze keek naar de koffie die in grote vlekken op het tapijt had achtergelaten, het dienblad dat in een hoek lag, het botervlootje dat tegen de muur kapot was gegooid. Emma maakte aanstalten om de bende op te gaan ruimen, maar het voelde te raar om dat ook daadwerkelijk te doen. Ze liep naar de badkamerdeur en legde haar hand op de deurknop.

'Alex?' sprak ze tegen de stilte achter de deur. 'Alex, wat ís er nou? Ik heb helemaal niks gedaan!'

Alex opende de badkamerdeur wagenwijd. Ze droeg niets behalve een roze, doorzichtig slipje. Haar ribben staken uit haar zij en haar billen waren plat en verdwenen.

'Nee, inderdaad, je hebt helemaal níks gedaan. Deed je maar eens wat! Zelfs die kutkoffie kun je nog niet maken!'

Emma stond sprakeloos.

'Ja, wat stá je daar nou?! Ik moet godverdomme voor iedereen zorgen, gisteravond kom je hier weer met je problemen, en alles wat ik zeg is stom!'

Alex begon weer te huilen.

'Ik doe álles voor íédereen en jij kunt nog geeneens een ontbijt voor me maken! Je gebruikt me.'

Emma keek naar haar blote voeten. Haar tenen wiebelden, die wisten ook niet wat ze moesten doen.

'Sorry,' piepte Emma in de hoop dat dat de dingen beter zou maken.

Alex draaide zich om en deed de deur dicht.

Emma hoorde de douche aan- en uitgaan. Ze trok haar kleren maar vast aan. Tien minuten later kwam Alex weer naar buiten. Haar haar was nat en ze droeg een lang T-shirt. Ze leek een stuk kalmer.

'Ga maar naar huis, we spreken elkaar snel, oké?'

Haar stem had de scherpte verloren, maar toch leek het Emma niet zo'n verstandig idee om nu op te stappen.

'Nee, echt, ik heb wat tijd voor mezelf nodig,' zei Alex terwijl ze Emma naar de deur bracht. 'Ik ben de oudere, dus dan is het normaal dat ik altijd dingen voor jou moet doen.'

Zachtjes werd Emma het huis uit geduwd.

Miss-contentment

'Och kind, ik vind het zo lief van je dat je me hier mee naartoe hebt genomen. Ja, het is natuurlijk jammer dat ik niet alles kon horen, maar ik heb enorm genoten!'

De roodgeverfde lippen in het gerimpelde gezichtje vormden de mooiste lach ter wereld. Emma glimlachte terug. Dit had ze veel eerder moeten doen, haar oma meenemen naar een repetitie in Breda. Oma kneep nog eens in haar arm.

'Er zijn mensen in het bejaardenhuis die nooit bezoek krijgen. Af en toe vraag ik me af waar ik dit toch allemaal aan heb verdiend.'

Ze stonden achter de Grote Kerk, waar de winkelstraatjes begonnen. De kinderhoofdjes waren verre van ideaal voor een rollator, maar oma gaf geen kik.

'Als we nog een stukje wandelen voordat we de trein in gaan, zullen we dan die richting op gaan?' vroeg Emma terwijl ze naar een kant wees waar de bestrating beter was.

Oma's gehoorapparaten piepten hoog en scherp. Al jaren ontsierden ze haar oren.

'Ja, lekker, ik lust wel een borrel,' antwoordde ze. 'Zeg, wat een áárdige mensen, die collega's van jou.'

Emma wees naar haar oma's oren en seinde dat haar batterijen weer op waren.

'O, sorry lieverd,' zei oma verschrikt. 'Piep ik al lang?'

Haar door reuma verwrongen hand haalde het linker gehoorapparaat uit haar oor en gaf de batterij een por.

'Ideaal, deze dingen. Het zijn toch maar cadeautjes van de verzekering, vind je niet? Ik heb maar geluk dat ik de moderne techniek tot mijn beschikking heb om me aan de praat te houden.'

Oma wees naar een kroeg in een zijsteegje.

'Daar zullen ze vast wel een goede borrel schenken.'

Dat deden ze inderdaad. Oma stond erop dat ze Emma op een drankje trakteerde en ze ging zelf naar de bar, met rollator en al.

'Zo, schoonheid, wat mag het wezen?' vroeg de barman.

'Nou, als je het zo vraagt wil ik wel graag een borrel en een witte wijn, en je mag een euro houden als fooi.'

Emma wist niet zeker of ze het goed zag, maar het leek er veel op dat oma ongegeneerd met haar wimpers aan het knipperen was. Oma dronk haar borrel, daarna nog een. Uiteindelijk moesten ze zich nog haasten om de trein naar Eikelscha niet te missen. Vader zou hen om vijf voor zes staan opwachten op Eikelscha-Noord. Toen de trein stopte zette Emma snel de rollator op het perron en vader rende op hen af om oma de coupé uit te helpen voordat de deuren weer sloten.

'Hallo, meisjes, wat gezellig dat jullie komen eten!' zei hij nadat oma veilig en wel uit de trein was geladen.

Op het perron was het stil. Op het perron tegenover dat van hen stond een jongen met een grote schooltas te wachten, verder was het er verlaten. Erachter zag Emma Eikelscha liggen. De huizen stonden keurig op een rij, de bomen waren gesnoeid, alles was perfect geordend en overzichtelijk. Er leek geen gevaar te zijn. Er gebeurde nooit iets onvoorspelbaars. Dat was eigenlijk precies waarom Alex nooit zin had om ernaartoe te gaan.

'Het is allemaal zo klein,' klaagde Alex altijd. 'Zelfs de borden en het bestek thuis zijn klein. Ik hou niet van klein. Ik nodig ze wel uit in Asia de Brasil. Volgende week of zo.'

Niet dat ze het idee ooit uitvoerde, maar de intentie was goed.

Emma liep met oma aan haar arm vooruit, want die rolstoelvriendelijke afdaling naast de trap was levensgevaarlijk voor een rollatorgebruiker. Vader liep achter hen, achteruitlopend, de handremmen van de rollator stevig dichtknijpend. Emma glimlachte. Waarom ze niet vaker langsging was haar een raadsel. Het leek altijd zo veel moeite, maar als ze er eenmaal was, dan was ze altijd blij dat ze het had gedaan.

Ze liepen het parkeerterrein op. Er stond maar één auto, een gouden Mazda met metallicgroene deuren. De uitlaatpijp hing bijna op de grond.

'Kijk eens,' zei vader terwijl hij trots naar de nieuwe auto wees. 'Je hebt hem nog niet gezien, hè, Bette?'

Vader deed een metallicgroene deur open. Bette maakte gepaste goedkeurende geluiden.

'Ja, Alex wilde weer bijspijkeren voor een of andere Duitse auto, een BMW of zoiets, maar er gaat niets boven een Japanner.'

Emma klom achterin. Het was vijf minuten, de weg naar huis, twaalf in vaders tempo. Het bood Emma de tijd om haar ogen goed de kost te geven. Het weiland naast de Spar was verdwenen. Er stond nu een groot grijs gebouw.

'Dat worden allemaal appartementen,' legde vader uit. 'Het moet in drie maanden uit de grond worden gestampt, ik ben benieuwd.'

Ze sloegen een zijweg in en reden een pleintje op. De planmatige inrichting van de buurt bleef Emma fascineren. Elk pleintje was een exacte kopie van het volgende. Als een puzzel pasten ze zo in elkaar dat er geen stukje overbleef.

Harold Tuinman, de buurman van drie huizen verderop, liep langs het plantsoen met een vol boodschappenkarretje. Vader stopte de auto even om gedag te zeggen.

'Zo, Emma,' zei Harold terwijl hij de auto in keek, 'ben je weer eens bij je ouders langs? Komt je zus ook nog? En wanneer komt dat orkest van je nou eens naar Eikelscha zodat we jou ook kunnen bewonderen?'

Vanuit haar ooghoeken zag Emma de gordijnen bij mevrouw Van Trier bewegen. Ze moest haar best doen om niet in lachen uit te barsten. Het waren dezelfde gehaakte gevalletjes die er twintig jaar geleden ook al hingen.

'Ja, onkruid vergaat niet, hoor,' lachte Harold Tuinman toen hij in de smiezen kreeg waar Emma naar keek. 'Jullie eten lekker kip met aardappeltjes vanavond, vertelde Helen.'

Het was ongelooflijk dat mensen dat soort trivia van elkaar wisten. Nog iets wat Alex altijd zo stoorde: gebrek aan anonimiteit. Wat ook wel weer een rare opvatting was voor iemand die net een kalender met foto's van zichzelf op de markt had gebracht.

Ze zeiden gedag en vader reed het parkeerterrein voor hun huis op. Moeder stond al door het keukenraam te zwaaien. Ze wees naar haar schort en mimede dat ze niet kon opendoen. Emma zocht naar haar sleutelbos in haar tas, terwijl vader oma uit de auto hielp. De warmte kwam haar tegemoet toen ze de deur opende. Moeder stond achter de pannen.

'Hoi, mam! Zo, al druk bezig?'

'Ja, ik dacht, het is al zes uur, laten we maar snel aan tafel gaan.'

Emma gaf haar moeder een zoen. Vader, oma en meer zoenen volgden.

'Kan ik iedereen wat te drinken inschenken?' vroeg moeder terwijl ze haar handen aan haar schort afveegde.

'Nou, een borreltje lijkt me wel lekker,' glunderde oma.

'Gezellig, dan neem ik een glaasje sherry!'

Moeder kwam de huiskamer weer in met drankjes, nam een flinke teug van haar sherry en greep een fotoboek onder het kussen vandaan naast zich op de bank.

'Emma, ken je die aardige moeder van Lotte die bij jou in de klas zat nog?' vroeg ze terwijl ze het boek op schoot nam.

'Volgens mij zat er geen Lotte bij mij in de klas.'

'Jawel, hoor, blond meisje. Ze had een broertje dat Jan heette.'

Ook dat deed geen belletje rinkelen.

'Nou, hoe dan ook, die moeder is heel ziek geweest, ze had het aan haar nieren. Vreselijk, ze kon geen stap vooruit doen zonder dubbel te klappen van de pijn. Dat heeft de buurvrouw van rechts ook gehad, hè? Of nee, dat waren aambeien.'

'Helen, we hoeven niet de hele medische geschiedenis van het pleintje te horen,' merkte vader op.

'Nou ja, hoe dan ook, die moeder werkt op de fotoafdeling van de V&D en ze heeft alle foto's uit Alex' kalender verkleind zodat ik ze ook in het boek kan plakken.'

Ze sloeg het album open bij een pagina waar een rood stickertje tussen zat.

'Dit is mijn lievelingsfoto.'

Oma kreeg ongevraagd het boek in de handen gedrukt. Ze bladerde erdoorheen. Moeder keek met een gelukzalige blik over haar schouder mee.

‘Hoe gaat het met de repetities van Mahler?’ vroeg vader op gedempte toon. ‘Het moet wel spannend zijn zeker, om het werk van een van je favoriete componisten voor te bereiden?’

‘Mahler is prachtig. Maar heb je wel eens geprobeerd er drieëndertig keer achter elkaar naar te luisteren?’

Zo gauw ze de teleurstelling in haar vaders ogen las had ze spijt van haar eerlijke antwoord.

‘Maar ik ben aan het spelen, pap. Ik doe wat ik altijd heb willen doen.’

Terwijl ze sprak bedacht ze zich hoeveel ze het miste, écht muziek maken.

‘Mis jij het spelen nou nooit?’ vroeg ze zachtjes.

Vader trok zijn schouders op.

‘Ik hou meer van de muziek dan muziek van mij. Maar ik hou te veel van haar om haar de rug toe te keren.’

Hij keek stilletjes voor zich.

‘Leer van de fouten van je oude vader, meisje. Geef nooit op.’

Ze bleef die nacht logeren. Het voelde fijn om weer in haar kleine harde eenpersoonsbed te liggen. Af en toe voelde het leven, op momenten als deze, wanneer alles zo heerlijk gestagneerd was, veilig en vertrouwd.

De volgende ochtend zat ze weer in de trein naar Breda. Ze staarde naar de boterhammen die haar moeder haar had meegegeven. Het waren twee bruine sneetjes met kaas in een boterhammenzakje, dat keurig was dichtgebonden met een sluitclipje.

De trein kwam tot stilstand. Op Eikelscha was de trein al twintig minuten vertraagd, maar nu zou ze haar verbinding zeker missen. Emma pufte.

Ribowski, de nieuwe dirigent, waardeerde het niet als je te laat kwam.

‘Niet weer!’ mopperde de mevrouw naast haar.

Ook zij was op Eikelscha-Noord opgestapt.

‘Ja, het zit niet mee vandaag,’ stemde Emma in.

‘Ben jij niet dat zusje van Alex Weijman?’ vroeg de dame met luide stem.

Emma knikte. De rest van de coupé draaide zich om.

'Dat moet wel vervelend zijn, hè, als iedereen dat de hele tijd vraagt.'

Emma glimlachte beleefd.

'Ja, een beetje wel, af en toe.'

'Wat is nou het meest vervelende wat mensen vragen?'

'Waarschijnlijk precies die vraag,' zei ze zo guitig mogelijk, hopend dat de dame de hint zou oppikken.

Het gezicht van de dame vertrok.

'Wat is daar dan vervelend aan?'

Haar boblijn schudde driftig met haar hoofd mee.

'Niks, zo bedoelde ik het niet. Maar kent u de film *Groundhog Day*, waarin Bill Murray elke ochtend op dezelfde dag ontwaakt? Nou, zo voelt zo'n gesprek ongeveer.'

'Ben je jaloers op d'r dan?'

Emma zag hoe twee hoofden langzaam hoger en hoger boven een bankje verderop uitstaken.

'Ik bedoel alleen maar dat íéder gesprek na de duizendste keer begint te vervelen,' probeerde Emma met ingehouden stem de dame te overtuigen dat ze niets slechts in de zin had.

'Nou volgens mij ben je wel degelijk jaloers, anders zou je het niet erg vinden om naar je zus te worden gevraagd,' zei een coupégenoot een eindje verderop.

Emma sloeg de partituren die ze al vanbuiten kende open.

'Ook goed,' mompelde ze.

'Je hoeft heus niet te denken dat je beter bent dan anderen, hoor, omdat je zus een ster is!'

Ze zuchtte. De meneer tegenover haar maakte een gebaar met zijn hand dat ze iedereen maar lekker moest laten kletsen. Zijn vrouw keek hem pinnig aan, ook zij leek te popelen om ook iets te mogen zeggen. Emma dook nog wat dieper in haar partituur. De treinreis leek een eeuwigheid te duren.

In Breda bleek dat ze niet eens zo veel oponthoud had gehad. Ze was maar een paar minuten te laat. Voorzichtig deed ze de deur van de repetitiezaal open en sloop naar binnen.

'Gave oma heb je,' fluisterde Peter even later. 'Kwiek, voor haar leeftijd.'

Emma schrok op. Was ze toch bijna in slaap gevallen. Ze pakte de blocnote die naast haar op de grond lag.

Haar recept: altijd je hoofd hoog houden, krabbelde ze op het papier, *en twee borrels per dag,* en gaf het aan Peter.

Het was wel een goed systeem, hun blocnote. Zo hadden ze tenminste wat te doen.

Hun aandeel in Mahler was bijna nihil. Uren zaten ze te wachten, en als ze eindelijk wat mochten spelen was het iets eentonigs.

Het lijkt te werken, kreeg ze terug.

Emma glimlachte flauwtjes. Zeven uur nog, vertelde de klok, dan waren ze vrij. Ze hoopte dat Albert Heijn nog macaronischotels zou hebben.

Midden in de nacht rinkelde de telefoon.

O, nee, niet weer...

Ze stopte haar hoofd onder het kussen. Sinds de kalenders die Alex met Fred op de markt had gebracht massaal in de winkels bleven liggen, had Alex de gewoonte ontwikkeld Emma elke dag op te bellen. Het maakte niet uit op welk uur, als Alex wilde bellen dan belde ze.

Het rinkelen hield aan.

Nou, wakkerder zal ik niet worden, bedacht ze zich. Haar hand tastte al naast zich.

'Gemma!' hoorde ze terwijl ze de hoorn nog maar net van het toestel had getild. 'Bel ik je wakker?'

Direct zat ze rechtop in haar bed. Haar vinger drukte op de knop van haar nachtlampje.

'Nee, hoor, helemaal niet, ik was net iets aan het, eh... doen.'

Volodya lachte.

'Hoe gaat het met het mooiste meisje van Nederland?'

Emma legde de telefoon op het kussen naast haar gezicht en deed haar ogen dicht.

'Ik ben in Amsterdam,' zei hij. Het klonk alsof hij vlak naast haar lag. 'Ik moest naar een diner, dus ik kon je niet eerder bellen. Kom je morgen?'

Haar duim aaide over de stof van het kussen naast haar.
'Hoe laat?' fluisterde ze.
'Ik bel je morgen.'

De volgende ochtend stond ze vroeg op. Ze keek wat tv, schrobde de keuken, stond tijden voor de spiegel om te beslissen of de rok en blouse die ze droeg niet verraadden dat ze te hard probeerde. De telefoon hield ze in de gaten als een moeder die haar kind voor het eerst laat zwemmen.

Het was ver na negen uur 's avonds toen de telefoon eindelijk ging. Emma stond op ontploffen.

'Ik ben in de lobby van het hotel,' was het enige wat hij zei. 'Kom je?'

'Is goed. Ik kom eraan.'

Ze rende naar buiten. Ze had mazzel, de tram kwam er net aan. Haar hart bonsde zo snel dat ze het liefst direct rechtsomkeert maakte.

Bij het hotel zat hij al op haar te wachten in de bar, op hun vaste plaats. Iedere keer weer stond ze ervan te kijken dat iemand die niet knap was er zo waanzinnig aantrekkelijk uit kon zien. Er prijkte een ringbaardje om zijn mond. Het stond hem nog goed ook. Hij lachte terwijl ze op hem af kwam lopen.

'Gemma, mijn liefste.'

Hij sloeg zijn armen om haar heen. Heel even verborg ze haar hoofd in de warme welving van zijn schouder.

'Wat wil je drinken?'

'Hetzelfde als jij.'

Ze ging naast hem zitten op de dieprode sofa en hij nam haar hand in de zijne. Zo zaten ze wel vaker.

Het kippenvel stond op haar arm. Ze waren zo perfect samen, zo absoluut perfect. Maar er was Eva. En James natuurlijk, maar die was maar tijdelijk.

'Ik heb je gemist,' zei hij zacht.

Emma slikte. Zijn duim aaide de palm van haar hand.

'Je bent mooi. Zie je iemand op het moment?'

Ze probeerde haar ogen voor zich te laten spreken. Woorden konden zo definitief zijn.

‘Ben ik te laat?’ vroeg hij.

Het bloed suisde door haar hersenen. Ze wilde dat ze het lef had om ‘nooit’ te zeggen. Dat hij nooit te laat zou zijn.

‘Zeg het me: heb ik mijn kans gemist?’

De tweestrijd tussen haar angst en haar verlangen resulteerde in een dikke traan over haar wang.

Hij veegde hem af met zijn vingertoppen en nam haar gezicht in zijn handen.

‘Je bent mooi,’ herhaalde hij.

Zijn gezicht kwam dichterbij en zijn hand gleed over haar hals.

‘Dit wilde ik al doen op het moment dat ik je voor het eerst zag,’ fluisterde hij. ‘Kom je mee naar mijn kamer?’

Ze kon geen ja zeggen, geen van beiden waren ze vrij.

‘Kom mee,’ herhaalde hij, terwijl hij haar gezicht iets van zich afhield om haar in de ogen te kunnen kijken.

Ze gingen zwijgend.

Slapend leek hij een ander gezicht te hebben. Harder, op de een of andere manier. Ouder. Misschien was het omdat hij zijn ogen dicht had en hun glinstering de aandacht niet van zijn rimpels kon afleiden. Of was het ontmaskerd zelfbedrog?

Het was niet helemaal geweest zoals ze had gedroomd. Ten eerste was hij lang halfstok gebleven. Of erger nog: een vaandeltje. En zo had ze de eerste momenten in Volodya’s bed doorgemaakt, naakt en onzeker, met een slap aanhangsel in haar hand als bewijs dat ze zelfs met haar kleren uit nog niet opwindend voor hem was. Uiteindelijk was hij niet klaargekomen. Zij ook niet, al had ze beleefd gedaan van wel, wat niet makkelijk was geweest aangezien hij haar nauwelijks had aangeraakt op plaatsen waar je een orgasme zou kunnen aanwakkeren, maar toch leek hij het wel op prijs te stellen.

Nadat ze waren gestopt rolde hij zich om. Zijn achterste raakte haar dij lichtjes. Ze probeerde zolang ze kon wakker te blijven. Die billen gaven een warmte waar ze zich aan vastklampte.

Toen Emma wakker werd was Volodya al roomservice aan het bestellen. Hoe lang ze precies had geslapen wist ze niet. Ze bleef stil liggen en sloeg hem gade. Hij had een breed, rommelig litteken dat van de ene naar de andere kant van zijn buik liep. Het zag er gemeen uit. Het deed haar beseffen hoeveel ze nog niet van hem wist.

'Ik moet opschieten,' zei hij. 'Doe jij open voor de roomservice, dan ga ik douchen. Je hoeft alleen maar te tekenen.'

Ze keek hem na terwijl hij de douche in verdween. Zijn rug was breed en gespierd.

Ze kon bijna niet bevatten dat alles wat er gebeurde echt was. Hoe vaak ze hier niet van had gedroomd, om in zijn armen wakker te worden. Ze legde een extra kussen onder haar hoofd en probeerde alles in zich op te nemen. Het bed was groot en zacht, de kleuren in de kamer waren rijk, de materialen van een decadentie die een vijfsterrenhotel waardig waren.

Er werd op de deur geklopt. Emma glipte in de badjas die naast haar op een stoel lag en deed open. Een meneer in een strak wit pak kwam binnen. Hij droeg een zilveren dienblad met koffie, verse jus en broodjes.

'Als u hier kunt tekenen?' zei hij terwijl hij het blad op het tafeltje in de hoek plaatste.

Hij bood haar een zilveren pen. Een ondeugend glimlachje verscheen op haar mond.

'Natuurlijk.'

Emma Ibravimovish, pende ze.

'Alstublieft.'

Ze pakte een croissant uit het mandje en zette haar tanden erin. Het broodje was perfect, knapperig van buiten, vol en vet van binnen. Volodya kwam de kamer weer in. Hij had een handdoek om zijn middel geslagen. Hij liep langzaam op haar af en pakte haar bij haar kin zodat ze niet anders kon dan hem recht in de ogen kijken. Ze voelde zich direct weer zoals de avond ervoor, zoals ze zich altijd voelde in zijn aanwezigheid.

'Ik ben blij dat dit is gebeurd,' zei hij.

Zijn stem klonk zacht en donker. Er lagen nog wat waterdruppels op zijn borsthaar.

'Ik wil dat je me iets belooft,' zei hij.

Emma knikte.

'Zeg niks tegen je vriendje, oké? Ik wil dat je hier goed over nadenkt. Beloof je me dat?'

Terwijl Emma naar de neutrale gezichten keek om haar heen in de tram vroeg ze zich af hoe ze in vredesnaam de hele dag met James zou kunnen doorbrengen zonder het hem te vertellen. Gelukkig kwam ze eerder dan hij aan op de Overtoom en had ze nooit de sleutel laten maken waar hij om zeurde, want haar kin en het puntje van haar neus waren alleszeggend rood. Ze was haar kin nog aan het camoufleren toen de deurbel ging. Ze controleerde haar gezicht een laatste maal en liep naar de deur.

James stond in de deuropening en maakte snelle bewegingen met zijn handen alsof hij een cowboy was met pistolen in zijn hand.

'Hé, ben jij niet het zusje van Alex Weijman?' lachte hij in de deuropening.

Hij gaf haar een sixpack bier en een lange kus.

Ze moest iedere vorm van gevoel afsluiten om ze te accepteren.

'Zullen we een stukje wandelen in het Vondelpark?' stelde hij voor.

'Graag,' zei Emma. Alles beter dan binnenblijven.

Ze staken de Overtoom over en sloegen het Kattenlaantje in dat naar het park leidde. Emma registreerde niets van James' onafgebroken geratel. Terwijl ze voorbij de speeltuin en de vroege zonaanbidders liepen was ze in gedachte bij Volodya. Ze voelde zijn armen weer om haar heen, zag zijn gezicht, hoorde zijn stem. Ze kon niet wachten tot ze weer bij hem zou zijn. Ze bedacht dat ze zodra ze thuis was Alex zou bellen om te kijken of ze een jurk zou mogen lenen voor als ze die avond uit eten zouden gaan.

'Je straalt helemaal,' zei James. Hij trok haar naar zich toe. 'Ik ben blij je zo gelukkig te zien.'

Had ze zich daarvoor nog schuldig gevoeld over het feit dat ze zich eigenlijk helemaal niet zo schuldig voelde, dan was dat met één opmerking van James opgelost. Ze kon wel door de grond zakken.

Het was nog maar elf uur, zag Emma toen ze thuis waren. Het zou een heel erg lange dag worden. Ze liep naar de slaapkamer.

'Ik moet even een telefoontje plegen, oké?'

'Naar je zus?'

Emma rolde met haar ogen terwijl ze de deur dichttrok. Alex zou het vast niet erg vinden, dacht ze, als ze een jurk van haar zou lenen. Ze wist dat Alex in Monaco was voor de MTV Awards, maar Azziz zou haar kunnen binnenlaten. Ze toetste het nummer in. De telefoon ging over. Er was wat gestommel en plotseling hoorde ze Alex heel hard huilen.

'Alex, wat is er?' vroeg ze verschrikt.

James stak zijn hoofd om de deur.

'Doe haar de groeten van me?' fluisterde hij.

Met een handgebaar stuurde Emma hem weg.

Het huilen ging door. Emma ging op bed zitten en gaf haar maar even om op adem komen.

'Em,' klonk Alex zwakjes terwijl ze haar snikken onder bedwang probeerde te krijgen. 'Em, wil je hier alsjeblieft naartoe komen?'

'Wat is er aan de hand?'

Alex begon te gillen.

'Emma, kom hierheen, ik heb je nodig! Nu!'

Alex gilde nog twee keer, heel hard. Emma probeerde rustig te klinken.

'Natuurlijk kom ik, lieffie. Als ik zo snel mogelijk een vlucht boek kan ik er morgenochtend, misschien vanavond al zelfs wel zijn.'

'Nee, nu! Er gaat een vliegtuig om het uur, op Nice neem je de helikopter. Nu!'

Geschrokken luisterde Emma naar de hysterie in Alex' stem. Ze had nog willen protesteren dat ze het geld niet had om helikopters te nemen, maar het leek haar niet het geschikte moment. Ze kreeg nog maar net de gelegenheid om het adres van het hotel op te schrijven.

'James, ik heb je nodig!' riep Emma terwijl ze haar tandenborstel en een paar kleren in een tasje gooide.

'Ik ben tv aan het kijken!' riep hij uit de huiskamer.

'Mijn zús heeft je nodig!'

Direct stond hij in de deuropening.

'Er is iets mis, ik moet er zo snel mogelijk heen. Bel jij alsjeblieft naar de vliegtuigmaatschappijen om te kijken hoe laat de eerste vlucht naar Nice gaat?'

James reserveerde een ticket en bracht haar naar Schiphol.

'Weet je zeker dat ik niet mee moet?'

'Ja, James, dat weet ik heel zeker.'

De helikopter raasde over zee. De piloot meldde door de koptelefoon dat ze Monaco in de verte al kon zien liggen. De klok in de cockpit gaf kwart voor twee aan. Onder andere omstandigheden had ze genoten van de vlucht, de achthonderd euro die het haar had gekost om zich twee uurtjes busreis te besparen buiten beschouwing gelaten. Maar het ging niet goed met Alex, de laatste tijd. Haar laatste single was totaal geflopt, haar kalender verkocht in geen enkel werelddeel, de ontwikkeling van een kledinglijn was vlak voor de opening van de eerste winkel gestaakt en zij en Fred waren de enige investeerders geweest.

Alex en zij hadden elkaar al dagen niet gesproken en door de gebeurtenissen met Volodya was ze niet erg attent geweest. De helikopter vloog naar een kleine landingsplaats en daalde. Het verraste Emma hoe anders het toeging dan bij een vliegtuig, hoe er verticaal werd gestegen en geland. De klok wees tegen tweeën. Emma rammelde aan de deurhendel. De piloot hield haar tegen en legde uit dat ze moest wachten tot de wieken wat langzamer gingen.

'Anders kan het je je kop kosten,' schreeuwde hij door de koptelefoon.

Hij hielp haar met uitstappen en vergezelde haar naar het kantoortje. Er lag een weg voor waar af en toe wat auto's langsraasden, maar verder was het er uitgestorven.

'Weet u misschien waar ik een taxi zou kunnen vinden?' vroeg Emma. 'Of de bus? Hoe kan ik het snelst bij de Mirage komen?'

Hij begon smalend te lachen.

'Mevrouw, uw chauffeur staat op u te wachten.'

Emma had het een goede grap gevonden, ware het niet dat ze warempel een grote auto zag staan met een meneer ernaast, uitgedost met chauffeurshoed en idem uniform.

Ze boog naar de piloot toe.

'Ik heb geen geld meer,' mompelde ze zonder haar mond te bewegen. 'Ik heb haast, maar ik heb geen geld meer.'

De piloot hield op met lachen. Hij boog zijn hoofd diep.

'Transport naar huis maakt deel uit van de service, mademoiselle.'

Ze werd achter in de mooie auto over een lange asfaltweg vervoerd. Het was kwart over twee, zag Emma op haar horloge. De trottoirs aan weerskanten waren verlaten, ze zag niets dan appartementen en hotels.

'Zijn we er al bijna?' vroeg ze de chauffeur.

'Over twee minuten zijn we in het hart van Monte Carlo.'

In de verte zag Emma een paar hoge fonteinen. Het leek wel alsof half Europa voor het plein bij het casino rondliep.

Ze slikte om de droogte uit haar keel kwijt te raken. Ze had er spijt van dat ze op het vliegveld van Nice geen flesje water had gekocht, maar ze had geen tijd willen verliezen. Ze had geen idee wat haar stond te wachten. De auto stopte en de chauffeur gaf op zijn dooie gemakje haar weekendtas aan de portier. Emma rende het hotel binnen en vroeg naar het kamernummer van haar zus.

'Ze staat ingeschreven als Assepoester en ze verwacht me,' zei ze erbij. 'Het is een noodgeval, dus snel graag?'

De receptionist zocht iets op in een computer. In de verte luidde een kerkklok ontelbare keren. De man achter de balie vertelde eindelijk op welke etage ze moest zijn.

De lift leek uren op zich te laten wachten. Het hotel leek verlaten, Emma begreep niet waarom de lift zo veel tijd nodig had. Een onheilspellend gevoel bekroop haar.

'Waar is het trappenhuis, alstublieft?'

Een dame achter de balie keek haar verschrikt aan.

'Alstublieft, doet u dat niet!'

Emma keek haar aan met een blik die geen tegenspraak duldde. Ze rende naar de deur die haar was aangewezen en beklom de trappen. Daarna rende ze door lange gangen. De tas aan haar schouder bonsde hard op en neer.

DO NOT DISTURB, las ze op het bordje aan de deurknop van nummer 22.

Haar hart klopte in haar keel. Ze drukte op de bronzen belknop.

Het duurde even voordat Alex opendeed. Ze zag er goed uit. Normaal, eigenlijk.

Er waren geen sporen van tranen: geen opgezwollen ogen, geen rode neus, niets. Emma haalde opgelucht adem omdat er in ieder geval fysiek niets aan de hand was. Alex leek verbaasd om Emma te zien. Ze deed een stapje opzij en knikte naar de telefoon die tussen haar schouder en kin was geklemd. Emma plantte een zoen op haar wang en liep de kamer in terwijl Alex haar gesprek afrondde.

Ze ging op een van de twee stoeltjes bij het raam zitten, schoof het gordijn een stukje open en bewonderde het uitzicht over de zee. De zee was vlakbij en even verderop zag ze grote jachten in de haven liggen.

'Son, ik moet ophangen, mijn zusje is er,' hoorde ze Alex eindelijk zeggen. 'Ja ik weet het, ik zal het doen. Ik bel later wel.'

Alex legde de telefoon op het tafeltje, ging op bed liggen en staarde naar het plafond. De kamer leek ineens veel te klein voor twee personen.

Emma stond op en ging op een hoek van het bed zitten.

'Wat is er?'

Alex richtte zich op. Ze leek het een vreemde vraag te vinden.

Emma eigenlijk ook wel nu het met Alex prima leek te gaan. Haar keel begon nou echt pijnlijk te worden.

'Sorry, is er wat water?'

'Check de minibar, zou ik zeggen?' antwoordde Alex kil.

Beduusd liep Emma naar wat kastjes. Eerst opende ze de verkeerde, maar ze durfde niet te vragen welke het wel was. Gelukkig vond ze een deurtje waarachter zich een klein gevuld koelkastje bevond.

'Wil jij wat?' vroeg ze voorzichtig.

'Nee hoor, ik hoef niks,' klonk het bijna spottend.

Emma ging maar weer bij het tafeltje zitten. Waarom precies wist ze niet, maar het huilen stond haar nader dan het lachen.

'Zal ik je maar weer mee uit lunchen nemen dan?' zuchtte Alex terwijl ze de sleutelkaart van de kamer in haar handtas stopte. 'Maar trek alsjeblieft wat anders aan, we zijn in Monaco.'

De Italiaan aan de Boulevard zat vol zwaar met diamanten behangen vrouwen en hun riant leeftijdsrijkere betere helften. Wat Emma ook uit haar weekendtas zou hebben getrokken, ze zou naast hen hebben afgestoken als Swiebertje. De obers keken Emma met minachting aan. Niemand keek naar Alex, dat was het opvallendst. Ze waren schijnbaar zo gewend aan de sterren die 'vanwege het fantastische klimaat' in het microstaatje woonden, dat het niemand meer wat deed. Of misschien waren alle gezichten te strakgetrokken om nog iets van verbazing te kunnen uiten, dat was beslist geen ondenkbare verklaring. Elke oneffenheid was weggeopereerd, ieder rimpeltje weggespoten. Ze zagen er niet jonger door uit, alleen vreemder.

Alex hield haar kaken nog steeds stijf op elkaar. Ze keek nijdig.

'Heb je problemen met Fred?' ging Emma door met gissen.

Alex roerde met haar vork door haar spaghetti vongole.

'Alex, zeg toch alsjeblieft wat. Ik probeer er alleen maar voor je te zijn, je was helemaal hysterisch aan de telefoon.'

Een schelp schoot van Alex bord naar haar buurman. Hij keek verstoord op.

'Ik wil hier niet zijn,' zei Alex met een bibberige stem. 'Kunnen we terug naar het hotel?'

In stilte liepen ze de heuvel op. Fysiek was het zo'n inspanning niet, maar toch had Emma buikpijn. Ze wist niet wat ze moest zeggen. De sfeer was om te snijden. Pas toen ze terug in de hotelkamer waren draaide Alex zich naar Emma toe.

'Kun je mij misschien even alleen laten?'

Met haar voet tikte ze nerveus op de vloer, ze pulkte aan haar nagelriemen.

'Dat ik de kamer even voor mezelf heb?'

Al sneden de woorden Emma door het hart, ze was allang blij dat Alex eindelijk iets tegen haar zei.

'Ik ga wel even een stukje wandelen,' bood ze aan.

'Doe niet zo idioot. Er is een zwembad op het terras van het hotel, dus je hoeft heus niet te gaan wándelen.'

Wandelen klonk ineens heel erg fout en burgerlijk.

'En voordat je het vraagt, ja, ik heb wel weer een bikini die je kunt lenen.'

Een kwartiertje later lag Emma in een minuscuul tijgerbikinietje aan het zwembad van een van de mooiste hotels ter wereld. De omgeving was prachtig. Haar ligstoel bood uitzicht op de zee, die kalm tussen de rotsen in en onder de horizon kabbelde. Ze had een groot matras voor zichzelf alleen, en een allervriendelijkste meneer had haar een sinaasappel-wortelsap gebracht. Ze lag languit in de volle zon, de temperatuur was perfect. Maar haar buikpijn was er niet minder op geworden. Ze keek op haar horloge, het was al bijna vijf uur, over een half uurtje mocht ze van Alex weer op de kamer komen. De aardige meneer kwam met een fles zonnebrandolie.

'U bent roze aan het worden,' zei hij in hoekig Engels.

Hij had een grappig zonnehoedje op en zijn huid leek nog nooit een dag in de schaduw te hebben doorgebracht. Vriendelijk bood hij aan wat van het spul op haar rug te smeren. Emma deed haar ogen dicht en probeerde het resterende half uur te ontspannen.

Toen Alex de kamerdeur opendeed leek ze wat beter gehumeurd, ze glimlachte zowaar. Ze liep de kamer door, maakte de schuifpui open en stapte het kleine terrasje op.

'Kom je ook even naar buiten?' vroeg ze.

Haar stem klonk weer normaal. Emma volgde haar opgelucht het terras op.

'Em, mag ik je wat vagen?'

Emma knikte.

'Wat doe jij hier?'

'Hoe bedoel je?'

'Waarom bén je hier?'

Er lag een scherpte in haar stem die Emma niet van haar kende.

'Ik ben hier toch om jou te helpen?' antwoordde ze beduusd.

Alex dacht even na.

'Hoe denk je mij te helpen dan? Je komt hierheen en je zit op mijn kamer. Ik zie niet in hoe dat helpt.'

'Je vroeg toch of ik wilde komen? En daarna wilde je toch alleen zijn in je kamer?'

Alex' gezicht vertrok. De minachting viel in haar ogen te lezen.

'Dat was vanochtend. Ik mag me toch ook wel eens een keertje niet goed voelen? Ik voel me kut en dan moet ik jou weer mee uit lunchen nemen!'

'Ik wil je alleen maar helpen.'

'Ik wil alleen zijn! Waarom ga je godverdomme niet weg als ik je dat vraag?'

Emma voelde zich draaierig worden. 'Maar...'

'Nee!!!' Alex stormde naar de badkamer en draaide de deur op slot. 'Rot op!'

Die avond had Emma ondervonden dat je helmaal geen vierentwintig uur hoefde uit te trekken voor een tripje binnen Europa.

In nog geen veertien deed je een retourtje.

Een gewaagd spel

Vier dagen later had Emma van Alex, noch van Volodya iets vernomen. Bij de hotelreceptie had ze talloze berichten achtergelaten. Als ze Volodya belde was hij nooit op zijn kamer. Alex nam niet op. Ze kon er niet bij hoe ze haar zomaar links konden laten liggen. Ze was over haar toeren. Gaven ze dan niks om haar? Er waren momenten dat ze bang was dat hun iets was overkomen, en tegelijkertijd was ze juist bang dat er niets aan de hand was.

Pas toen ze Volodya een uur lang ononderbroken belde, haar trots al lang en breed overboord had gegooid, nam hij eindelijk op.

'Gemma,' had hij gezegd. Zijn stem klonk neutraal, alsof er niets aan de hand was. 'Ik ben in het hotel. Kom je langs?'

Ze was direct in een taxi gesprongen.

Hij zat op hun gebruikelijke plaatsje in de Gracht aan de Amstel. Hij leek zich niet eens ongemakkelijk te voelen.

'Ik vond dat we de eerste paar dagen nadat we met elkaar hadden geslapen beter niet konden afspreken. Als we dat hadden gedaan waren we waarschijnlijk weer met elkaar in bed beland.'

Emma's hart maakte een sprongetje. Hij had geen hekel aan haar, hij had geen spelletje gespeeld!

'Eva is zwanger, Emma. Ik moet proberen de problemen met haar uit te werken. Als ik met willekeurig welke andere vrouw naar bed was gegaan was het niet zo'n punt geweest, maar met jou is het anders. Beloof me één ding: laat dit onze vriendschap niet verpesten. Die is veel te belangrijk voor me.'

Emma voelde de tranen achter haar ogen prikken. Hoe had ze ooit zo aan hem kunnen twijfelen?

'Jij ook voor mij,' zei ze met een brok in haar keel.

'Ik denk dat dit gewoon had moeten gebeuren zodat we zouden zien hoe het zou zijn.'

Haar verlangen naar hem maakte het onmogelijk puur platonische vriendschap te voelen. Die hunkering naar de eerste zoen was weg. 'Misschien heb je gelijk.'

'Ah, Gemma,' verzuchtte hij, terwijl hij nog wat verder achterover leunde. 'Als alle vrouwen in de wereld toch eens als jij konden zijn.'

Ze glunderde ondanks alles van trots.

'Op vriendschap,' hief hij zijn theekop.

'Op vriendschap.'

Onderweg naar huis had ze niet gehuild.

Weer vier dagen later had ze het gevoel volwassen te zijn geworden.

Volodya zou haar nooit de liefde kunnen geven die zij nodig had. Ze was dankbaar dat die nacht niet betekende dat ze geen vrienden konden blijven.

Met James zou ze het sowieso uitmaken. Ze wilde niet langer een bedriegster zijn.

En Alex zou wel bijdraaien. Hoopte ze.

Net als alle andere dagen moest ze de volgende dag gewoon naar haar repetitie.

'Je hebt wel geluk, hoor, met al die leuke reisjes,' zei Laura terwijl ze in haar koffie roerde. 'Als je eens wist wat ik ervoor zou overhebben om nu lekker in de zon te liggen.'

'Ja, ik weet 't.'

Emma keek verbaasd op toen ze Hu-Chung, de nieuwe soliste, door de kantine recht op hen af zag lopen. Over het algemeen mengden solisten zich niet graag met orkestleden.

'Mag ik bij jullie komen zitten? Het management is niet aanwezig vandaag en Ribowski is de passage met de blaassectie nog aan het doornemen.'

'Natuurlijk!' lachte Laura. 'Gezellig, zo onder de meiden. Leuk dat je er weer bent. Emma, je kent Hu? Wij zaten in hetzelfde jaar op het conservatorium in Amsterdam.

Emma knikte.

De kleine Aziatische violiste was jong, mooi en buitengewoon getalenteerd. Zelfs tijdens haar opleiding was ze al een veelgevraagd soliste.

'Hebben jullie zin om vanavond wat te gaan drinken?' vroeg Hu-Chung samenzwerend. 'Laat kan ik het niet maken, maar misschien kunnen we in dat kroegje om de hoek van mijn hotel afspreken? Laura, jij weet wel waar? Ik kan me niet voorstellen dat iemand van het orkest daar komt. Ja sorry, ik bedoel het niet gemeen of denigrerend, maar je weet hoe het management is, als ik met orkestleden word gezien hebben we de poppen aan het dansen.'

Het was waar, dacht Emma. Het protocol schreef voor dat ze niet met elkaar omgingen. Misschien was dat op het moment ook wel het probleem tussen Alex en haar. Alex was een soliste en Emma was te veel orkest.

Het publiek in de Grote Kerk hield als één persoon de adem in toen het de snaar hoorde knappen. Juliëtte, de lieveling van Ribowski, was de enige die doorspeelde. Ze leek zich totaal niet bewust van het feit dat de rest van het orkest onthutst om zich heen zat te kijken. Er klonk geroezemoes. Het gebeurde een violist misschien een of twee keer in diens leven dat een snaar brak tijdens een optreden. Hiervan getuige te zijn was spannender dan de opera in Milaan bijwonen.

Hu bleef bewonderenswaardig rustig. Ze maakte een teken ter verontschuldiging naar het publiek en reikte haar instrument aan de concertmeester aan. Hij gaf haar volgens gebruik zijn viool in ruil, zodat ze daarop de solo zou kunnen hervatten. De Stradivarius werd naar achter doorgegeven. Voor ze het wist zat Emma met een Barrere Stradivarius van het jaar 1727 in haar handen. Ze wist wat haar te doen stond. Als achterste tweede violist was het haar taak om backstage te gaan en een nieuwe snaar te spannen.

Ribowski zette weer in. Of althans, dat probeerde hij.

'Waar zijn we?' hoorde Emma hem aan het orkest vragen.

'In de kerk!' antwoordde iemand. De rest van het orkest gniffelde. Het was een collectieve hobby geworden Ribowski zo min mogelijk van dienst te zijn.

Emma lachte niet mee. Met het magistrale instrument voorzichtig tegen haar borst geklemd liep ze de solistenkamer in. Ze ging op het houten stoeltje in de hoek zitten en ging methodisch te werk. Hoe simpel het ook was, het spannen van een snaar was een nauwgezet kunstje. Op de achtergrond klonk nog iets van ruis uit de kerk, maar de concentratie maakte het muisstil in haar hoofd. De snaar zat er al snel op. Ze zette de viool tegen haar schouder om hem te stemmen. De klank was te laag. Ze draaide aan de stemknop om de spanning op de snaar te verhogen. De toon kwam naar haar toe, hij werd warmer en voller. Ze draaide en draaide tot de toon mooier was dan ze ooit had gehoord. Ze zette haar stok op de andere snaren en speelde een toonladder. Emma kon haar oren niet geloven: alleen de toonladder al vervulde de kamer met warmte. Ze keek naar het hout dat ze tussen haar schouder en kin had geklemd. Hier hadden de groten der aarde op gespeeld.

Overmoed stak de kop op. Het was nu of nooit. Bach, Bruch, Tsjaikovski, Beethoven, Paganini, Prokofiev, ze schreeuwden vanuit hun graven dat ze hen moest spelen, om hen op een van de mooiste instrumenten die Stradivarius ooit had gebouwd te eren.

Ze zette de schoudersteun iets vaster. Deze kans zou ze nooit meer krijgen.

Ze speelde, ze speelde, ze speelde zoals ze altijd had geweten te kunnen spelen.

De tonen grepen zich stevig vast aan de strijkstok. Hoe zacht ze ook streek, ze bracht een toon voort als een huis.

Ze begon met een klein stukje Schumann. Daarna Bach. Haar hoofd deinde heel voorzichtig mee. Haar lichaam voelde zo levend als het zich in jaren niet had gevoeld.

Er werd op de deur geklopt. Een van de assistenten stak zijn hoofd de hoek om.

'Hoe staat het met de Stradivarius?'

'Moeilijker dan gedacht. Nog een paar minuutjes.'

De jongeman keek haar enigszins bedenkelijk aan.

'Kun je de deur achter je sluiten?' blafte ze. 'Ik wil me concentreren. Weet je wel wat dit instrument waard is?'

Vier stukken had ze kunnen spelen. Een half uur vol heerlijkheid en verlangen, voordat de artistiek directeur naar binnen was komen stormen.

'Die viool gaat nu terug!' had hij geschreeuwd.

Ze volgde de artistiek directeur braaf de kerk in. Het publiek klapte als een tierelier voor het stuk waarvan ze net een onderbroken versie op een middelmatige viool hadden gehoord. De concertmeester kwam driftig op haar af gelopen en nam de Barrere van haar af.

Emma voelde zich diep ellendig omdat ze het instrument moest loslaten. Maar het was alleen de Stradivarius die ze teruggaf. De ervaring zou voor altijd bij haar blijven.

Actie, harde actie

Alex keek vol zelfmedelijden naar haar rood opgezwollen ogen in de spiegel van haar kleedkamer. Op sommige plekken was de witte muurverf gebladderd en de meubels waren nikserig. Op het salontafeltje stond het gebruikelijke welkomstpakket van champagne en canapés. Alex was via een speaker op het dressoir in een diep gesprek verwikkeld.

'Ze willen me met vier anderen laten zingen, en ik kom als derde op,' snikte ze. 'Vorig jaar was ik de hoofdact!'

'Schatje, het zijn alle vier groten,' klonk Freds stem door het apparaat. 'Als Borsato het doet, moet jij er ook zijn. Het is voor jouw imago in Nederland goed als jij met hem in één adem wordt genoemd. Je had Ed gewoon al veel eerder moeten ontslaan. Die gast is niet van deze tijd en daar betaal je nu de prijs voor. Maar schatje, je moet naar mij luisteren. Dit concert is goed om te doen. Bovendien is het liefdadigheid. Dan vinden mensen het juist innemend dat je jezelf voor hongerend Afrika verlaagt door in het achtergrondkoortje te zingen.'

Dat woord had hij nou niet moeten gebruiken. Alex brulde zo hard dat Fred de telefoon wel móést ophangen.

'Je weet dat ik niet tegen snotterende wijven kan,' zei hij. 'Bel maar terug als je bent uitgejankt.'

Alex verzocht Emma met gebaren om een van de laatste zakdoeken uit de doos op de kaptafel te frummelen en ze probeerde haar uitgelopen mascara enigszins te fatsoeneren.

'Ik ben altijd veel te aardig geweest. Ed heeft mijn leven verziekt.'

'Nou ja, denk je niet dat je nu een beetje overdrijft?! Ik ben natuurlijk niet overal bij geweest, maar ik kan je één ding verzekeren en dat is dat die vent altijd zijn best voor je heeft gedaan.'

Alex keek zo mogelijk nog kwader.

'Ja, dank je, ga jij mij ook nog eens een keer afvallen! Fred heeft gewoon gelijk, jij bent ook tegen mij.'

In de ruimte naast hen klonk gestommel.

'Ook dat nog,' snikte Alex. 'Ze hebben me niet eens een kleedkamer met wat privacy gegeven.'

'Hoe komt het dat ze er zo verrot uitziet?' hoorden ze aan de andere kant van de muur.

'Liefdesproblemen,' antwoordde een andere stem.

'Is-ie weer bezig? Net zoals bij die Sonja zeker, daar was ook niets meer van over toen hij met haar klaar was. En wie was er nou nog meer? Was het niet die prinses van Liechtenstein, die daarna zelfmoord heeft gepleegd?'

'Iedereen bij wie wat te halen valt.'

'Triest. Hoe bestaat het dat die kerel ermee wegkomt. Hoe dan ook, als mijn instinct me niet in de steek heeft gelaten, dan staat het binnen de kortste keren in alle roddelbladen.'

'Misschien moeten we haar dan toch maar die solo geven. Het publiek zal het geweldig vinden: een ster die in een persoonlijke crisis zit en die zelfs dan in de bres springt voor de lijdende medemens.'

'Altijd goed voor meer donaties.'

'En daar gaat het uiteindelijk om.'

'Want hoe hoger de donaties, hoe hoger de kijkcijfers.'

'Dus dan zetten we, wat, Alex voor Bløf?'

'Prima.'

Alex bleef strak voor zich uit staren. Er viel geen enkele reactie van haar gezicht af te lezen. Er werd op de deur geklopt. Een vrouw met een walkietalkie stak haar hoofd om de deur.

'Alex, ben je klaar voor de repetitie?' vroeg ze enthousiast.

'Natuurlijk,' antwoordde Alex even blij.

Emma had geen flauw idee of Alex het gesprek dat ze zojuist hadden opgevangen nou als positief of negatief ervoer.

De volgende ochtend zat Emma ongemakkelijk achter een ruit. Met haar verlangen om een betere viool aan te schaffen, was opnieuwe het pijnlijke besef geboren dat haar banksaldo zeer ontoereikend was. Het rook muf in de ruimte. Aan de andere kant van het glas keken vier mannen naar haar. Geestelijk vond ze het nog moeilijker dan lichamelijk. Ze waren al goed drie uur onafgebroken bezig. Een speaker die hoog in een hoek was bevestigd kraakte.

'Oké, Emma, ben je er klaar voor?'

Een lampje sprong op rood, ten teken dat ze vijf seconden had om zich schrap te zetten. De geluidstechnicus zat weer aan de knoppen. Ze speelde voor geld, zo simpel was het. In het orkest verdiende ze tachtig euro per optreden. Met deze commerciële opdracht kon ze makkelijk vijftig euro per uur vangen. De zielloze, fantasieloze muziek speelde ze zo mooi ze kon, dat was haar enige inbreng. In het overdadige aanbod van klassieke-muziekopnames probeerde haar opdrachtgever zich te onderscheiden met stukken van – terecht – onbekende componisten, want voor Bach of Beethoven was de concurrentie te groot. Ze wist wat ze aan het doen was. Ze droeg bij aan het produceren van een idioot, waardeloos stuk muziek.

Het mes snijdt aan twee kanten, rechtvaardigde ze het voor zichzelf. Een violist leeft van muziek, maar ook van eten.

'Oké, Emma, dank je wel. Het zit erop voor vandaag.'

Vier paar ogen keken haar door het glas aan.

Een paar dagen later zaten Emma en Alex aan hun vaste tafeltje bij het raam van de Gracht aan de Amstel. Het was fijn er te zijn. Alex leek niet boos meer en het was prettig om weer eens in het heerlijke restaurant te zijn. Sinds Fred zijn intrede had gedaan wilde Alex alleen nog maar naar het Hilton of een of ander stom hotel boven de snelweg naar Den Haag. Haar maag knorde, al helemaal bij de gedachte aan *sea red tuna*, maar Alex stond erop dat ze op Sonja wachtten voordat ze zouden bestellen.

'Als Sonja er zo is, geen woord over haar illegaal gepubliceerde orgiefoto's, oké?' fluisterde Alex.

Emma leunde samenzweerderig naar haar zus toe.

'Toeval wil dat ik ze nog niet heb gezien.'

Alex vond het niet grappig.

'Volg je nog steeds die lessen?' vroeg ze.

Er lag een afkeurende klank in haar stem.

'Alex, dat ik lessen volg betekent niet dat ik niks kan of zo. Hanna Sörense deed nog masterclasses terwijl ze hier in Amsterdam soleerde! Het betekent niets, behalve dat ik wil blijven leren, dat ik mezelf wil blijven ontwikkelen. Sporters blijven altijd trainen, waarom zou het voor musici anders liggen?'

Alex keek beledigd.

'Nou, ík heb geen lessen nodig, hoor, ik heb gewoon talent. Weet je wat jij zou moeten doen? Iemand heeft me verteld over een wedstrijd voor violen. Da's een eigenlijk *Superstar*, maar dan voor klassiek. Zo kun je jezelf bekendheid geven.'

Emma trok haar neus op.

'In concoursen draait alles om foutloos spelen en om puntenaftrek. Alles wordt gesponsord door labels, het is een harteloze business en niets meer dan dat. Je reinste uitverkoop van kunst.'

'Dat zeg je alleen maar om niet op je bek te gaan. Zolang je het niet probeert kun je ook niet worden afgewezen.'

'Bovendien is mijn viool niet goed genoeg.'

'Je hebt een onwijs mooie viool.'

'Natuurlijk is het een mooie viool, maar het is geen solo-instrument. Daarvoor ben je dertigduizend euro verder.'

'Je hoeft het niet op mij af te reageren.'

'Sorry.'

'Schááááát!' gilde iemand vanaf de entree van het hotel.

Alex schoot omhoog.

'Daar heb je Sonja.'

Inderdaad, daar was ze. Ze droeg een kort leren minirokje met een laag uitgesneden truitje en hoge laarzen. Alle hoofden in het restaurant draaiden zich naar haar om. Breeduit lachend kwam Sonja op hen afgelopen. Ook Alex' gezicht was één en al stralende glimlach.

'Hééééé, lieffie!'

Sonja plofte neer op de vrije stoel.

'Ja, sorry dat ik wat te laat ben, ik kom net bij mijn psychiater vandaan. Ze heeft me een half uur langer gehouden, we zijn nu namelijk meer goede vriendinnen dan dat ik een klant ben. Ik leer net zo veel van haar als zij van mij, zegt ze de hele tijd.'

Emma keek triomfantelijk op.
'Dat zegt mijn lerares ook!'
Sonja keek op. Ze leek Emma nu pas op te merken.
'Heb jij ook een psych?'
'Nee.'
Sonja keek Emma aan alsof ze niet goed bij haar knijter was om zich zonder psychiater in een leerproces te begeven.
'Hoe dan ook, ik ben zó spiritueel op het moment! Weet je waar ik achter ben gekomen?'
De opwinding was Sonja bijna te machtig.
'Ik ben een slachtoffer!'
Emma was op haar beurt getroffen door het feit dat Sonja dit toch niet al te geweldige nieuws met een stralende lach verkondigde.
'Alex, je begrijpt niet hoe moeilijk het is. We zijn mooi, we zijn beroemd en we zijn rijk. Dat is het volmaakte recept om ongelukkig te zijn. Ik leer zo veel in mijn analyse. Kijk, normaal gesproken is alles de schuld van je ouders. Maar bij mij gaat dat dus niet op omdat mijn ouders allebei zijn verongelukt toen ik drie maanden was. Ik zou misschien nog wel iets kunnen ontdekken in een regressietherapie, maar goed, drie maanden is hoe je het ook wendt of keert behoorlijk jong.'
Die regressietherapie leek Emma een interessante manier om op je dertigste nog wat jeugdtrauma's op te lopen.
Sonja pakte een zakdoek, stak hem via haar decolleté onder haar truitje en veegde haar oksels ongegeneerd af.
'Ik moet naar de wc. Alex, ga je mee?'
'Nee, dank je, ik ben prima zo.'
Sonja leek teleurgesteld over de afwezigheid van Alex' aandrang om te plassen en beende weg. Een zee van rust nam haar plaats in.
'Jezusmina,' zei Emma, 'wat was dát in hemelsnaam?'
'Nou, ze heeft het wel moeilijk, hoor. Die foto's zijn echt overal te zien, dus je mag geen kritiek geven. Sonja is als een zeldzame paradijsvogel.'
'Een wát? Dat is zeker ook iets wat die psych haar heeft verteld? Ik weet niet wat ze met dat mens bespreekt, maar het lijkt me niet dat ze er veel normaler door wordt.'

Emma nam een slok cola.
'Heb je papa en mama nog gebeld trouwens?'
'Nee. Nou en? Ze kunnen mij toch ook wel eens bellen?'
'Doen ze ook, maar je neemt nooit op en je belt niet terug.'
Alex leek door een bij gestoken.
'Ja, nou... maar... '
Ze deed zichtbaar haar best een reden te verzinnen waarom ze daar 'niets aan kon doen'. Emma kreeg een donkerbruin vermoeden dat de verklaring in het verlengde van die van Sonja's pornofoto's lag: iets waar ze zelf geen enkele verantwoordelijkheid voor droeg, maar waarvan de oorzaak eventueel nog wel kon worden herleid met wat regressietherapie.
Sonja kwam weer binnen.
'Alex, ik hou van je, weet je dat?' riep ze van een afstand.
Alle hoofden in het restaurant draaiden zich weer om, ditmaal geïrriteerd.
Zodra ze zat sloeg ze haar armen om Alex heen.
Haar rokje zat te hoog, Emma kon haar onderbroek aan de zijkant zien en er viel een wit stukje uit haar neus.
'Weet je dat de duivel overal is? Ik word door hem gevolgd, weet je dat?'
Emma lachte. Sonja was inderdaad een vreemde vogel.
'En hij heeft het specifiek op jou gemunt?'
'Weet je hoe ik erachter ben gekomen?' vroeg ze Sonja. Ze keek om zich heen om zich ervan te gewissen dat ze niet werden afgeluisterd. 'Er zijn overal zessen om mij heen. Overal, alles is zes. Ik woon op nummer 36, dus zes keer zes, en bus 6 stopt vlak voor mijn huis.'
Sonja haalde luidruchtig haar neus op.
'Ik woonde op nummer 11,' grapte Emma. 'Mijn telefoonnummer eindigt op 11. Denk je dat ik beducht moet zijn voor Prins Carnaval?'
Sonja leek het niet te horen. Emma realiseerde zich verschrikt dat Sonja bloedserieus was.
'Jij hebt mazzel dat je normaler bent dan ik, Alex,' zei ze. 'Jou laat hij tenminste met rust.'

Onder die woorden stond Sonja op en verdween weer naar het toilet. Alle hoofden draaiden weer naar Sonja terwijl ze voorbijliep. Alex sloeg het tafereel zuchtend gade.

'Ze heeft gelijk. Het is niet makkelijk om beroemd en rijk te zijn. En dan is ze nog geeneens zo mooi als ik. Ik ga een wodka bestellen, Emma, wil jij ook?'

'Nee, dank je, ik moet nog werken zometeen.'

'Wat goed, wat ga je doen?'

'Een opname voor *Wanted*.'

'Urghhh! Ja, sorry hoor, maar ik begrijp echt niet waarom je voor dat soort sukkels speelt.'

Emma keek naar het servet op haar schoot. Hoe vaak moest ze haar zus nog vertellen dat ze niet voor niets in het achtergrondkoortje van een onlangs opgerichte jongensband voor een MTV-opname stond te spelen?

'Omdat ze achterlijk goed betalen, en een soloviool achterlijk duur is.'

Alex keek gepikeerd.

'Dat vind ik echt gemeen. Je weet heus wel dat ik me schuldig voel.'

'Jij vraagt mij waarom ik achter een groepje opgepompte jochies sta te spelen, nou, dat is het antwoord. Voor geld. Denk je dat ik voor mijn lol luchtviool sta te spelen? Ook mensen die niet mooi, rijk of beroemd zijn kunnen problemen hebben, toevallig.'

Alex' onderlip begon te trillen.

'Sorry, zo bedoel ik het niet,' suste Emma. 'Luister, ik wil verder komen in de muziek. En met de viool die ik nu heb gaat dat niet lukken. Een simpele constatering van feiten. Jij wilt toch ook niet in een achtergrondkoortje? Nou, ik ook niet. En mocht dat uiteindelijk het enige zijn wat erin zit, dan leg ik me daarbij neer, maar niet voordat ik alles heb geprobeerd. Ik wil niet op mijn zeventigste terugkijken en spijt hebben, dat is alles.'

'Jij hebt een hekel aan mij.'

Emma keek op om te zien of ze het meende. Helaas keek Alex bloedserieus.

'Alex, ik probeer het beste van mijn leven te maken, dat kun je me toch niet kwalijk nemen? Het is geen kritiek op jou, het heeft niets met jou te maken!'

'Alles heeft met mij te maken!' reageerde Alex, ineens witheet.

Emma legde haar servet van haar schoot en stond op. Ze wilde liever vertrekken dan opnieuw ergens uitgeflikkerd worden.

'Je bent niet goed bij je hoofd,' zei ze, verbaasd over haar eigen kalmte. Toch klonk haar stem raar door de dikke bal die in haar keel zat.

Alex keek haar strak aan.

'En ik neem aan dat ik de rekening weer mag betalen?'

Nog steeds lag er geen molecuul humor in Alex' stem.

Emma greep naar haar portemonnee en legde haar laatste vijftig euro die ze die week nog kon pinnen op tafel.

'Ze zijn me te duur, die cadeaus die je me geeft.'

Emma realiseerde zich dat dit wellicht de laatste keer zou zijn dat ze de Gracht aan de Amstel uit zou lopen, en ze deed het met tranen in de ogen.

Op straat was het een drukte van jewelste. Fietsers probeerden zich langs de lange rij stilstaande auto's te wurmen, voetgangers schreeuwden tegen fietsers dat ze zich niet op hun territorium moesten begeven. Emma bleef staan bij een lantaarnpaal. In haar hart wilde ze niet weglopen. Ze wist ook dat als ze terug zou gaan om het uit te praten de problemen alleen maar groter zouden worden. Ze pakte haar mobiel uit haar tas en toetste Amy's nummer in.

'Geen probleem als je langskomt,' sprak haar vriendin, die ze in weken niet had gesproken, 'maar ik ben wel aan het oppassen. Allebei de kinderen zijn wakker, maar je bent meer dan welkom.'

'Dank je, ik kom eraan.'

Emma besloot naar Amy's oppasadres in Oud-Zuid te lopen, de frisse lucht zou haar goeddoen. Bij de opera hadden ze Amy wegens bezuinigingen moeten ontslaan, en sindsdien was ze 'nanny' bij een familie in Oud-Zuid. Emma liep de Van Baerlestraat in. Haar gedachten bleven maar tuimelen. Ze zag Alex' gezicht steeds maar weer voor zich, haar neergetrokken mondhoeken, haar boze blik als Emma haar mening onverhuld uitte. Tegen de tijd dat ze bij de Stadionweg de hoek omsloeg was haar stemming nog niet verbeterd. Ze drukte op de deurbel. Terwijl ze Amy aan hoorde komen lopen, deed ze de knopen van haar jas alvast open. Het vriendelijke gezicht van Amy luchtte haar meteen op. Prompt begon ze te huilen.

'Wat is er dan?' vroeg Amy terwijl ze een arm om Emma heen sloeg.

In de andere arm droeg ze Lizzy, een meisje van acht maanden. Lizzy kraaide het uit van plezier bij het zien van de gast. Ze was een en al mollige beentjes en armpjes, haar wangen waren zo zwaar dat ze onder haar kaaklijn hingen en haar mondhoeken naar beneden trokken. Emma trok haar jas uit, gooide hem over de kapstok en volgde Amy de grote woonkeuken in. Lizzy bleef maar doorkirren bij de aanblik van zo veel nieuws.

'Wat is er allemaal aan de hand?' vroeg Amy bezorgd.

Ineens leek de situatie bijna komisch.

'Ik zweer het je, ik wil mijn zus op haar bek slaan! De volgende keer ga ik haar te lijf met een koekenpan.'

Schaamteloos voerde ze Alex op als protagonist.

'"Het is te zwaar, ik ben te mooi, ik ben te beroemd, iedereen wil mijn geld, iedereen is jaloers." Serieus, als ík als de familiegnoom in het zoveelste roddelblad sta, dan is het een drama voor háár, want zíj voelt zich schuldig!'

Lizzy werd in haar box gezet. Terwijl ze zich op haar knieën wilde draaien leek ze op een kleine sumoworstelaar met een luier om.

'Ik kan de keren niet meer op twee handen tellen dat ze me het huis uit heeft geflikkerd. Ga ik helemaal naar Monaco omdat madam zich slecht voelt, word ik eruit gezwiept! Dat gelóóf je toch niet?'

Van boven klonk hard gestommel. Emma schatte in dat er op z'n minst iemand van de trap was gevallen, maar Amy sloeg er geen acht op.

'Denk je niet dat het door die rommel komt, die ze neemt?'

Emma wendde haar ogen af. Het voelde zo afvallig om toe te geven dat de kranten wellicht wel eens gelijk zouden kunnen hebben met hun berichtgeving over Alex' drugsgebruik.

Een klein jochie kwam de keuken in gerend. Zijn buik stak ver voor de rest van zijn kleine lichaampje uit, en hij maakte snelle, onhandige stapjes in zijn poging zich zo snel mogelijk voort te bewegen.

'Tante Emma!' riep hij.

Twee armpjes vielen haar om de nek. Ze voelde iets kouds en klefs in haar hals plakken.

'Tante Emma, kijk, het is Spiderman!'

'Ja, heel mooi, ik zag het gelijk,' complimenteerde ze de homp klei die hij omhooghield.

Max maakte zich los uit de omhelzing.

'Em, het spijt me dat ik het moet zeggen, maar het gedrag van je zus is echt niet meer normaal. Je kunt niet doen alsof het niet zo is en hopen dat het vanzelf overgaat.'

Emma leunde met haar hoofd op haar handen.

'Ze wordt zo enorm boos als ik ook maar iets zeg.'

'En?'

'Geloof me, het is niet bepaald makkelijk om tegen iemand te zeggen dat ze normaal moet doen als iedereen om haar heen zegt dat ze de meest geweldige persoon op aarde is. En ze dat zelf ook gelooft, bovendien.'

'Dat kan wel zijn, maar dat betekent nog niet dat jij het jezelf kwalijk moet nemen,' zei Amy bestraffend.

'Misschien doe ik dat wel liever dan dat ik haar kwijtraak,' sprak Emma met een klein stemmetje. 'Jezus. Ik schaam me dood dat ik dit zeg.'

'Daar zou je je ook voor moeten schamen. Want van mensen houden, dat is het risico durven te nemen dat ze je nooit meer willen zien als je ze uit liefde de waarheid vertelt.'

'Maar iedere keer als ze iets heel stoms doet dan koopt ze weer iets moois voor me, een tas of schoenen, en...'

'Interesseert het je, die tassen of schoenen?'

'Nee, natuurlijk niet. Maar om het niet te accepteren is ook weer zo bot. En daarna zegt ze dan weer dat zij álles voor mij doet, en dan zit ik met die kuttas.'

Emma moest er zelf bijna om lachen, ook al was het zo grappig niet.

'Ze neemt alle macht van je af door altijd naar die dure plekken te gaan.'

'Ik weet het, ik weet het... En je hebt gelijk, ik moet niet zo'n mietje zijn.'

'Ik lust wel een koekje!' riep Max zo hard hij kon.

'Netjes vragen, en dan mag je er zelf één pakken. En niet op de tafel klimmen, dat weet je.'

Lizzy zette het op een schreeuwen.

Amy draaide zich verontschuldigend om naar Emma.

'Sorry, het is niet zo makkelijk om hier een normale conversatie te voeren. Ik zal binnenkort een goede boom opzetten met deze twee figuren om hun aan het verstand te brengen dat niet alles om hen draait.'

'Goed plan. Mag ik Alex dan ook even bij je afleveren voor dat gesprek?'

Lizzy liep intussen rood aan. Amy pakte haar op en legde haar over haar schouder. Emma keek met bewondering toe hoe rustig ze eronder bleef.

Misschien waren mensen met een constant wisselend karakter makkelijker te verdragen als ze kleiner dan negentig centimeter waren.

Drie dagen later keek Emma fronsend naar een bankafschrift.

Het bedrag van vijftigduizend euro was op haar rekening bij- of afgeschreven, ze wist nooit zo goed aan welke kant debet en welke credit stond. In ieder geval leek het haar bijzonder onwaarschijnlijk dat het uitgebalanceerde bedrag van 48.778 euro en 78 cent iets met háár financiële situatie te maken zou kunnen hebben.

Bij de mededelingen vond ze een tekst. Handgeschreven.

Hier is je viool, stond er in het haar zo bekende handschrift.

Alex.

Haar hart maakte een sprongetje.

Vijftigduizend euro?

Vijftigduizend euro kon ze niet aannemen.

Vijftigduizend euro bood haar de mogelijkheid het te maken.

Haar maag maakte een trage salto. Ze keek om zich heen en ving haar weerspiegeling op in de spiegel boven de ladekast. Daar zat ze dan. In een appartement dat door haar zus werd betaald. In kleding die haar zus voor haar had gekocht. Een zus die nu al sinds geruime tijd elke dag steeds minder haar zus leek te worden. Die haar steeds vaker verstootte.

Dit is je kans op onafhankelijkheid, spookte er door haar hoofd.

Gebruikte ze Alex als ze dit zou aannemen? Ja, moest ze toegeven, want ze nam het aan uit egoïsme. Dit was geen moment dat ze met Alex deelde, dit was een berekenende beslissing, van groot belang voor haar toekomst.

Voor Alex is dit een colaatje, sprak ze zichzelf toe met het argument dat Alex altijd gebruikte, om het knagende schuldgevoel wat minder te maken. Maar zelfs dat was niet zo. Vijftigduizend euro was voor niemand een colaatje.

Met een zwaar gevoel van schuld liep ze naar de telefoon om Alex te bedanken. Ze zat met de hoorn in haar hand. Wat moest ze in hemelsnaam zeggen?

'Dank je'?

'Ik betaal je terug'?

'Ik zal alles doen wat je wilt'?

Alles was te lullig. Te onwaarschijnlijk. Te veel.

'Hallo?' zei iemand aan de andere kant van de lijn.

'Met mij. Ik heb net mijn post geopend, ik ben nog helemaal perplex. Ongelofelijk bedankt, echt, dit is de kans van mijn leven.'

'Em, ik ben in Italië, mijn cd aan het promoten.'

'Oké, sorry, maar ik wil je echt zo ontzettend bedanken.'

'Graag gedaan. Maar dit is wel de allerlaatste keer dat ik je help. Ik heb het niet voor jou gedaan, maar voor mezelf. Nu hoef ik me niet meer schuldig te voelen.'

Emma voelde iets diep vanbinnen langzaam koud worden.

Tegelijkertijd hield ze de kans van haar leven nog stevig in haar handen geklemd.

Noodzakelijk kwaad

Emma had zichzelf ten doel gesteld om binnen twee maanden de perfecte viool te vinden. Ze wist precies wat ze wilde hebben. Ze droomde veelvuldig van een instrument dat een verlengstuk was van haarzelf. Ze zag het nooit precies, maar ze voelde het. Het was klein en licht en helder. Binnen twee maanden zou ze zo'n viool vinden of anders zou ze het geld teruggeven aan Alex, had ze met zichzelf afgesproken. Ze had alle vioolbouwers in Nederland al afgelopen. Ze had naar België gebeld en naar Denemarken.

Uiteindelijk was ze er via internet achtergekomen dat er in Parijs een mooie oude viool te koop was aangeboden. Bij de advertentie was een foto geplaatst van het instrument. Er ging een schok door Emma heen toen ze die zag. Het was klein en licht. Op de buik van het instrument lag een lichte spiegeling die haar iets leek te willen zeggen. Het was slechts een foto, maar het voelde als liefde op het eerste gezicht. Ze maakte een print van de advertentie en snelde naar de balie van het internetcafé om te betalen. Zodra ze thuis was liep ze naar de telefoon. Ze wist niet waarom, maar het leek haar van het grootste belang geen seconde te verliezen.

'Joffé,' klonk een Franse meneer aan de andere kant van de lijn.

'Hallo, met Emma Weijman. Spreekt u Engels?'

'Ja, hoor, geen probleem,' klonk het nog bijna even Frans.

Ik bel u over de Emiliani. Alstublieft, geeft u het instrument aan niemand anders.'

'Dat is grappig,' grinnikte de meneer vijfhonderd kilometer verderop. 'Ik had al een koper voor dat instrument gevonden, maar die is net vandaag van gedachte veranderd. Ik had al zo'n voorgevoel dat dat niet voor niets was. Zou je morgenmiddag naar het instrument kunnen komen kijken?'

In een flits zag ze zichzelf weer in de helikopter naar Monaco zitten.

'Geen enkel probleem.'

Nadat ze hadden opgehangen reserveerde ze een kaartje voor de Thalys naar Paris Nord. Ze pakte een kleine weekendtas voor het geval ze moest overnachten. Die avond ging ze extra vroeg naar bed. Het katoen van de lakens voelde fris tegen haar huid, het bed was warm en geborgen. Naast haar, op het nachtkastje, lag de print van de Emiliani. De afdruk was niet van hoge kwaliteit en hij was in zwart-wit, maar ze kon de contouren duidelijk zien: de hals, de buik, de kracht van de snaren. Ze bracht de foto naar haar gezicht, gaf hem een kusje, deed het nachtlampje uit en viel in een diepe slaap.

Stijf van de zenuwen zat ze de volgende ochtend in de trein. In haar hand hield ze het papiertje met de routebeschrijving van de metro die ze zou moeten nemen als ze op Gare du Nord zou arriveren.

De hele reis staarde ze naar de afdruk van de Emiliani. Haar duim streelde de foto. 'Ik kom eraan,' fluisterde ze terwijl de kilometers voorbijraasden. 'Ik kom eraan.' Haar medereizigers bekeken haar met meewarigheid, alsof ze niet helemaal jofel was, maar dat merkte ze niet.

Op Gare du Nord nam ze de roltrap naar de ondergrondse. De metro kwam al snel aangereden en ze stapte in. De wagon was een beetje smerig en rook niet al te aangenaam, maar hij had iets prachtigs authentieks. Ze glimlachte dankbaar naar de meneer naast haar die iets opzijschoof om plaats voor haar te maken, een glimlach die alleen maar groter werd terwijl ze halte na halte dichter bij haar eindbestemming kwam.

Bij Saint-Germain liep ze de trap op, het licht tegemoet. Boven aan de trap stond een kraampje, *crêpes* met alles erop en eraan. De geur van boter en beslag hing in de lucht. Recht ertegenover zag ze het terras van *Les Deux Margots*, precies zoals Joffé had voorspeld. Franse dames zaten in onevenaarbaar chique kleding thee te drinken, niemand leek iets boven maatje 38 te dragen. Ze keek omhoog naar de Franse gebouwen, de Franse lucht, die net wat blauwer en zachter leek dan de Nederlandse.

Emma kon bijna niet geloven dat ze in hartje Parijs stond. Zonder kaart, zonder hotel, zonder plan, behalve haar Emiliani bij meneer Joffé op te halen. Ze liep over grote keien een kerk voorbij, langs een terras,

Bonaparte, en nam het eerste zijstraatje links. Ze leek in een soort lacune te zijn aangekomen. Er waren geen winkels. Zelfs nauwelijks voordeuren. De zon scheen op de beige getinte muurstenen, die gigantisch waren en deel leken uit te maken van een eeuwenoude historie. Emma liep de straat door, nieuwsgierig naar het punt waarop de straatnummers hoger zouden worden en naar wat er achter die gigantische stenen lag. In de verte zag ze een donker raam te midden van het beige gesteente. Het was een simpele etalage. Een prachtig stuk hout lag in de vitrine, ernaast een donkere viool, dat was alles.

JOFFÉ, REPARATEUR ET LUTHIER, stond er in sierlijke witte letters op het raam geschilderd. Haar hart klopte in haar keel. Ze kon bijna niet bevatten dat haar Emiliani achter dat donkere raam zou liggen. Ze stak de straat over zonder ook maar naar links of rechts te kijken en drukte op de deurbel.

Vanachter in het donkere zaakje kwam een man met een grote sleutelbos naar de voordeur lopen. Hij was een jaar of zeventig, schatte Emma. Hij droeg een beige werkjas en liep een beetje krom.

'*Mademoiselle* Emma,' zei hij. Zijn donkerbruine ogen glinsterden alsof de jaren slechts sporen hadden nagelaten in de rimpels eromheen. '*Entrez.*'

Hij draaide aan een knopje naast de deur en de lichten in het pand gingen aan. Het bleef een beetje schemerig. Het zaakje was zo klein dat je het nauwelijks een winkel kon noemen. Over de gehele rechterwand hingen violen. Allemaal waren ze zorgvuldig gepoetst en ze hingen in volmaakte symmetrie van elkaar. De achterdeur stond open en leidde naar een atelier. Emma zag er een stevige werktafel staan. Lange tl-buizen gingen aan het plafond.

'Hebt u een goede reis gehad?' vroeg de vioolbouwer.

Uit de werkruimte klonk een telefoon. De bel klonk ouderwets, uit de tijd dat telefoonnummers alleen konden worden gedraaid.

'*Excusez-moi*,' zei Joffé met een lichte buiging.

Terwijl hij naar achter liep liet Emma haar blik langs de instrumenten aan de muur glijden. Ze hingen in perfecte harmonie. Emma deed een stapje naar voren. De eerste reeks was vrij klein en van een roodachtig hout gebouwd, erachter hing een donker instrument met een zwarte nerf. Eén instrument sprong uit de rij violen, zo licht was het. Ze was een stralend middelpunt, delicaat, meisjesachtig bijna, letterlijk het evenbeeld van de viool waar ze altijd van had gedroomd.

'Wat is ze mooi,' fluisterde Emma.

'Zal ik je haar direct maar laten zien?' vroeg een diepe stem achter haar.

Joffé trok een krukje naar zich toe, ging erop staan en pakte het instrument voorzichtig bij de hals.

Emma kon haar ogen niet van het instrument afhouden. De Emiliani was onbeschrijfelijk veel mooier dan op de foto.

'Wilt u misschien een glaasje water?'

'Ja,' lachte ze door haar tranen heen. 'Dat is misschien wel een goed idee.'

Nadat Joffé een glaasje water voor haar had gehaald reikte hij haar de Emiliani aan. Ze lag in haar handen alsof ze voor haar was geboren.

'Speel!' moedigde Joffé aan. 'Ik heb me erop verheugd. En neem je tijd, want ik heb geen andere afspraken vandaag.'

De Emiliani had een toon waar menig Stradivarius jaloers op zou kunnen zijn. Misschien iets minder sterk, maar zo fijntjes dat een ieder zijn oren extra zou spannen om haar te horen.

'Speel alsjeblieft door,' moedigde Joffé aan, zijn ogen gesloten. 'Ik moet zeggen, je stelt me niet teleur.'

Voor ze het wist had Emma hele etudes aan Joffé voorgespeeld. De Emiliani haalde het beste uit Emma naar boven.

De rest van de middag hadden Emma en Joffé in de winkel koffie gedronken. Hij had haar niet uitgenodigd en zij had er niet om gevraagd, maar het gesprek verliep zo natuurlijk dat geen van beiden het afbrak. Joffé was verzot op alles wat met de viool te maken had. Ieder aspect eraan vond hij interessant, hij vroeg honderduit over haar ervaringen en dromen. Volgens hem hield een violist evenveel van zijn viool als van het leven, en andersom. Emma vertelde hem over Bock, het Alterium, het orkest in Breda, haar frustraties over haar carrière die niet verder was gevorderd dan hij tot dan toe had gedaan. Monsieur Joffé roerde in zijn espresso, zeker de tiende die hij die middag nuttigde.

'Wacht eens even, ik bedenk me net iets. Mijn oog viel vanochtend op iets terwijl ik mijn schoenen aan het poetsen was, dit kan geen toeval zijn, wacht even.'

Hij liep een zijkamertje van het atelier in. Emma streelde de Emiliani die op haar schoot lag.

Joffé was snel terug. In zijn handen hield hij een oude *Figaro* met zwarte schoensmeervegen. Hij legde de krant voor haar op tafel en wees naar een artikel. Het was grotendeels ontzien door de smeer en kondigde het zeventiende *Concours Mondial du Violin Français* aan.

'Deze krant dateert van precies een jaar geleden,' zei hij. 'Tenzij mijn boerenverstand mij compleet heeft verlaten betekent dit dat het achttiende concours over niet al te lange tijd begint.'

Emma schudde haar hoofd.

'Daar kan ik niet aan meedoen, dat ligt op professioneel soloniveau.'

Joffé leek niet onder de indruk.

'Op welk niveau denk je dan dat dit instrument moet worden bespeeld?'

Emma keek hem met grote ogen aan.

'Ik heb je net horen spelen, en geloof me: jij bent goed genoeg. Als je het voor jezelf niet durft te doen, doe het dan voor de Emiliani. Ze verdient het om te worden gehoord.'

Hij gaf haar de telefoon aan.

'Maak je geen zorgen, het komt wel goed,' drukte hij haar op het hart.

Vijf minuten later zat ze in de taxi om zich in te schrijven. Haar Emiliani lag stevig in haar armen geklemd.

Drie maanden lang had ze zich afgezonderd van de wereld en onbetaald verlof genomen om zich voor te bereiden. Alleen als Alex haar urgent nodig had ging ze naar haar toe, en dan pareerde ze haar beschuldigingen door haar erop te wijzen dat juist haar aanmoediging ertoe had geleid dat ze niet zo vaak kon langskomen. Verder ging ze slechts naar buiten om haar karige rantsoen aan te schaffen: pasta met pesto. Het gerecht kwam haar de neus uit, maar het liet zich snel bereiden en het bood voldoende calorieën om het bij één maaltijd per dag te houden. Haar haren waste ze in het kader van tijdsbesparing nog maar eens in de zoveel weken, of totdat de jeuk van haar allergieplek ondraaglijk was.

De Emiliani klonk boven verwachting vanaf dag één. Nu zij nog. De weken tot het concours waren in een monomaan waas omgevlogen. Toen ze eindelijk, na drie maanden voorbereiding, weer op Amsterdam Centraal op de Thalys stond te wachten, was ze er heilig van overtuigd dat ze er hoegenaamd niet klaar voor was. Een grote koffer stond aan haar voeten, de Emiliani lag in haar armen, en de zenuwen schoten door haar lichaam. In de vier uur durende treinreis moest ze elf keer naar het toilet. Zeven keer om te plassen en vier keer om over te geven.

Ze zou met alle medekandidaten in een landgoed vlak buiten Parijs verblijven, waar ze gezamenlijk de laatste loodjes aan hun voorbereiding mochten afleggen en zich konden inspelen met hun begeleiding. Het landgoed zou om de paar dagen worden geopend voor het publiek, dat blijkbaar een blik achter de schermen wilde werpen.

Op het perron van Gard du Nord stond een van de medewerkers van het concours met een bordje om haar op te halen en haar met een auto naar het landgoed te vervoeren. Hij sprak een Frans dat qua snelheid zo snel boven haar havoniveau lag dat iedere vorm van conversatie onmogelijk was. Het verblijf lag in Chantilly. De auto stopte voor een groot ijzeren hek. Een lange oprijlaan leidde naar een statig wit landhuis dat, voor zover de buitenkant verried, drie etages hoog was en over talloze kamers beschikte.

Een meneer met een gebruind gelaat kwam met uitgestrekte hand op haar afgelopen. De knoop van zijn pak spande strak onder zijn enorme buik.

'Ik ben Arthur Ott, organisator van dit samenkomen.'

Met een hoofdknik naar het raam maakte hij haar attent op de prachtige tonen van een stuk van Himowa.

'Dat is een van de junioren,' knipoogde hij vergoelijkend, alsof er iets viel te excuseren.

Emma keek angstig achterom en zag de poort naar de buitenwereld zich sluiten. Dat was het moment waarop ze zich realiseerde dat het simpele gedeelte achter de rug was.

'Loop je mee, je bent de laatste die is gearriveerd.'

De organisatoren waren stuk voor stuk meer dan aimabele muziekliefhebbers, in de verste verte niet wat haar altijd was voorgespiegeld. Het overgrote deel van de musici was onnoemlijk getalenteerd. De jury bestond uit gerenommeerde vakgenoten, onder wie Weinstein, de violist die bij het Breda's Philharmonisch had gesoleerd toen ze als klein meisje met haar vader was gaan kijken.

De sfeer onder de kandidaten was vreselijk. Alle deelnemers waren het stadium gepasseerd dat ze een ander succes gunden. Ze kwamen uit alle hoeken van de wereld, het merendeel van welgestelde families, anders waren ze nooit aan hun instrumenten gekomen, maar verder wist ze na vier dagen weinig meer over hen dan hun naam. Ze was naar Chantilly gekomen om te winnen, niet om vrienden te maken. De tijd die ze er doorbracht was bestemd om te studeren en nogmaals te studeren. Emma had de indruk het juiste te doen en de plank toch volledig mis te slaan.

Ze had het geluk dat de competitie een week voor haar zesentwintigste verjaardag plaatsvond, anders had ze niet eens mogen deelnemen, ook niet bij de 'senioren'. De platenmaatschappijen hadden liever jonge artiesten. Ze waren mediagenieker, en de media waren onontbeerlijk voor de verkoop.

'O, mijn god,' zuchtte Emma terwijl ze de zoveelste virtuoze opvoering hoorde tijdens de repetitie met de begeleiding.

Ze vond het niet fraai van zichzelf, maar ze kon het niet helpen.

'Emma Weijman,' werd er omgeroepen. Ze klom op het podium en gaf de pianist die haar zou begeleiden een hand. Ze speelden Berio. Het liep beter dan ze had gehoopt, niet in de laatste plaats met dank aan haar Emiliani, die haar overal doorheen leek te trekken. De spanning was om te snijden. Eén voor één werden de kandidaten topsporters die intens van sport hielden, maar liever geen wereldrecord zagen breken als dat betekende dat zij zilver pakten. De concurrentie rook bloed en overwinning. Ze beoordeelden de repetities als optredens, vergeleken musici met elkaar en met zichzelf. Een dozijn of wat mensen keek toe toen ze na afloop de zaal uit liep. Ze spraken over de muzikanten alsof ze niet dichtbij genoeg waren om het te horen. Emma en haar medekandidaten waren muzikale kemphanen geworden waarop kon worden gegokt.

Ze had het bijna pretentieus gevonden om monsieur Joffé te bellen met het nieuws dat ze door de eerste voorselectie heen was gekomen. Onder het mom van dat het zijn schoenpoetsblik en zijn instrument waren die haar daar hadden gebracht, durfde ze nog net een kaartje te sturen. Hij had haar voordat ze naar Parijs vertrok gebeld om haar succes te wensen.

Ze was blij hem in het publiek te zien zitten. Hij zat op de laatste rij. Emma gluurde nog eens door de kier van de deur. De rijen voor hem raakten per optreden meer bezet. Mensen groetten elkaar alsof ze bij een belangrijk sociaal evenement waren, of ze keken quasi-ongeïnteresseerd in het programmaboekje.

Tijdens de halve finale zat hij er weer. Achterin, bescheiden als hij was. Ze had er een gewoonte van gemaakt om voordat ze op moest komen de deur naar het podium op een kiertje te zetten en het publiek te bestuderen. Het maakte haar wat rustiger. Ze was al drie weken op het landhuis, ze had nog geen voet buiten de deur gezet. Twee van de kandidaten die door de voorrondes heen waren gekomen waren opgestapt, ze schatten hun kansen te laag in en kwamen volgend jaar liever 'voor de eerste keer' terug.

Die middag speelde ze wederom Berio. Ze speelde met ijzeren concentratie. Ze voelde zich gemakkelijk met haar begeleidster, Krystina, een Poolse pianiste, die zo solide speelde dat ze nog zou doorgaan als er een bom naast haar tot ontploffing kwam. Emma wist wat haar te doen stond. Ze dacht vooruit bij iedere regel. Ze was nauwkeurig tot in de microtel. Aan het eind van haar optreden wist ze dat ze foutloos had gespeeld. Het publiek applaudisseerde enthousiast. Joffé stak vanaf de achterste rij zijn duim op. Ze boog ingetogen en ging terug naar kleedkamer om te wachten tot de jury zijn oordeel had geveld.

Er werd op de deur geklopt door een van de assistenten.

'Je mag weer naar voren komen,' zei hij.

Emma liep achter hem aan de gang in.

Toen haar naam werd genoemd als een van de laatste twaal het bijna niet geloven. Ze riep zichzelf streng tot de orde, het w slag van *Superstar* niet. Haar ogen schoten naar achter in de was een van de weinigen die niet applaudisseerden. Hij zat zijn armen over elkaar naar haar te lachen. Ze hield zijn blik vast en lachte terug. Hij deed haar zo denken aan haar vader. Iemand die het beste met je voorheeft.

Daar stond ze dan, op de dag voor haar verjaardag. Achter in de zaal zat de jury. Joffé had een plekje in het midden naast een prachtige vrouw van een jaar of vijfendertig, wier glanzende haar tot over haar middel reikte. Joffé stootte haar aan en wees naar Emma. De dame gaf een knik van herkenning. Emma vroeg zich af wie ze was.

De zaal zat bomvol. Twee grote, monsterachtige zwarte ogen van camera's waren direct op haar gericht en registreerden hoe Emma een golf van misselijkheid wegslikte.

Emma knikte naar Krystina. Ze kon maar beter direct beginnen.

Terwijl ze haar stok op de snaren zette voelde Emma de verschrikking al aankomen.

De tonen kwamen er niet uit, of in ieder geval niet zoals ze wilde.

Alsof ze op een oude fiets een berghelling wilde beklimmen.

Nadat de laatste tonen uit haar Emiliani sneerden klonk een beleefd applaus. Emma boog dankbaar, maar ze wist dat het de oren van de jury niet had kunnen bekoren. Het was over. Ze had haar zenuwen niet onder bedwang weten te houden. De beloofde vruchten waren te zoet geweest.

Ze moest nog twee stukken spelen. Omdat het toch niet meer uit- e wat ze ervan bakte besloot ze er maar gewoon van te genieten. n viool, een volle zaal en een prachtig stuk muziek tot haar be- Toen ze klaar was wist ze dat ze die in ieder geval naar het kunnen had gespeeld.

ha.'

ijning die naast monsieur Joffé in het publiek le, elegante hand uit.

ndelijk.

aar staan en sloeg een arm om haar

'Haar eerste concours en ze is zevende geworden. Een bovenmenselijke prestatie. Natasha, ik zeg het je, dit meisje is uniek.'

Verbaasd keek Emma op.

'Je Tsjaikovski en Saint-Saëns waren bewonderenswaardig. In lange tijd heb ik niet zo'n poëtische streek gehoord,' zei Natasha, terwijl ze een kaartje uit haar zwarte laktas haalde. 'Ik heb geluisterd alsof ik ze voor het eerst ontdekte.'

NATASHA JOFFÉ stond er op het kaartje in letters die even sierlijk waren als zijzelf.

'Ik zou je graag eens op mijn bureau ontvangen.'

'Zijn jullie familie?'

'Dit is mijn dochter,' zei Joffé met dezelfde trotse blik waarmee hij over Emma had gesproken.

Emma keek nog eens op het kaartje.

NATASHA JOFFÉ

MUZIKAAL IMPRESARIO

Tegen beter weten in

Natasha's bureau aan de Rue Jacob was groot en licht. Nadat Natasha Emma had voorgesteld aan de andere vrouwen in het kantoor had ze haar meegenomen naar haar kantoor. Ze was even spectaculair gekleed als tijdens het optreden: een tweed pakje met een ultrakorte rok en onmogelijk hoge hakken.

'Waar je woont maakt niet uit. Of je nou in Londen, Milaan of Parijs zit, als ik jou genoeg hype komt het vanzelf wel.'

Natasha nam een slok van haar thee. Stiekem keek Emma nog eens naar Natasha's eindeloos lange benen. Hoe kon iemand in hemelsnaam zo mooi zijn én succesvol én intelligent én aardig?

'Mocht je besluiten dat je wilt dat ik je vertegenwoordig...'

'Ja,' floepte Emma eruit voordat ze er erg in had.

Natasha lachte.

'Goed. Het belangrijkste voor dit moment is niet alleen te besluiten
je gaat doen, maar ook wat je niet gaat doen. Krijg je morgen een
rt van Bach aangeboden in de Royal Albert...'

a begon bijna te kwijlen.

s het misschien niet slim om dat aan te nemen.'

beerde niet van haar gezicht te laten aflezen dat deze op-
zorgde dat het voor haar zonneklaar was dat Natasha
t gerukt moest zijn.

nderd. Vroeger deden mensen een leven lang over
aam. Nu kan dat met één concours of één optre-
en rage gecreëerd rond musici, maar presteer
ert, dan is alle lof weer net zo snel vergeten.
langer dan vijf jaar te laten duren.'

Emma herkende de indrukwekken-
k.

'Zoals je ziet zijn we een klein agentschap. Zo wil ik het ook houden. Wat ik als eerste ga doen is je voorstellen aan managers van een paar gerenommeerde concertzalen voor optredens op kleine podia. Het zou goed zijn als je een cd onder jouw naam zou kunnen opnemen. O, er schiet me iets te binnen.'

Ze pende iets in een schriftje en schoof een stapel papier over het bureau naar Emma toe.

'Dit zijn de persberichten die van het concours zijn verschenen. Deze kopieën mag je houden. In Engeland is er ook iets over bericht, alleen op een internetpagina van een tabloid. Dat is wellicht niet het type aandacht dat je wilt hebben, maar je kunt het maar beter weten.'

Emma liet haar blik over het laatste knipsel glijden en ze las de kop van het artikel: DE FRANSEN GAAN VOOR POPULAIR.

Ze kon wel raden wat er in het stuk zou staan, iets over het feit dat zij het zusje van Alex Weijman was en dus minderwaardig. Ze wilde zich net gaan verdedigen, maar Natasha viel haar in de rede.

'Daar kun jij ook niks aan doen, maar we gaan er vanaf nu wel extra op letten dat je niet te veel met je zus wordt geassocieerd. Heb je verder misschien nog vragen?'

Emma dacht even na. Eigenlijk was ze alleen maar nieuwsgierig naar dingen die verdacht veel zouden lijken op vissen naar complimenten: waarom ik? Wat is er zo speciaal aan mij?

'Nee, ik heb geen vragen,' zei ze zacht. 'Eigenlijk wil ik alleen maar iets zeggen: bedankt.'

'Bedanken hoeft niet, hoor, je bent geen liefdadigheid,' zei Natasha terwijl ze haar handig het kantoor uitwerkte voor haar volgende afspraak. 'Ik ben van plan flink wat geld aan je te verdienen.'

De deur sloeg achter haar dicht.

Ze kon als het gelukkigste meisje ter wereld op de Thalys naar huis stappen.

Het kleine cafeetje op het Gare du Nord zat propvol reizigers. Het was moeilijk zich tussen de tafeltjes te wurmen met haar grote rugtas en viool, maar het gat van drie kwartier voordat de Thalys naar Amsterdam zou vertrekken maakte de onderneming de moeite waard. Een ober liep op haar af, Emma deed haar bestelling en sloeg gretig *De Telegraaf* open die ze zojuist op de kop had getikt. Het eerste Nederlandse leesvoer dat ze in weken onder ogen kreeg. Op de voorpagina stond een grote foto van Sonja. Emma keek verbaasd, ze had Sonja nog nooit zo sober gekleed gezien. Ze droeg een simpele twinset en haar blik was leeg.

EXCLUSIEF! WAT MIJ TOT WANHOOP DREEF stond er in schreeuwerige letters naast.

Emma bladerde haastig door de krant naar het *Privé*-gedeelte.

De insteek van het artikel was direct duidelijk. Sonja deed een boekje open over alle vreselijke dingen die ze ooit had gedaan en toch was niks haar schuld.

Ze zou meer dan tien abortussen hebben moeten ondergaan van haar manager. Vervolgens was ze zo de weg kwijt geweest dat ze dingen had gedaan die ze anders nooit had gedaan. Ze had te veel drugs gebruikt, van hasj tot heroïne. Ze had met mannen, vrouwen en vreemden het bed gedeeld om maar aan drugs te komen. Onder het lezen groeide Emma's boosheid.

> *Hoe ben je aan tien abortussen gekomen?*
> Even is Sonja stil. In haar ogen wellen tranen, maar ik zie dat ze zich erdoorheen bijt. Ze lijkt nog een kind, terwijl ze vertelt: 'Van mijn manager moest dat....'

Emma knipperde met haar ogen. Had Sonja het over dezelfde Ed die Alex' manager was geweest? Ze kon zich woordelijk herinneren hoe Sonja had verteld dat Ed en zijn vrouw haar van de straat hadden geplukt en voor haar hadden gezorgd alsof ze hun eigen kind was.

> *Waarom heeft hij je daartoe gedwongen?*
> 'Zodat ik kon doorzingen, om geld voor hem te verdienen. Ik was zijn melkkoe. Hij heeft al mijn geld gestolen.'

Emma hield haar adem in. Alex had haar meermalen verteld hoe Sonja privéjets regelde om op vakantie te gaan en dan huilde als de rekening door haarzelf in plaats van haar platenmaatschappij moest worden betaald. Ed had haar keer op keer gewaarschuwd. Als Sonja inderdaad financieel aan de grond zat kwam dat door haar exorbitante uitgavepatroon, niet door Ed.

Er stond een grote foto van Ed naast die van Sonja.

'Ik heb miljoenen verdiend. Dankzij deze man heb ik niets meer over.'

Arme Ed, dacht Emma. Als ze iets had geleerd van de effecten van de leugens van de pers, dan was het dat mensen altijd dachten dat waar rook was, ook vuur moest zijn.

Een overmoedige boosheid stak de kop op. Niets doen is net zo erg als meedoen, had haar oma haar altijd geleerd. Emma pakte haar mobiel uit haar tas, zocht het nummer van Ed in haar contactenlijst op en drukte op het groene knopje. De telefoon ging over, maar er werd niet opgenomen.

'Ed, dit is een bericht van Emma Weijman. Ik ben het zusje van Alex, voor het geval je me niet herinnert. Luister, het is misschien vreemd dat ik je bel, maar ik heb net dat stuk van Sonja gelezen en ik wilde zeggen hoe verschrikkelijk ik het voor jou en je vrouw vind. Als ik iets voor je kan doen, mijn nummer is...'

Hoofdschuddend stopte ze haar telefoon weer in haar tas. Normaal gesproken was ze niet zo assertief, maar Sonja was niet goed bij haar kop en sommige dingen waren te oneerlijk om zomaar te laten passeren.

In de tijd dat Emma in Chantilly was geweest had ze Alex niet veel kunnen spreken. Emma had zich erop verheugd om haar bij aankomst direct te gaan verrassen en haar al haar goede nieuws te vertellen, en ze wist dat Alex die avond een klein optreden had. Direct vanuit de trein was ze in een taxi gesprongen naar Panama, de locatie waar Alex die avond zou zijn. Gelukkig had ze haar paspoort bij zich om de beveiliging te bewijzen dat ze echt Alex' zus was en niet een of andere doorgeslagen fan, en uiteindelijk had de dame achter de balie haar geloofd en verteld waar ze Alex' kleedkamer kon vinden. Terwijl ze door de betonnen gangen op de blauwe deur van Alex' kamer af liep weergalmde het inzingen van een mezzosopraan op de achtergrond. Emma hield pas op de plaats en luisterde met bewondering. De stem was ongelofelijk. Warm en krachtig. Op een bepaalde manier kwam de stem haar bekend voor, maar ze wist niet waarvan. Pas toen het gezang ophield en Emma zag dat er geen andere deuren dan de blauwe was, realiseerde ze zich waarom het stemgeluid haar zo bekend voorkwam: het was die van Alex.

Emma leunde tegen de gangmuur. Een diepe rimpel verscheen tussen haar wenkbrauwen. Zo had ze Alex nooit eerder gehoord. Waarom liet ze maar een kwart van haar talent zien? Maakte ze zichzelf opzettelijk slechter dan ze was om een breder publiek te vermaken?

'Hé, jij! Jij mag hier niet zijn!'

Emma schrok op uit haar overpeinzingen door een donker geklede veiligheidsman die met een air van belangrijkheid op haar kwam afgestevend. Hij was enorm.

'Ik ben haar zus.'

'Ja, ja, dat zal wel,' zei hij neerbuigend.

Hij zette zijn handen in zijn zij en keek haar minachtend aan. Hij leek er nog drie keer zo breed door.

'Nee, madammeke, dat gaat mooi niet door.'

'Bel dan naar de receptie, als je me niet gelooft. Ik sta permanent op de lijst.'

Achter de deur begon Alex weer te zingen. De toonladders klommen hoger en hoger. De walkietalkie van de klerenkast deed het niet.

'Je zult moeten meekomen.'

De eerste tonen van *Madame Butterfly*, haar vaders favoriete opera, klonken door de gang. Ze waren prachtig helder gezongen. Emma klopte hard op de deur.

'Alex, doe open, ik ben het!'

De veiligheidsbeambte pakte haar hardhandig boven aan haar strijkarm en probeerde haar weg te sleuren. Zijn greep was als een ijzeren vuist die ieder moment haar botten kon breken. Het gezang hield op. Emma kon nog maar net met haar linkerhand bij de deur. Ze sloeg erop totdat ze werd weggesleurd. De deur ging op een kiertje en Alex kwam verward naar buiten om te zien wat er aan de hand was.

'Sorry mevrouw, ik heb geprobeerd haar tegen te houden,' sprak de klerenkast.

'Ik ben haar zus, zeg ik je toch! Au, laat los, dat is mijn strijkarm!'

In paniek zette ze haar tanden in zijn worstige vingers.

'Het is mijn zusje, je kunt haar laten gaan.'

'Natuurlijk, mevrouw, wat u wilt.'

Emma wreef over haar bovenarm. Het deed nog steeds zeer.

Kwaad keek ze de man aan.

'Alex, zeg alsjeblieft tegen deze meneer dat hij weg moet gaan! En waarom zing je altijd met zo'n klein piepstemmetje als je zo kan zingen als ik net heb gehoord?'

'Wilt u dat ik haar nu meeneem?' kwam de veiligheidsmeneer tussenbeide.

Alex leek niet aangenaam verrast door Emma's onaangekondigde aanwezigheid.

'Ik zing niet met een klein piepstemmetje.'

'Niet letterlijk misschien, maar je kunt duizend keer beter dan dat je normaal doet.'

Alex keek Emma aan alsof ze zojuist een klap in haar gezicht van haar had gekregen. Haar ogen trokken zich samen en haar mond kneep ze tot een speeltje.

'Wie denk je wel dat je bent?' zei Alex kil, alsof ze het tegen een volslagen vreemde had.

Sterker nog: ze léék een vreemde. Ze keek haar aan alsof ze haar niet kende, alsof de band die ze altijd hadden gehad radicaal was doorgeknipt.

'Zal ik haar dan toch maar...' probeerde de klerenkast voorzichtig.

'Nee!' riepen beide zussen in koor.

Alex trok Emma de kleedkamer in. De ruimte was chic ingericht in roomwit, overdadig gedecoreerd met bloemen en geurkaarsen. Het zag er gezelliger uit dan het was.

'Je neemt dagen je mobiel niet op en je hebt geen een van mijn berichten beantwoord!' zei Alex met een bestraffende blik. 'Wie denk je wel niet dat je bent?'

'Ik was een concours aan het doen, dat wist je toch? Mijn mobieltje werkte daar niet, sorry, en bovendien wilde ik je het resultaat persoonlijk komen vertellen...' Emma moest haar best doen haar stem niet te laten overslaan van trots. 'Ik ben zevende geworden! En ik heb een agent gevonden in Parijs!'

'Zevende? Nou, gefeliciteerd, fantastisch.' Alex' stem liep over van sarcasme.

Emma schudde lachend haar hoofd.

'Nee, je begrijpt het niet! Dit zijn allemaal mensen die extreem uitblinken, mensen die onder Meddelstein gestudeerd hebben, of...'

'Je bent gewoon jaloers op me,' brak Alex haar af.

Emma keek op. De minachting lag niet alleen onverbloemd in Alex' stem, maar ook in haar houding, haar blik. Het leek alsof ze er werkelijk alles aan deed om haar afschuw over te brengen.

'Ik heb het altijd wel geweten, maar ik heb het nooit aan mezelf willen toegeven,' ging Alex door.

Emma voelde zich misselijk worden.

'Doe normaal.'

'Sonja zegt het ook. En daarom nam je de telefoon niet op.'

'Sónja zegt dat?! Dezelfde Sonja die half Amsterdam heeft afgewerkt om te krijgen wat ze wil en dan in interviews verklaart dat het "niet haar schuld is" dat ze weet ik hoeveel keer zwanger is geraakt en zich heeft laten aborteren? Die zegt dat Ed de schuld van alles is? Ed, die alles voor haar heeft gedaan? Dat wijf is knettergek.'

'Sonja ís een slachtoffer.'

'O ja, dat was ik bijna vergeten, het is zó erg om rijk en beroemd te zijn.'

Emma beet op haar lip.

'Alex, we zijn ruzie aan het maken om niks. Ik heb je nog nooit zo mooi horen zingen, dat is alles wat ik probeerde te zeggen.'

Alex bleef met haar armen over elkaar staan.

'Ik dacht trouwens dat ík degene was die met het idee van die wedstrijd kwam? Ja, het is niks hoor, maar tóén was het niet goed genoeg. Jij vindt jezelf altijd zo ver verheven boven alles en iedereen, met je klassieke muziek, met je kutviool. Jouw muziek is misschien dan wel Kunst met een grote K, maar geen normaal mens weet wie die schijt-Paganini van je is.'

De tranen biggelden over Emma's wangen. Het was alsof er een trein over haar heen denderde die met geen mogelijkheid viel te stoppen.

'Alex, ik bedoelde alleen maar te zeggen dat je een prachtige stem hebt!'

De woorden leken niet bij Alex aan te komen. Onbewogen bleef ze staan. Haar armen over elkaar, haar blik op onbereikbaar.

'Ja hoor, het is goed met je,' zei ze met een schamper lachje. 'Kun je nu weggaan? Ik moet een concert voorbereiden. Ik heb namelijk wél een publiek en ik moet geld verdienen. Ik heb niet iemand om me te onderhouden. Maar goed, daar weet jij natuurlijk niets van af.'

Toen ze thuiskwam knipperde het lichtje van haar antwoordapparaat. Emma was er nog niet naartoe gelopen of de telefoon ging. Een bevrijdend gevoel van opluchting daalde op haar neer.

'Alex?'

'Eh, nee. Met Ed spreek je.'

Geen Alex.

'Ik wilde je bedanken voor je telefoontje. Ik, eh...' Hij zuchtte zwaar en deed hoorbaar moeite zijn emoties te bedwingen. 'Ik dacht, omdat Sonja en Alex zulke goede vriendinnen zijn weet jij misschien hoe het met Sonja gaat?'

Er lag zo'n ongerustheid in zijn stem dat Emma bijna spijt kreeg dat ze hem had gebeld. Wat moest ze in vredesnaam zeggen? Het leek haar in ieder geval niet geschikt het gesprek voort te zetten over de telefoon.

'Misschien kunnen we een kop koffie drinken?'

'Ja, dat is goed. Graag.'

Die avond ontmoette ze hem in café de Oude Knaap, een café waar ze vroeger met Amy vaak kwam. Voor haar zat een verslagen man. Een grote vriendelijke reus die zich bovenmenselijk veel zorgen maakte om een verwend, ondankbaar nest dat als een dochter voor hem was.

'Als ik iets voor je kan doen, bijvoorbeeld getuigen dat ze juist altijd heel goeie dingen over je zei of zo, iets om je naam te zuiveren?'

'Als ik mezelf zou gaan verdedigen betekent dat dat ik haar alleen nog maar dieper in de problemen breng. Dat zou ik nooit doen. Daarbij zou mijn vrouw het me nooit vergeven. Ze maakt zich zo'n zorgen, er blijft niets van haar over.'

Hij liet zijn hoofd vallen in zijn grote worstenvingers.

'Ze gaat natuurlijk weer met die klote-Fred om. Ik weet dat hij de vriend van je zus is, maar hij is ook Sonja's ex. Die man heeft niets goeds in de zin.'

Het kwartje viel. Emma kende de verhalen over Sonja's ex. Een ronselaar, een witwasser voor obscure personen, een drugsdealer, iemand die geld verdiende waar het maar kon, en altijd ten koste van een ander. Het was Fred die Sonja's verhalen bij de bladen influisterde. Híj kreeg er rijkelijk voor betaald en zíj kwam weer eventjes in de belangstelling. Sinds Fred in Alex' leven was deed ze zo raar tegen haar.

Emma zag de tranen in Eds ogen opwellen.

'Ik moet even naar het toilet,' zei hij terwijl hij met zijn grote vingers zijn ogen depte.

De ober zette een cola light voor Emma neer. Emma zei hem gedag, ze herkende hem nog.

'Da's een tijd geleden!' zei hij. Zijn ogen glommen van opwinding. 'Mag ik je iets vragen?'

'Natuurlijk.'

Hij kwam nog wat dichterbij en legde zijn hand op haar schouder.

'Is dat nou waar, dat hij al dat geld heeft verduisterd van die Sonja?'

Onwillekeurig schoof Emma naar achteren.

'Waar heb je het over?'

'Die gast. Die Ed, die vent die zo'n hoogvlieger was. Is het waar dat hij een afzetter is?'

Emma keek eens goed naar de man. Niet dat ze hem nou ooit zo goed had gekend, maar opeens leek hij een volslagen onbekende. Hij was lang en magertjes. Zijn T-shirt was netjes gestreken en in zijn broek gestopt. Dat was het enige degelijke aan hem.

'Wat denk je nou zelf?'

'Ik weet het niet?' vroeg hij terug.

Hij bloosde bijna van sensatiezucht.

'Denk je dat ik met een afzetter zou omgaan?'

'Ik weet het niet?'

Het verbaasde Emma niet eens. Het was een spannend verhaal. Het collectieve verlangen om iemand op de brandstapel te gooien bleek met de eeuwen niet te zijn gedoofd. Het doorbrak zo lekker de sleur van de dag.

Haar telefoon op tafel trilde en het schermpje lichtte op: Alex. Ze draaide de telefoon naar Ed toe en ze keek hem vragend aan.

'Neem hem op,' smeekte hij bijna. 'Je moet proberen erachter te komen wat er aan de hand is.'

Emma pakte de telefoon op, haar handen waren warm en klam.

'Emma, kun je misschien even langskomen, ik heb wat belangrijks te vragen.'

Het klonk als een bevel, maar Emma was allang dankbaar dat haar zus met haar leek te willen communiceren.

'Wanneer schikt het dat ik langskom?'

Nu, adviseerde Ed geluidloos.

'Nu,' zei Alex.

'Is prima. Zie je zo.'

Ze legde haar mobiel weer op tafel.

'Dank je wel dat je dit doet. Je moet proberen haar aan haar verstand te brengen dat ze bij die Fred moet weggaan. Ik kan je verhalen over die kerel vertellen waar de honden nog geen brood van lusten, maar daar hebben we nu geen tijd voor. Verlies haar niet uit het oog! Zorg dat je bij haar blijft, dat hij geen vrijspel krijgt om met haar hoofd te kloten.'

Emma pakte haar jas.

'En mocht je Sonja tegenkomen, wil je haar alsjeblieft vertellen dat mijn vrouw en ik haar vreselijk missen?'

Emma liep over de donkere grachten. Ze verborg haar handen in haar zakken en probeerde zo snel mogelijk door te stappen, ze voelde zich allesbehalve veilig. Ze was opgelucht toen ze Alex' huis zag liggen. Azziz groette haar toen ze binnenkwam. Hij leek iets te willen zeggen, maar hij deed zijn lippen bij nader inzien stijf op elkaar.

'Wat is er?' vroeg Emma.

'Nee, laat maar.'

Hij boog zich weer diep over zijn *Voetbal International.*

Alex opende haar voordeur. Ze leek moe.

'Hé, hoe is het gegaan gisteravond?' vroeg Emma terwijl ze haar zus een dikke zoen op haar wang gaf en langs haar heen de woonkamer in stoof. 'Sorry voor de woorden die we hadden, ik bedoelde het allemaal niet zo, het kwam er helemaal verkeerd uit.'

In de woonkamer hield ze pas op de plaats. Op de gigantische bank zat Sonja, met Fred naast haar op de armleuning. Allebei keken ze haar ijskoud aan. De schrik greep haar naar de keel. Emma draaide zich met een vragende blik om naar haar zus.

'Het schijnt dat jij Ed net hebt gezien?' vroeg Alex. Ze had nog precies dezelfde stem en blik als ze de middag ervoor had gehad.

Emma slikte.

'Ja, dat klopt.'

Hoe wisten zij dat nou weer? Ze had Ed nog geen vijftien minuten geleden achtergelaten.

'Wat wilde hij weten?' vroeg Sonja met een razende blik.

Door de beschuldigende blikken vroeg Emma zich af of ze niet toch iets verkeerds had gedaan.

'Of je niet al te mager was.' Emma probeerde haar stem niet te laten trillen. 'Hij maakt zich zorgen om je.'

'Hij maakt zich zórgen?' Sonja's stem groeide van nul tot duizend decibel in een seconde. 'Hij heeft mij tien van mijn bloedeigen kinderen laten vermoorden en hij maakt zich zórgen?'

Het theater was nog maar net begonnen, maar Emma had er al genoeg van.

'Ach, kom op, alsof je daar zelf geen verantwoordelijkheid voor hebt.'

Sonja trok wit weg.

'IK... BEN... NIET... VERANTWOORDELIJK!!!'

Fred en Alex keken Emma aan alsof ze Sonja iets vreselijks had aangedaan. Emma had het gevoel dat haar zus nu echt heel ver weg was.

'Sorry hoor, maar daar was ze toch altijd zelf nog bij?' sprak Emma rechtstreeks tegen Alex.

‘Heb je enig idee met hoeveel mannen ik naar bed ben geweest?!’ snoof Sonja.

‘Geen idee, maar ik kan me nog wel heel goed herinneren hoe je ze uitkoos. Dankzij je keuzes voor bedgenoten heb je vier nummer 1-hits gehad, woon je op driehonderd vierkante meter in het hartje van Amsterdam en hoef je van je levensdagen niet meer te werken. Dat maakt je niet bepaald zielig.’

Sonja graaide in haar handtas en overhandigde Emma een lijst met Latijns aandoende namen.

‘Dat zijn alle SOA’s die ik onder de leden heb gehad. Een normaal mens heeft dat niet.’

Emma zag opeens iemand voor zich die haar hoofd tegen de muur beukte en het bloed als bewijs aanvoerde om aan te tonen dat de stenen haar mishandelden.

Fred probeerde rustig op Emma in te praten.

‘Waarom vind je het zo moeilijk om haar verhaal te geloven?’

Met zijn bedreigende toon liet hij weten dat het waarschijnlijk een slecht idee was om tegen hem in te gaan.

‘Omdat ik weet dat jij die interviews voor haar regelt en hoeveel je ervoor krijgt. En hoe spannender, hoe meer geld het oplevert, lijkt me.’

Vanuit haar ooghoek zag ze Alex naar haar kijken.

‘Alex, jij bent door Ed gerepresenteerd. Jij hebt hem toch altijd op handen gedragen? En je weet dat Sonja hem altijd op handen heeft gedragen. En nu inééns heeft hij haar allerlei abortussen laten plegen en mannen in haar bed gegooid zonder condooms? Hou toch op.’

Alex hield haar mond dicht.

‘Het feit alleen al dat hij geen tegeninterview heeft gegeven, is meer dan verdacht,’ zei Fred.

‘Sonja is als een dochter voor hem! Wat had hij moeten zeggen? Dat ze de mensen gebruikt en verraadt die haar alles hebben geschonken wat ze heeft alleen om zijn straatje schoon te vegen?’

‘Het blijft verdacht.’

‘Weet je wat nog het triestste is? Dat hij als eerste vroeg hoe ze eruitzag toen ik haar de laatste keer zag. Hij maakt zich zorgen om degene die ervoor zorgt dat hij in de kroeg niet meer wordt geholpen. Dat zijn vrouw in de supermarkt niet meer wordt aangesproken.'

'Waar rook is is vuur.'

'Of iemand steekt een nat hompje stro aan, dat levert meer rook op.'

'Denk je soms dat ík dit leuk vind?' gilde Sonja, plotseling met tranen in haar ogen.

Op dat ene moment dat Emma haar in de ogen keek, wist ze het wel zeker. Sonja had zo lang niet in het middelpunt van de belangstelling gestaan dat ze al haar ledematen zou opofferen om weer in de belangstelling te staan.

'Sorry, maar ik heb geen idee wat jullie van mij willen. Sonja, jij weet dondersgoed wat je aan het doen bent.'

Ze keek Alex strak aan.

'En iedereen die eraan meewerkt, is net zo schuldig als zij. En het spijt me heel erg, maar ik ga deze conversatie echt niet voortzetten. Alex, mag ik privé een woordje met je?'

Alex keek vragend naar Fred. Emma wachtte niet tot hij wat zei, maar draaide zich in plaats daarvan resoluut om en liep naar de deur. Ze hoorde gelukkig dat Alex haar volgde.

'Ik geloof haar wel,' zei Alex met een klein stemmetje. 'Ze vertelt het met te veel overtuiging om het gelogen te laten zijn.'

Emma draaide zich naar haar zus om en probeerde haar blik te vangen.

'Veel leugens worden verteld met een overtuiging die er niet om liegt. Je weet dat dit onzin is. Als je misschien iets minder zou zuipen en snuiven dan zou je dat misschien ook zien. Waar zijn je hersens gebleven? Weggesnoven misschien?'

Heel even zag Emma de oude Alex terugkeren.

Fred kwam de vestibule binnen.

'Of jij geeft toe dat Ed jou heeft verteld dat hij Sonja heeft gedwongen abortussen te laten plegen, of je neemt nu afscheid van je zus.'

'Man, wie denk je wel niet dat je bent? Je denkt toch niet dat je zomaar even tussen twee zussen kunt komen? Jij hebt er echt geen reet van begrepen, weet je dat?'

Terwijl ze sprak realiseerde Emma zich hoe stil het was. Ze draaide zich naar haar zus, die met haar hoofd van haar af gedraaid stond.

'Alex?' vroeg Emma. Haar stem weergalmde door de hal, alsof ook die haar zus smeekte om bij zinnen te komen.

'Alex?'

Alex bleef roerloos staan alsof ze het niet hoorde.

'Alex, toe, alsjeblieft?' smeekte Emma een laatste maal.

'Je weet hoe de zaken ervoor staan,' zei Fred.

Alex keek opzij alsof er een onzichtbare muur was die zo hoog was opgetrokken dat niets wat Emma zei of deed haar zou kunnen raken.

Fred duwde haar naar de deur. Emma probeerde zich te verzetten, maar hij was te sterk.

'Alex, ik hou van je!' wilde ze schreeuwen voordat Fred de deur dichtgooide.

De woorden bleven in haar keel steken toen ze zag dat het haar zus was die de deur dichtdeed.

Emma nam niet haar gebruikelijke tram naar huis. Ze wilde lopen, lopen tot haar voeten pijn zouden doen, lopen tot ze niet meer kon, lopen tot haar lichaam net zo veel pijn zou doen als haar ziel. Het voelde alsof haar ingewanden uit haar lichaam waren gerukt en haar achterlieten met een verdriet dat te groot was om ooit te kunnen worden getroost.

Hoe kon ze in vredesnaam leven zonder zus? Het leek zinloos, liefdeloos, bodemloos. Haar hart kromp ineen. Hoe kon haar zus in godsnaam niet meer van haar houden?

Lopen, lopen, alles beter dan voelen, schoot door haar hoofd.

Ze zette de pas er nog harder in. In de straat die ze insloeg was een avondwinkel waaruit nog wat licht kwam. Alle andere winkels waren met metalen rolluiken beveiligd. Ze wist niet eens meer waar ze was en het kon haar niet schelen ook. De nacht was koud, te koud voor haar dunne jasje. Ze ging zitten op een houten bankje aan de rand van een trottoir en wiegde heen en weer. De kille wind beet in haar gezicht. De deur die haar zus in haar gezicht had gegooid zou voor altijd gesloten blijven, dat wist ze. Emma balde haar vuist en sloeg hard op de planken van de bank. Het deed niet eens pijn. Ze keek om zich heen. De wereld leek onwerkelijk. Auto's reden voorbij, televisies knipperden achter vitrages, een man liet zijn hond uit. Ze zag het, maar het drong niet tot haar door. Hoe hevig ze ook zou huilen, hoe hard ze ook zou gillen, het maakte allemaal niet uit. Degene van wie ze het meest hield was ze kwijt. Haar zus was weg.

Weg. Kwijt. En ze had geen idee wat ze nu met de wereld aanmoest.

Diezelfde avond nog hoorde Emma dat ze een buitenkansje had gekregen. De nieuwe man van Halo Klassiek, waar Natasha het over had gesproken, had teruggebeld. Hij was nog steeds op zoek naar een fris gezicht om een cd mee op te nemen.

De volgende middag werd ze om vijf uur in Parijs op zijn bureau verwacht.

What's in a name?

Vanaf de voet van La Tour Montparnasse keek Emma omhoog. Het gebouw was gigantisch en stak donker af tegen de strakblauwe lucht. Om haar heen schoten mensen voorbij. Ze liepen de wolkenkrabber binnen, verdwenen de metro in of staken het plein over. Emma wurmde zich een weg door de krioelende massa.

'Uw tas, alstublieft?' vroeg een meneer bij de ingang van het gebouw.

Emma haalde haar tas van haar schouder en toonde de viool die in de kist lag. Terwijl de man haar tas controleerde op explosieven keek Emma om zich heen. Niemand en iedereen zag eruit alsof hij bereid was zichzelf op te blazen.

'Dank u,' zei de man en wendde zich tot de volgende verdachte.

Ze liep door naar de lift en drukte op knopje 73. De druk op Emma's oren nam toe terwijl de lift omhoograasde. Zenuwachtig tikte ze met haar voet kwartnoten op de grond. De belangrijkste ontmoeting in haar carrière lag nog maar een paar etages verwijderd, wist ze. Eén van de violistes van het kamerkwartet Les Muzes was naar Amerika verhuisd, een grote liefde achterna, en bij de platenmaatschappij Halo waren ze al maanden op zoek naar een vervangster. Natasha had er bij Ducasse, de grote baas van Halo, op aangedrongen dat hij haar persoonlijk zou ontmoeten. Boven stapte ze uit en meldde zich bij de receptioniste die in een kleurloze ruimte de wacht hield.

'U mag meteen doorlopen,' zei de vrouw, 'het eerste bureau links.'

Ze drukte op een knopje en een glazen deur in een glazen wand draaide langzaam naar binnen toe open. Duizelig van de zenuwen liep Emma door de gang en klopte op de eerste deur links.

'*Entrez!*' klonk een zware stem uit de kamer erachter.

Voorzichtig deed Emma de deur open. Ze moest hard met haar ogen knipperen door de zee van licht die haar tegemoetkwam. In plaats van een buitenmuur was de achterwand een glazen pui, slechts onderbroken door ijzeren balkjes. De ramen liepen van tapijt tot plafond en boden de helft van een panoramisch uitzicht. Achter een groot zwart bureau zat meneer Ducasse. Hij had de allure die ze van een belangrijk man had verwacht, met zijn op maatpak en zilvergrijze haren.

Met knikkende knieën liep Emma naar voren. Ducasse stond op, schudde haar de hand en bood haar de stoel tegenover hem aan. Zijn ogen straalden zo helder als de lucht achter hem. De telefoon ging.

'Excuseer mij,' zei hij terwijl hij de hoorn van de haak nam. 'Ik moet dit even nemen, daarna ben ik geheel de uwe.'

De muren achter Emma waren behangen met prijzen en gouden platen. Emma's ogen sperden zich wijd open toen ze een foto van Ducasse met Bernstein zag, hun armen over elkaar geslagen alsof ze boezemvrienden waren. Ernaast hing een foto van Ducasse met Mitterand, daar weer naast een foto van iemand die ze niet herkende, een oudere heer, zijn vader misschien? Ducasse bedankte de persoon aan de andere kant van de lijn.

'O, en breng een koffie voor mademoiselle Weijman mee.'

Het was grappig hoe hij Weijman uitsprak: Weij-e-man. Het klonk mooier, met de extra lettergreep. Buitenaards en neutraal en zusloos. Met vreugde besefte ze dat er geen enkele reële kans bestond dat Ducasse zich op dat moment afvroeg hoe zij tegenover popmuziek stond.

Ducasse draaide in zijn lederen kantoorstoel naar het uitzicht toe. Het enige wat Emma nog van hem kon zien waren zijn handen, die omhooggestoken het uitzicht op Parijs leken vast te houden.

'Welkom in de mooiste stad ter wereld,' lachte hij.

Hij draaide zijn stoel terug.

'Het is jammer dat het heiig is vandaag. Als het helder is kunnen we tot Calais zien. Bent u al eerder in Parijs geweest?'

Emma knikte.

'Eén middag, toen ik mijn viool kwam ophalen,' zei ze terwijl ze op haar vioolkist wees die ze op zijn bureau had gelegd. 'Ik heb hem gevonden bij een vioolbouwer in Saint-Germain. Monsieur Joffé, misschien kent u hem?'

Ducasse boog licht en leek onder de indruk. Wederom draaide hij zich naar de muur van glas.

'Prachtig, Saint-Germain. Komt u hier naast me staan.'

Hij stak zijn arm uit en keek er strak langs de stad in.

'Daar is de Tour d'Eiffel.'

Emma liep naar voren en volgde de uitgestoken arm van Ducasse.

Emma's oog viel op een met zilver ingelijst briefje dat op het bureau stond. '*Lionel, thank you for believing in me. Your friend, Nigel K.*'

'L'Arc de Triomphe en de Champs Elysées, ziet u het? Ik probeer zo vaak ik kan te lunchen bij Fouquets.'

Naast het ingelijste briefje stond een foto van Ducasse naast een donkerharige, knappe jongeman. '*With my friendship, Vengerov*', was het getekend. Emma keek Ducasse bewonderend aan. Stralend keek hij terug.

'Er staan u nog een hoop mooie dingen te wachten, mademoiselle Weijman. Geen land zo mooi als Frankrijk. Als ik u mag uitnodigen een dag met Les Muzes mee te repeteren? Natasha regelt alles wel. En wederom: welkom!'

Emma was direct op zoek gegaan naar een woning in Parijs. Joffé had erop gestaan haar te helpen, in Frankrijk scheen alles via via te gaan. Zelfs met hulp bleek het niet makkelijk. De huurprijzen in Parijs deden die van Amsterdam verbleken. Uiteindelijk had ze via een jeugdvriend van Joffé een *chambre de bonne* kunnen huren, een van de kamertjes op de bovenste etage die in vroeger tijden door bedienden werden bewoond. Dankzij de afwezigheid van een lift naar de zevende etage viel de huur binnen haar budget. Een eenpersoonsbed stond tegen de muur, een tafeltje met twee uitklapstoeltjes stond in de hoek naast het raam onder het schuinaflopende dak. Het liet nog maar net genoeg ruimte over voor haar vioolstandaard. Het was piepklein maar charmant. Ze had uitzicht op het Hôtel des Invalides. Iedere avond werd haar kamer verlicht door de warme tinten van de gouden koepel. Het was de meest romantische kamer die ze ooit had gezien.

Op de dag dat ze was ingetrokken had Emma met veel kabaal een koffer de trap op gezeuld. Haar hele hebben en houwen was over twee grote koffers verdeeld. Toen ze met de eerste bijna boven was en ze bedacht dat haar armen uit de kom zouden worden gerukt als ze het andere gevaarte naar boven zou zeulen hoorde ze het piepen van een deur. De voordeur rechts naast die van Emma ging open en een jong blond hoofd stak naarbuiten.

'Heb je er nog meer?' vroeg het meisje, wijzend naar de koffer.

Emma sleurde de koffer de laatste trede op en knikte happend naar adem van ja, te zeer buiten adem om een woord uit te brengen.

Bruusk stoof het meisje langs Emma naar beneden. Ze was mager, maar ze had een stevig gestel. Ze droeg een legerbroek die zeker twee centimeter bilspeet toonde en een zwart haltertopje. Nog geen minuut later kwam ze met drie treden tegelijk de trap weer op gestormd, onaangedaan met de andere kolossale koffer op haar schouder. Ze zette hem met een grote knal voor Emma's voeten neer en gaf Emma twee stevige pakkerds op haar wang.

'Marine,' stelde ze zichzelf voor met een lach die een imposante rij te grote tanden in een te grote mond ontblootte.

'Emma, je nieuwe buurvrouw,' lachte Emma terug, nog steeds niet helemaal op adem.

Marine keek op haar horloge.

'Heb je al wat te eten voor vanavond?'

Verbaasd schudde Emma van nee.

'Kom dan bij mij voor wat kaas, stokbrood en rode wijn. Ik heb ook geen keuken, anders had ik wel gekookt. We delen de plee hier, dus we kunnen elkaar maar net zo goed meteen beter leren kennen. Ik ga nu boodschappen doen, kom maar langs wanneer je klaar bent.'

Met grote passen stoof Marine weer naar beneden. Marine was een blonde kanonskogel van energie.

Emma viste de nieuwe sleutel uit haar jaszak en schoof haar koffers naarbinnen. Het zag er nog onpersoonlijk uit in de kamer. Ze zette haar muziekboeken tegen de wand onder het tafeltje en ze hing de tekening van de violist aan de muur. In keurige stapeltjes schoof ze haar kleding in de la onder haar bed. Ze was er nauwelijks klaar mee of ze hoorde Marine weer naar boven rennen. Haar deur viel met een harde knal dicht.

Emma liep naar de spoelbak achterin, plensde wat water in haar gezicht, droogde zich en klopte op Marines deur. Met een grote zwaai deed haar nieuwe buurmeisje hem open.

'Ik heb Nederlandse kaas voor je gekocht,' zei Marine, 'dan voel je je gelijk een beetje thuis.'

Marines kamer was in spiegelbeeld identiek aan die van Emma, ware het niet dat het er een gigantische bende was. Een rij roze plastic bloemen hing om het raamkozijn en naast haar bed stonden stapels en stapels boeken. De meeste over Brando, zag Emma. En ene Stanislavski.

'Ik ben actrice,' legde Marine uit. 'Nou ja, ik ga nog naar school. Maar je bent actrice of je bent het niet, zeg ik altijd maar!'

De kurk vloog uit de fles rode wijn die ze tussen haar knieën met een gebroken kurkentrekker te lijf was gegaan.

'Wat doe jij?'

'Ik ben violiste.'

'Yuhhhh-huh! Nog een artiest, daar proost ik op!'

Marine trok het plastic van de Edammer, scheurde het stokbrood en schudde een pak gemengde sla leeg boven een kom. Marine lachte haar tanden bloot, gooide het raam open en stak haar hoofd eruit.

'Parijs, pas op voor Emma en Marine, we komen eraan!'

Ze draaide haar hoofd naar Emma.

'Kom op, jij ook!'

Emma's wenkbrauwen schoten een stukje omhoog. In Nederland zou nooit iemand haar vragen uit het raam vanaf de zevende etage te hangen om de longen uit je lijf te schreeuwen over de hoofdstedelijke daken. Ze sprong op en met haar linkerzij tegen de rechter van Marine gedrukt hing ze uit het raam.

'Een, twee, drie,' telde Marine af.

'Parijs, hier komen we aan!' gilden ze in koor.

De maandag daarop moest Emma voor haar allereerste repetitie met Les Muzes naar een ruime zaal niet ver van haar huis. Het verkeer dat over de Boulevard Raspail raasde hoorde ze door de ruiten heen. Naast haar stond Elodie, een van de andere violistes. Ze was een jaar of vierentwintig, schatte Emma, en zo op het eerste gezicht een beetje een alternatieveling. Ze had een spierwitte huid die bleek afstak bij haar vuurrode lippenstift en de bontgekleurde jurk van patchwork. Elodie roerde in haar koffie en ratelde aan een stuk door. Het was allercharmantst, al had Emma geen flauw idee waar ze het over had. Het Frans van Parijzenaren bleek niets te maken te hebben met het Frans dat ze op school had geleerd.

Een ander meisje kwam binnen.

'Camille,' stelde ze zich met twee kussen voor.

Haar naam paste goed bij haar, vond Emma. Met haar gebruinde huid en grote bambiogen had ze iets zachts en rustgevends over zich. Uit de gang kwam het geluid van hoge hakken op hard hout en de deur werd nogmaals opengeduwd, ditmaal door een beeldschone dame in een kort bontjasje. Haar lange donkere haren krulden volmaakt en hingen tot ver over haar schouders, haar gitzwarte ogen waren donker aangezet en aan haar arm hing een enorme handtas met ivoren handvaten.

'*Salut*,' begroette ze de andere twee meisjes terwijl ze hen naast de oren in de lucht kuste.

Ze draaide zich om naar Emma en knikte.

'Anne-Sophie. Hoe maakt u het?'

Terstond draaide Anne-Sophie haar hoofd weg.

'Waar blijft Bernard toch met mijn cello?' zuchtte ze blasé tegen niemand in het bijzonder. 'Onmogelijk om goed personeel te krijgen vandaag de dag.'

Elodie stootte Emma aan.

'Maak je geen zorgen, zo is ze altijd in het begin,' fluisterde ze. 'Ze is een beetje BCBG.'

'BCBG?'

'Ze komt uit het zestiende.'

Nog steeds wist Emma niet wat ze bedoelde. Het interesseerde haar ook niet erg veel, merkte ze. Ze was niet naar Parijs gekomen om vrienden te maken, maar om een carrière op te bouwen. Dat was veel belangrijker.

Marine en Emma dineerden vaak samen. Kaas, stokbrood en rode wijn. Marine deed Emma een beetje denken aan Alex, met hun natuurlijke behoefte aan plezier maken. Het verminderde de pijn niet, maar het was fijn een maatje te hebben. Emma had Alex nog heel vaak gebeld. Iedere keer als de verbinding tot stand kwam was ze als de dood dat Alex zou opnemen en ze weer een stortvloed van agressie en beschuldigingen over zich heen zou krijgen. Maar er werd niet opgenomen, en als ze uiteindelijk ophing was ze altijd bang dat Alex nooit meer zou opnemen. Het voelde heel dubbel. Ze miste de zus van vroeger met iedere vezel van haar lichaam, maar de nieuwe versie van haar zus kon ze missen als kiespijn. Met Marine was alles leuk en ongecompliceerd. Marine bracht de broodnodige afleiding als ze gedeprimeerd dreigde te raken door het verdriet over haar zus.

Ze hadden geen keuken en ze hadden geen geld. Maar gezellig was het wel. In het weekend nam Marine Emma op mooie dagen tijdens haar studiepauze mee uit picknicken. Ze liepen de straat uit de Rue de Rennes in en nog geen vijf minuten later zaten ze in de Jardins du Luxembourg. Ze picknickten op de kleine bankjes die aan de rand van het gazon stonden.

'Niemand zit op het gras, dat is ten strengste verboden,' had Marine uitgelegd.

Emma had het op de berg van Marines levendige fantasie gegooid, maar de eerste keer dat ze een politieagent een moeder zag berispen omdat haar zoontje over het gras rende had ze het uitgegild.

'De graspolitie!' lachte ze.

'Ssshhhh,' siste Marine en wees naar de politieman. 'Ze zijn hier om bonnen uit te delen en het volk zo veel mogelijk op hun kop te zitten. *Couillons.*'

Het bevreemdde Emma. Wat was het nut van gras als je de sprieten niet tussen je blote tenen kon voelen kriebelen? Een ander raadsel in haar nieuwe Parijse omgeving waren haar buren, Marine daar gelaten. In het trappenhuis kwam ze haar onderburen regelmatig tegen. Zonder uitzondering groetten ze haar nooit terug.

Op straat ging het in het begin niet beter. Nadat ze in gebrekkig Frans een meneer de weg had gevraagd, antwoordde hij haar in subliem

Engels dat ze maar eens moest terugkomen als ze Frans sprak. Emma had in een deuk gelegen toen ze het Marine vertelde.

'Les Parisiens,' verklaarde Marine met opgetrokken neus. 'Kom maar eens met mij mee naar Cibron, dan zie je hoe de echte Fransen zijn. Maar als je blijft, moet je wel de taal leren spreken. Een minimum aan respect tonen.'

De volgende dag vond ze een toeristenwoordenboekje op haar deurmat. Met een mooie strik eromheen en een handgeschreven kaartje.

Eén letter per week. Volgende maandag eerste overhoring.
X,
M

Het had precies een half jaar geduurd om het alfabet door te werken.

De rest van haar tijd werd gevuld met repetities en optredens van Les Muzes, eindeloos lange zondagse lunches met Joffé en over straat slenteren met Marine.

Altijd werden ze nageroepen. Passerende mannen fluisterden hen toe dat ze charmant waren, hielden deuren voor hen open, stonden voor hen op in de metro of stelden hun voor samen de lunch te gebruiken. Het was een vreemde gewaarwording. Niemand wist dat ze 'de zus van' was en toch merkten ze haar op. Met de dag liep ze fierder. Ze was vijfhonderd kilometer van haar geboortestad verwijderd, maar het voelde alsof ze thuiskwam.

Zes maanden waren genoeg om een leven te veranderen. Les Muzes traden zeker drie keer in de week op, niet alleen in Frankrijk, maar ook in Duitsland en Oostenrijk. Emma was er al aan gewend om voor een uitverkochte zaal te staan. Gerespecteerde musici kwamen naar hen kijken en recensenten schreven regelmatig een stukje.

Emma's eerste echte recensie hing ingelijst aan de wand van haar muur.

Nieuwkomer Emma Weijman had ook louter aangenomen kunnen zijn om het oog te strelen. Maar uit haar heldere, trefzekere manier van spelen spreekt een groot talent.

Het was fantastisch om geen enkele referentie naar haar achternaam te zien. Als ze een keer wat minder speelde werd ze daarop afgerekend zonder dat er allerlei vergezochte verbanden met haar zus werden gelegd. Speelde ze goed, dan werd nergens opgemerkt dat 'zijzelf ook iemand was'.

Haar naam als violiste groeide gestaag. Op de dagen dat ze niet optrad met Les Muzes regelde Natasha optredens bij andere opdrachtgevers. Ze wist dat het vooral Natasha's invloed was die voor haar de deuren opende, maar ze was het zelf die naar binnen moest lopen. Het had niets te maken met het feit dat ze 'het zusje van' was, met uiterlijk of connecties. In de klassieke muziek kon je de zaak niet neppen. Je kon spelen of je kon het niet.

Haar ouders belden iedere zondag. Ze waren haar zelfs een keer komen opzoeken. Weken van tevoren hadden ze een busreis geboekt. Vader had het niet zien zitten om het hele stuk te rijden. 's Ochtends om zes uur waren ze vertokken, 's middags rond tweeën waren ze bij de Arc de Triomphe aangekomen. Emma had hen opgehaald bij de bushalte. Van verre zag ze hen al zitten achter een van de raampjes. Vader van slag door de aanblik van zo veel voorbijrazend verkeer, moeder glunderend door het uitzicht op de Champs Elysées. Emma vloog hun om de hals toen ze de bus uit stapten, het voelde alsof ze hen in jaren niet had gezien. Ze leken ouder te zijn geworden. Meer dan die paar maanden.

'Zal ik helpen met de tassen, pap?'

'Ben je gek, dat is mannenwerk.'

Emma gaf haar moeder een arm en trok haar mee de metro in. Bij La Tour Maubourg stapten ze uit.

'Fantastisch systeem,' vond vader. 'Dat zouden ze bij ons in Nederland nou ook eens moeten aanleggen.'

Toen Emma op de zevende etage aankwam stonden vader en moeder op de derde etage uit te hijgen. Emma opende de deur van haar kamer en wachtte geduldig tot ze er waren.

'Ta-da!' riep ze. 'Dit is het dan, mijn *chambre de bonne*!'

'Nou, dat klinkt prachtig, hoor, lieverd,' zei moeder. 'Waar is de rest?'

'De wc is op de gang, maar verder is dit het, ben ik bang. Mensen wonen hier wat kleiner dan in Nederland.'

Quasi-achteloos ging Emma naast de ingelijste recensie aan de muur staan.

'En morgen gaan jullie mee naar mijn optreden, hè? Jullie zullen wel zien, het is een prachtige ruimte waarin we gaan spelen, een deel van een historisch gebouw, heel chic. Jullie zitten op de voorste rij, uiteraard.'

Het was fijn om aan haar ouders te kunnen laten zien hoe haar carrière in de lift zat. Ze had misschien wel een gedeelde plee, het was háár gedeelde plee. Ze was blij dat ze er waren. Succes was een gerecht dat het best met naasten kon worden genuttigd.

'Heb jij nog met Alex gesproken?' vroeg moeder.

De vraag sloeg als een vlakke hand in haar gezicht.

Emma schudde haar hoofd.

'Jullie?'

'Maandje of wat geleden. Ze was druk. Maar ja, je zus is nooit zo'n beller geweest, hè?'

Emma knikte.

'Probeer het nou maar goed te maken,' zei vader. 'Jullie zijn altijd twee handen op één buik geweest. Jullie moeten elkaar wel missen.'

Emma vertelde maar niet hoeveel. Er waren nog steeds momenten waarop ze hoopte dat de telefoon zou gaan en ze 'pikkie!' zou horen schreeuwen als ze opnam.

Ze schudde haar hoofd om de vervelende gedachte te verbannen en nodigde haar ouders uit voor een wandeling.

In Parijs hoefde je niet veel geld te hebben om leuke dingen te doen, de cultuur lag letterlijk op straat. Achter Hôtel des Invalides lag het Rodin Museum, daarachter de wijk Saint-Germain, waar Saint-Saëns was geboren. Terwijl ze langs de Seine liepen viel de avond. Vader wees naar een bistrootje met een rode markies.

'Mag ik jullie daar te eten uitnodigen?'

Moeder straalde. Vader liep met opgeheven hoofd.

Het weekend was te kort.

Haar moeder leek haar wel vacuüm te willen trekken toen ze haar gedag knuffelde. Vader had haar eerder die middag al terzijde genomen.

'Kind, al denk ik soms dat je helemaal gek bent, ik heb ontzettend veel bewondering voor je. Je kunt altijd nog voor de klas gaan staan. En je kunt ook altijd weer bij ons komen wonen.'

Emma keek hem met afgrijzen aan.

'Ja, wij zitten daar ook niet op te wachten, maar het kan wel,' glimlachte hij. 'Dat je het maar weet.'

Het waren goede mensen, haar ouders.

Misschien hadden ze niet helemaal uit het leven gehaald wat erin zat. Misschien hadden ze wat meer kunnen reizen, wat meer kunnen leven. Maar alles wat ze was, alles wat ze had, was ontsproten bij hen.

Met een stekend gevoel van schuld en medelijden zag ze vanaf de zevende etage hoe haar ouders arm in arm naar de metro liepen, terwijl moeder een traantje wegpinkte.

Les Muzes hadden drie weken in de studio doorgebracht om hun cd op te nemen. *Suite Lyrique*, zou het gaan heten. Ducasse had ervoor gekozen om hen licht werk uit te laten voeren, Tsjaikovski en Saint-Saëns, werk dat bij hun leeftijd en levenservaring paste. Nooit had Emma verwacht dat ze in professioneel opzicht profijt zou kunnen hebben van de opnames van de baggermuziek in dat Amsterdamse aquarium, maar nu bleek de ervaring maar wat handig. De eerste dag dat Ducasse langskwam om naar de opnames te kijken zette Elodie steevast te laat in. Camille kuchte zenuwachtig op het moment dat het rode licht aanging. Anne-Sophie ademde zwaar door haar neus, iets wat ze altijd deed als ze zenuwachtig was. Emma zag Ducasse geïrriteerd iets aan de technicus achter het glas vragen.

'Als je erop let wanneer de meneer met het witte hemd naar voren buigt, dan gaat het rode lichtje een aantal seconden later aan,' fluisterde Emma. 'Zo heb je een paar seconden extra tijd om erin te komen.'

Anne-Sophie keek op. Haar uitdrukking was zachter dan normaal en toch lag er nog steeds iets van achterdocht in.

'Dat is gul van je,' zei ze. 'Je had ook kunnen proberen hier een solo uit te slepen.'

Emma leunde haar bovenlichaam naar de celliste en fluisterde terug.
'Er is een speciaal plekje in de hel gereserveerd voor artiesten die elkaar niet helpen.'

Na die eerste dag leken de vier individuen steeds meer een eenheid te worden. Ducasse volgde hun vorderingen met voldoening. De laatste dag van de opnames kwam hij nog een keer langs in de studio.

'Dames, we gaan met vijfduizend exemplaren de winkels in. Dat is enorm. Ik heb een tour door de Benelux voor jullie geregeld, we gaan proberen jullie ook in die landen in de schappen te krijgen. Emma, we beginnen in jouw geboorteland, in de Grote Kerk in Den Haag.'

Emma sprong op en neer van verrukking. Om als overwinnaar terug te gaan naar Nederland was fantastisch. Ducasse lachte naar de vier blije gezichten.

'O, Emma, kun jij in de pauze even bij me komen op kantoor?'

Enthousiast knikte ze van ja. Ze hoopte dat hij zou vragen of ze vrijkaarten wilde krijgen, dan kon ze vader en moeder uitnodigen, oma en Amy. Zodra de pauze begon vertrok ze.

Ducasse zat, zoals altijd strak in het pak, achter zijn bureau. Buiten liep het tegen de dertig graden. In het kantoor was het verademend koel.

'Emma, je moet me iets vertellen. Wat is er mis met jouw naam?'

Emma keek verbaasd op.

'Niks, voor zover ik weet. Waarom?'

Hij krabde bedachtzaam op zijn zilvergrijze hoofd.

'Ik heb vanochtend de Nederlandse drukker aan de telefoon gehad. Hij belde me net op nadat hij de drukproef onder ogen had gekregen en hij vroeg me of ik jouw naam er echt op wilde zetten. Professionele zelfmoord, had hij het over.'

'En dat heeft iets met mijn naam te maken?'

'Het zou zijn als Emma Minogue die de *Mattheüs Passion* speelt, zei hij. Ik heb geen idee wie dat Minogue-personage is, maar...'

'Wat beveelt u aan als alternatief? Miss Piggy?'

Ducasse keek verrast op.

'Dat is precies wat de drukker zei, Miss Piggy. En dat Bach zich zou omdraaien in zijn graf.'

'Pardon?'

'Zou je het erg vinden als we een andere achternaam op de poster zetten? Ja, ik weet ook niet precies wat er aan de hand is, maar meerdere mensen hebben me verzekerd dat Bach zich vast en zeker zou omdraaien in zijn...'

Nog voordat hij zijn zin had kunnen afmaken was Emma de kamer uit gestormd. Ze rende naar de studio. Enkele minuten later was ze terug op het kantoor van Ducasse, haar Emiliani stevig onder haar arm gekneld.

Ze gaf Ducasse geen kans zijn mond te openen en zette haar stok stevig op de snaren. In haar eentje speelde ze het eerste deel van Bachs vioolconcert voor twee. Haar lichaam zwaaide mee alsof ze het slotpleidooi voor een moordzaak voordroeg. Toen ze was uitgespeeld draaide ze zich zonder pardon om.

'Om de oude man weer tot leven te brengen,' zei ze, vlak voordat ze de deur achter zich dichttrok.

De mensen van Halo hadden buitengewoon veel aandacht geschonken aan het uitkomen van de cd van Les Muzes. Er was een voorspeelmiddag georganiseerd waar zelfs het radio station Classic M4 bij aanwezig zou zijn. De zenuwen gierden Emma door de keel. De zaal zat vol met critici en inkopers. Het was merkwaardig dat die zenuwen na al die optredens onverminderd heftig waren. Net als vroeger verdwenen ze bij de eerste noot. De drie stukken die ze van de cd zouden spelen flonkerden door de zaal. De meiden communiceerden met elkaar, lachten, genoten van de ervaring alsof er niets op het spel stond.

Terwijl de laatste noten vervlogen begon het 'publiek' te applaudisseren. De muzen keken elkaar opgelucht aan, deze reactie bij dit type voorspel was een zeldzaamheid. De Fransen werden al niet gehinderd door het in acht nemen van obligate beleefdheid als klappen als ze iets niet geweldig vonden, maar vakgenoten reageerden al helemaal alleen positief als ze écht vertrouwen in je hadden.

Iedereen klapte nog terwijl Ducasse het podium op kwam lopen. Zelfs de speelsters keken verbaasd op. Ducasse stond erom bekend altijd op de achtergrond te blijven. Hij tikte op de microfoon.

'Dames en heren. Als ik u mag vragen het glas te heffen voor deze vier buitengewoon getalenteerde dames? Het is een lange tijd geleden dat wij bij Halo zo enthousiast waren over het verschijnen van een cd. Daarbij heb ik een klein nieuwtje dat toch enigszins opmerkelijk is.'

Hij draaide zich naar de muzen.

'Jullie cd zal volgend jaar ook in Amerika worden uitgebracht.'

Een spontaan applaus steeg op. Om in Amerika te worden uitgebracht, zeker in het huidige klimaat, was een unicum. Ze voelde Elodies hand in de hare knijpen.

'Dames, als ik jullie mag verzoeken om plaats te nemen aan de tafel achterin? Ik kan me zo voorstellen dat deze en genen wel wat willen vragen.'

In een rijtje liepen ze naar achter, trots en voldaan. Emma grijnsde breeduit naar wie maar een plaatje wilde schieten.

'De eerste vraag graag,' nodigde een medewerker van Halo uit.

Een meneer met een bril stak zijn hand op.

'Anne-Sophie, hoe zijn jullie bij elkaar gekomen?'

'Elodie, Camille en ik kennen elkaar al sinds de puberteit uit het muziekcircuit. Emma is er later bij gekomen.'

Ze draaide zich naar Emma toe.

'Ik denk dat ik voor ons drieën kan spreken als ik zeg dat we heel veel geluk hebben dat we Emma hebben gevonden.'

De journalisten penden het antwoord neer. Een dame stak haar hand op.

'Claude Dupont van *La Libération*. Hoe is de lijst met opgenomen werken tot stand gekomen?'

De meiden keken elkaar aan wie antwoord zou gaan geven. Iedereen begon te grinniken.

'Camille?' maakte de medewerker een eind aan de twijfel.

'Oké dan! Monsieur Ducasse heeft ons daar sterk in gestuurd. We wilden een jeugdig, fris album. Natuurlijk hadden wij inspraak, maar we respecteren zijn visie en er viel weinig tegen in te brengen.'

De volgende dame lachte hen vriendelijk toe.

'Gefeliciteerd. Jullie hebben inderdaad een frisse wind door Saint-Saëns en Stravinsky geblazen. Emma, jij als buitenlandse, wat is jouw kijk op wat er met de muziek gaat gebeuren nu alles zo commercieel is geworden?'

Even was het stil. Het was een van de moeilijkste vragen in de hedendaagse muziekpraktijk, de vraag die doorgaans werd gesteld door een naïeveling of een pessimist.

Op Emma's lippen verscheen een lachje. De belofte die in de zaal had gehangen leek ineens bevestigd.

'Zij zal worden gespeeld,' antwoordde ze vastberaden.

Met een hupje sprong Emma de taxi uit. De zeven trappen vloog ze naar boven en ze klopte hard op Marines deur. Teleurgesteld luisterde ze naar de stilte erachter; graag had ze het glas geheven met haar buurmeisje.

In haar kamer liet ze zich op de ooit roomwitte deken op haar bed vallen. Haar schoenen schopte ze uit, ze vielen neer naast een halfvol pak lauw appelsap onder haar bed. Het was stil in de kamer. Ze hoorde een zacht gestommel van de onderburen die regelmatig ruzie hadden, verder niets. Het voelde vreemd om zo'n belangrijk moment niet te delen. Vooral om dat niet te doen met degene met wie ze altijd alles had gedeeld. Ze keek naar de telefoon op het tafeltje in de hoek. Ze wilde dat hij rinkelde. Maar hij stond daar maar een beetje te staan. Haar blik draaide zich van de telefoon naar haar schrijfblok. Ze stond op en pakte het. Ze ging het nog maar eens proberen. Ze vond het fijn om brieven aan Alex te schrijven. Zo had ze het gevoel toch nog een beetje bij haar te zijn. Terwijl ze schreef hoorde ze de vrolijke stem van de oude Alex: 'Ik hou van je, pikkie, ik hou meer van jou dan van wie dan ook!'

Zoals altijd bracht die gedachte een glimlach en een traan.

Lieve Alex,

Ik mis je. Dit zijn de woorden waar ik deze brief mee wil beginnen, want dat is de voornaamste boodschap die ik met dit schrijven wil overbrengen. Terwijl ik met een pen in de hand zit zijn er duizenden dingen die ik wil schrijven, hersenspinsels, beschuldigingen, excuses. Het is zo makkelijk de weg kwijt te raken in de-

tails, ongeloof en emoties. Maar al die gevoelens, het gelijk willen hebben zijn uiteindelijk niet belangrijk. Het enige wat echt belangrijk is is dat we familie zijn en dat ik je mis. En ik hoop dat jij mij ook mist. Als dat zo is dan kunnen we het goedmaken, dat weet ik zeker. Zolang we koppigheid en gelijk-willen-hebben aan de kant kunnen zetten, dan kúnnen we het goedmaken.
Herinner je je nog wat oma vroeger zei: 'Wat wil je liever hebben: je gelijk of je geluk?'
Ik wil het, heel graag. We zijn beiden stom geweest. Voornamelijk om het zover te laten komen. Dit klinkt misschien simplistisch, maar kunnen we er geen zand over gooien? Toegeven dat we allebei fouten hebben gemaakt en een toekomst ingaan waarin we weer zussen zijn?
Ik hou van je en ik wil je niet voor altijd kwijt. Alex, alsjeblieft, als jij hetzelfde voelt, mijn hand is naar je uitgestoken. Pak hem, alsjeblieft.
Ik mis je. En ik hou van je.

Voor altijd,

je zusje

Twee uur later zat ze uitgeput met een dikke envelop in haar hand. Ze had nog net genoeg postzegels in huis om hem meteen op de post te doen. De stilte keerde terug. Met de brief stevig tegen de borst geklemd liep ze naar het raam en draaide hem open. De koepel van Hôtel des Invalides verlichtte de verlaten straat. Ze zoog de avondlucht op en keek nog eens naar beneden. Een scherpe hoek van de envelop prikte in haar keel. Misschien was het toch maar beter om hem morgen op de bus te doen. De brief legde ze in het rood geverfde ladekastje dat ze op de markt had gevonden. Het laatje puilde al uit van de oude mislukte brieven aan Alex.

Ze moest er maar niet al te veel aan denken en gaan slapen.

De volgende dag had ze een belangrijk interview.

Het raam draaide ze goed dicht, de voordeur stevig op slot.

Hoe spannend en bevredigend Emma haar laatste prestaties ook vond, Natasha dacht er anders over.

'Het is een opstapje,' zei ze toen Emma weer bij haar op kantoor was. 'Je hebt drie jaar om te groeien als violiste, om nieuwe cd's op te nemen, om in grotere zalen te spelen en je repertoire uit te breiden. Als je nu stagneert sterf je een langzame muzikale dood.'

Ducasse had een dozijn cd's aan Emma gegeven.

'Nu besta je,' had hij stralend verklaard.

Dat hoorde ze wel vaker, dat ze 'nu bestond'. De woorden ontsnapten mensen gedachteloos. Het wierp een nieuw licht op iedere existentialistische vraag die ze zich ooit had gesteld. Wie, wat of waar was ze in godsnaam geweest, de afgelopen zevenentwintig jaar, als ze nu pas bestond?

Met Elodie ging ze naar veel concerten. Vaak werden ze herkend en kregen ze zomaar, van wildvreemden, complimenten. Ze verbaasde zich erover hoe leuk ze het vond om erkenning te krijgen. Het veranderde haar van 'mazzelaar' in 'getalenteerd', en ook op andere terreinen begon ze zekerder van zichzelf te worden. De zon leek iedere dag harder te gaan schijnen.

De eerste keer dat Emma de cd in de winkel had zien liggen was ze bijna in zingen uitgebarsten. Daar, zomaar in een schap, tentoongesteld aan de wereld, lag haar ziel, haar passie, het beste van zichzelf.

Al zou ze morgen onder een trein kunnen komen (wat op zich niet direct in de planning lag), ze zou niet ongehoord zijn geweest. Ze had bestaan.

Dus toch.

Bezopen

De Thalys raasde door de lege weilanden. De voorafgaande uren had het landschap zich van een glooiende weelde tot planmatig ingedeelde vlakken getransformeerd. Elektriciteitspalen stonden strak in het gelid, Vinex-wijken lagen in aanbouw. Emma was blij haar geboorteland terug te zien. Eigenlijk was ze blij over alles, de situatie met Alex daar gelaten, sinds *Suite Lyrique* als zoete broodjes over de Franse toonbanken vloog. Het was zo'n ongeëvenaard succes dat zelfs in Duitsland, België en Nederland ruime orders waren geplaatst; toch wel een unieke gebeurtenis voor een cd met kamermuziek. Ducasse had zich persoonlijk met de buitenlandse mediastrategieën bemoeid. Omdat Emma de Nederlandse component was leek het hem niet meer dan logisch dat zij daar, mochten er interviews worden gegeven, het woord zou doen. Ze keek nog eens op het blaadje waarop ze alle vragen die haar gesteld zouden kunnen worden op een rij had gezet. Ze was altijd goed geweest in muziekgeschiedenis, maar ze wilde Les Muzes niet in het hemd zetten door met verkeerde jaartallen aan te komen als ze over het leven van Tsjaikovski of Saint-Saëns zou vertellen. De trein reed Amsterdam binnen. Emma stapte uit en tuurde in de drukte op het perron. Ene Antoinette, de Nederlandse pr-dame die Halo had ingehuurd, zou haar opwachten. Vanuit de verte zag ze een lange, stevige blondine met een enorme boezem in een strak roze truitje op haar aflopen.

'Emma?' vroeg ze. 'Ja, je bent makkelijk te herkennen met je viool. Kom je mee? We hebben een drukke dag voor de boeg. Als je het niet erg vindt gaan we lopend, ons kantoor ligt hier vlak achter.'

'Prima.'

'Heb je er een beetje zin in? De respons is ongelooflijk geweest,' zei Antoinette vol onverbloemde trots. 'Op bijna iedere longshotuitnodiging die ik de deur heb uitgedaan is positief gereageerd. Ik kan met recht zeggen dat dit mijn beste project is tot nu toe.'

Ze liepen van het Centraal Station naar de Dam. Het was druk. Antoinette hield met stevige stappen de vaart erin.

'Zelfs de *Popkrant* wil een interview, het is niet te geloven. De serieuzere tijdschriften hebben verstek laten gaan, maar dat was natuurlijk te verwachten met een cd met lichte muziek.'

Er verscheen een frons tussen Emma's wenkbrauwen.

'De *Popkrant*? Denk je dat dat een goed idee is?'

'Iedere vorm van pers is een goed idee. Dit kan enorm worden. Ik heb nog nooit zulke positieve reacties gehad. We hebben zelfs een aanvraag voor de talkshow van Mulder en De Jong gekregen!'

'Vertel er in ieder geval wel bij dat ik het niet over mijn zus ga hebben.'

'Dat weet ik, dat hebben ze me bij Halo al honderd keer gezegd,' klonk het enigszins geïrriteerd.

Ze liepen in stilte over de Dam. Emma was helemaal vergeten hoe druk het er kon zijn, het leek de Champs Elysées wel. Antoinette graaide in haar broekzak en haalde een sleutel tevoorschijn.

'Ik moet even een boodschap doen. Laat jij zelf de journalisten binnen? Hier is een lijstje met degenen die je gaat ontmoeten. De eerste heet Petra van de *Kom-Kommer*. Tof wijf.'

Emma had het lijstje en de sleutelbos koud in haar handen of Antoinette werd in de menigte opgeslokt. Ze probeerde de grootste van de sleutels en had in één keer raak. Achter de deur openbaarde zich een typisch Amsterdamse trap. Emma beklom de steilte. Ook de deur naar het kantoor zwaaide makkelijk open. Haar voetstappen weergalmden terwijl ze de ruimte in stapte. Heel even was ze bang dat er net was ingebroken, zo rommelig was het. De kasten puilden uit met stapels papier en paperassen leken over te lopen in de vloer.

In de hoek stond een lege tafel. Er stond alleen een fles Spa blauw en een stapel plastic bekertjes op. Twee stoeltjes waren er keurig onder geschoven. Emma nam aan dat het voor haar was bestemd. De klok wees vijf over één toen de deurbel ging. Emma opende de deur van het kantoor, zag het touw dat langs de trapleuning naar beneden liep en trok eraan. De deur ging met een klik open. Een jonge vrouw, Emma schatte haar een paar jaar ouder dan zijzelf, huppelde de trap op. Ze droeg een strak spijkerjack en een legerbroek met rafels. Met elke tree die ze naderde leek ze er wat ouder uit te zien.

'Hoi!' begroette ze met een ietwat hese stem. 'Petra!'

Emma stak haar hand uit.

'Emma Weijman.'

'Ja, hè hè, dat weet ik ook wel! Is Antoinette er niet? Jammer! Nou, dan zal ik het maar met jou moeten doen, hè?'

Emma keek beduusd toe terwijl Petra lachend langs haar heen het kantoor in stormde. Het was weer even wennen, die Nederlandse directheid.

'Let maar niet op mij hoor, ik ben altijd zo. Lekker scherp,' waarschuwde ze.

Het was Emma een raadsel hoe botheid voor scherpte kon worden versleten.

Petra smeet een cassetterecorder op de tafel en schonk zichzelf wat te drinken in.

'Ben je er klaar voor?'

'Ik wel.'

'Nou, ten eerste gefeliciteerd met jullie cd dan maar, hè? Ik heb hem helemaal afgeluisterd.'

Emma keek om te zien of Petra nou alweer lekker scherp aan het wezen was, maar ze kon niets ontdekken in haar mimiek wat daarop wees.

'Dank je.'

'Eerst even wat achtergrondinformatie. Je bent geboren en getogen in Eikelscha. Je grote zus is Alex Weijman.'

'Klopt.'

'Je zus moet wel heel erg trots zijn?'

'Ik hoop het.'

'Gaan jullie goed met elkaar om?'

'Zoals gezegd: ik heb het in interviews liever niet over mijn zus.'

Petra's mondhoeken daalden prompt.

'Waarom niet?'

'Omdat de muziek van Les Muzes niets met mijn zus te maken heeft.'

'Maar daarvoor ben ik natuurlijk wel gekomen.'

Emma slikte de tegenwerping in dat ze dan maar niet had moeten komen. Ze bracht zichzelf Petra's 'lekkere scherpte' in herinnering; ze was van tevoren gewaarschuwd.

'Daar kan ik ook weinig aan veranderen,' glimlachte ze beleefd.

'Maar ik móét het vragen.'

Er viel een beladen stilte, een flink ongemakkelijke. De geluiden van de Dam drongen binnen. Emma bedacht zich dat het vast beter zou gaan als zij ook lekker scherp zou zijn. Ze was misschien al te veel gewend geraakt aan de Franse gebruiken. Samenzweerderig boog ze naar voren.

'Waarom móét dat? Is er een bom onder je kleding die afgaat als je dat niet doet?'

Emma zag een flits van opwinding in Petra's ogen.

'Ik ben journalist! Ik moet kunnen vragen wat ik wil!' kaatste Petra terug.

Er kwam ook een twinkeling in Emma's ogen. Ze vond het eigenlijk best leuk, dit spel.

'Je werkt voor de *Kom-Kommer*. Ik denk niet dat je Watergate 3 gaat ontdekken hier.'

Petra schommelde van haar linker- naar haar rechterbil. Langzaam veranderden haar ogen van scherp naar vals.

'Zullen we het ergens anders over hebben?' probeerde Emma te redden wat er te redden viel. 'Tsjaikovski bijvoorbeeld, of mijn Emiliani?'

Petra leunde iets achterover en ze bewoog haar lippen alsof ze rook naar het plafond uitblies.

'Oké dan,' zei ze uiteindelijk met kille stem.

Ze pakte haar notitieblokje en sloeg een blaadje om.

'Heb je een vriend?'

Petra was de enige niet die het over haar zus wilde hebben.

Samira van de *Popkrant* wilde, toen Emma voet bij stuk hield en haar status van 'zusje van' niet wilde bespreken, weten of ze via Alex veel bekende mensen had ontmoet en wie dan wel.

Ook dat interview duurde niet lang.

De dame daarna, Mirjam van de *Caroline*, een nieuw blad waar veel voor werd geadverteerd met de belofte dat het lekker positief zou worden (Emma had er zin in gehad, ze was het volledig eens met het standpunt dat je zo verdraaid gedeprimeerd werd van vrouwenbladen vol volmaakte fotomodellen en succesverhalen), had als eerste naar Alex' telefoonnummer gevraagd.

'Het spijt me, maar volgens mij ben je hier uitgenodigd om het over Les Muzes en onze muziek te hebben.'

Mirjam keek haar brutaal aan.

'Ik wil een interview tussen jouw zus en Alicia Rood regelen. Sorry, foefje!'

'Helaas kan ik je daar niet mee helpen.'

'Kom op zeg, hé, ik heb dat hele takkeneind hierheen gefietst! Via wie kan ik haar bereiken, dát kun je toch wel zeggen?'

Emma wist niet wat ze moest antwoorden. Haar gezicht werd rood van woede.

'Denk je niet dat je een beetje heel erg onbeleefd bent?' vroeg ze met trillende stem. '*Ik* ben het hele takkeneind vanuit Parijs gekomen om onze cd te promoten.'

'Je hoeft niet hysterisch te worden, hoor!' gilde Mirjam terwijl ze haar spulletjes bij elkaar graaide en in haar tas propte. 'Pas jij nou maar op. Dat interview met jouw zus krijg ik toch wel. En is het niet goedschiks, dan is het wel kwaadschiks!'

Emma bleef stilletjes zitten terwijl de journaliste boos wegliep. Ze hoorde de deur niet dichtslaan, noch Antoinette naar boven komen.

'Is het goed gegaan?'

Ze draaide zich om en zag de pr-dame met rode konen en een grote Konmar-tas in de deuropening staan. Emma trok haar schouders op.

'Nee. Ze wilden alleen maar dingen weten over mijn zus.'

'Dat geeft helemaal niet, joh! Hoe meer er over jullie wordt geschreven hoe beter.'

'Hoe weten ze überhaupt dat ik Alex' zusje ben? Niet omdat we op elkaar zouden lijken of zo.'

'Ja, ik heb het natuurlijk wel in de persmap gezet, dat verkoopt nu eenmaal.'

Emma zuchtte diep. Het was vooral het gebrek aan gêne wat haar stoorde in Antoinettes antwoord. Ze stond op en staarde uit het raam, de Dam over. De deurbel ging.

'Dit is Raphaël de Witte van *de Volkskrant*,' zei Antoinette terwijl ze opendeed.

Ze klonk nog even opgeruimd als daarvoor, wat Emma alleen maar kwader maakte.

'Kom maar op!' riep Emma over haar schouder. 'Als hij wil kan ik alvast een opstel schrijven over hoe het is om het zusje van Nederlands bekendste BN'er te zijn. Als ik meteen begin ben ik over een jaartje wel klaar!'

Er werd gekucht achter haar.

'Ik was niet van plan nog een jaar te wachten om je weer te zien,' zei een bekende stem.

Langzaam draaide Emma zich om.

Een figuur met blond gemillimeterd haar en een gedrongen lichaam stond daar, stevig in zijn schoenen en met zachte blik. Hij lachte en stak zijn hand uit alsof ze voor de eerste keer kennismaakten.

'Raphaël de Witte, journalist van *de Volkskrant*.'

Met open mond schudde Emma de uitgestoken hand.

'Wat doe jij hier nou? Jij bent toch geen journalíst?'

Emma merkte niet eens hoeveel afkeuring er in haar stem lag.

Hij knikte.

'En jij blijkt opeens een wereldberoemd violiste te zijn.'

De geur van zijn aftershave drong haar neus binnen. Hij rook zoet, houtachtig en mannelijk. Net als de laatste keer dat ze hem had gezien zag zijn schouder eruit als de ideale plaats om op uit te huilen. Ineens besefte ze dat dit zo ongeveer het ongelukkigste toeval was wat ze zich maar kon bedenken. De kop boven dit interview stond zo goed als vast. ZUSJE SCHROBDE WC'S TERWIJL ALEX IN WEELDE LEEFDE.

'Laten we maar aan de slag gaan,' stelde ze voor in een poging niet prijs te geven dat ze begreep dat ze klem zat. 'Hoe is het om het zusje van mijn zus te zijn?'

Raf knipperde niet eens. De lul. Verhard en verneukt door een gedegenereerde tak van sport.

'Ik neem aan dat je niet naar onze cd hebt geluisterd?'

'Hoe gaat het met je?'

Haar linker mondhoek trok omoog. Ze sprak rustig.

'Het siert je dat je er even mee wacht, maar laten we elkaar geen mietje noemen. "Hoe is het om het zusje van Alex Weijman te zijn?" Misschien kan ik je uit naam van de goede oude tijd wel een primeur geven?'

Raf schoof onwillekeurig naar achteren.

'Volgens mij vroeg ik hoe het met je ging. Een vrij normale vraag als mensen elkaar in jaren niet hebben gezien.'

Ze keek beschaamd naar de grond. De brok in haar keel werd groter.

'Sorry.'

'Je zus interesseert me helemaal niet,' zei hij rustig. 'Zal ik het nog maar een keer proberen dan? Hoe gaat het met je?'

Haar kin trilde en een raar gegiechel ontsnapte aan haar keel.

'Eigenlijk is het nog nooit zo goed met me gegaan,' piepte ze.

Het klonk zo belachelijk dat ze door haar tranen heen begon te lachen. Raf stond op en pakte haar hand. Vreemd. Het was een geste die van iedereen te intiem zou zijn, maar niet van hem.

'Gelukkig maar. Maar ik maak me toch enigszins zorgen over hoe je zou reageren als het niet goed zou gaan.'

Ze moest nog meer lachen en huilen tegelijk. Ze veegde haar tranen van haar gezicht met een zakdoek die hij haar aanreikte.

'Ik heb je cv gelezen. Er stond niks in over de jeugdherberg,' zei Raf quasibestraffend.

Emma lachte en snoot hard in de zakdoek. Ze wees naar de stapel cd's die naast haar Emiliani op tafel lag.

'Geen schoonmaakster, maar musicus. Sorry.'

'Dacht je dat ik dat niet doorhad? Ik heb nog nooit van die eeltige vingertoppen gezien bij een schoonmaakster. En alleen op de linkerhand, dat lijkt me voldoende aanwijzing. Vergeet niet, ik ben journalist. Een speurneus.'

Ze voelde een lichte walging terwijl hij het woord uitsprak.

'En de herberg dan?'

'Die heeft mijn vader me nagelaten. Ik wilde het ter ere van hem laten voortbestaan. Ik heb het echt geprobeerd, maar... Nou ja, je hebt zelf gezien hoe het was. Mijn hart ligt bij de journalistiek, dat kon ik niet verloochenen.'

Emma rilde.

'Kun je dat alsjeblieft niet steeds blijven zeggen?'

'Wat?'

'Dat je journalist bent. Lijkt me nou niet bepaald iets wat je aan de grote klok wilt hangen.'

Hij leek oprecht verbaasd. Of dat, of hij was ook nog eens een goed acteur.

'Het is een van de mooiste en belangrijkste beroepen ter wereld. Zonder journalistiek zou de Nederlandse democratie niet zijn wat ze is, zonder ons zouden we niets weten over misstanden die er in de wereld voorkomen,' zette Raf uiteen alsof hij het rijtje uit zijn hoofd had geleerd. 'Waarom zou ik me daarvoor moeten schamen?'

'Kom op zeg, dat lijkt me een behoorlijk idealistische uitleg.'

'Wat dacht je van mijn collega's in Darfur? Die zijn daar allemaal op eigen risico, het is er levensgevaarlijk. Of dichter bij huis: de kunst? Wie zou er ooit horen over een nieuw kwartet als wij er niet over schreven, hoe zou het kunnen bestaan?'

'Kunst,' schamperde Emma. 'De eerste vraag van ieder interview vandaag: "Hoe gaat het met je zus?" Of dat is in ieder geval de enige vraag die hun werkelijk interesseert.'

Raf haalde zijn schouders op.

'Je zus is geen ziekte.'

'Maar de bijwerkingen zijn knap lastig.'

Antoinette klopte op de deur. Ze stak haar hoofd om de hoek.

'Nog vijf minuten, als je het niet erg vindt?'

Raf knikte. Hij wachtte tot Antoinette was verdwenen.

'Als jij vindt dat je een beter verhaal hebt, vertel het maar dan!'

Ze was bijna vergeten hoe aantrekkelijk de sterretjes in zijn ogen konden zijn.

Na haar laatste interview was Emma naar de kroeg gesneld waar Raf op haar zou wachten. De tijd vloog en de rij lege flesjes Corona tussen hen in groeide gestaag. Het was heerlijk weer in een ouderwetse Nederlandse bruine kroeg te zitten, met zijn Perzische tapijtjes en plakkerige tafeltjes. Nog heerlijker was het om Raf terug te zien.

'Waar ben je bang voor?' vroeg hij.

Emma leunde met haar hoofd op haar handen. Ze kon het bijna niet bevatten hoe makkelijk het hele verhaal over haar zus eruit was gekomen. Emma sprak eigenlijk nooit met iemand over Alex.

'Ik weet gewoon dat als ik haar ga opzoeken, dat ik dan weer een hele lading stront over me heen krijg. En om eerlijk te zijn: ik heb nou al zo lang als een schoothondje achter haar aan gehobbeld dat ik voor mezelf wil kiezen.'

Raf keek haar onderzoekend aan.

'Maar hoe lang kun je daarmee doorgaan? Geef je haar op voor altijd? Want hoe meer tijd verstrijkt, hoe moeilijker het gaat worden.'

'Ik heb het al zo vaak geprobeerd.'

'Wanneer voor het laatst?'

'Voor het laatst? God, volgens mij heb ik een paar weken geleden nog een keer geprobeerd te bellen.'

'Ik bedoel écht geprobeerd.'

Beschaamd keek Emma naar beneden.

'Er ligt zo'n verdriet in je ogen als je over haar spreekt. Haar missen moet een enorme leegte met zich meebrengen.'

De tranen sprongen Emma in de ogen. Dat was waarom ze het liever niet te veel over haar zus had, omdat het de wond waar net een heel dun korstje op was gekomen weer openkrabde.

'Weet je wat het is? Het is niet alleen een leegte, maar ook een enorme warboel. De situatie is een zootje. Ik ben ook laaiendlink op haar om de dingen die ze doet. Dat ze voor iemand als Fred kiest, alleen omdat hij haar een toekomst van glitter en glamour voorhoudt,' buitelde Emma over zichzelf heen, de razende woede die altijd met een brute kracht uit het niets leek te komen als ze ook maar dacht aan de oneerlijkheid van de hele zaak. 'Dat ze meewerkt met zo iemand als Sonja. Dat ze mij wilde dwingen mee te werken aan dat lulverhaal van Sonja, onder de bedreiging dat ze mij anders nooit meer zou willen zien. Iets waar ze zich overigens tot nu toe strikt aan heeft gehouden.

Het is nooit míjn keuze geweest om elkaar niet meer te zien.'

Emma hield even halt om haar woordenstroom te stemmen en naar formuleringen te zoeken die de netelige situatie nog nauwkeuriger konden beschrijven.

'Je moet haar wel vreselijk missen,' zei Raf met een treurige glimlach.

Emma glimlachte terug. Ze voelde zich zo veilig bij Raf dat ze het idee had alles te kunnen zeggen.

'Het is niet dagelijks, het missen,' lichtte ze toe. 'Ook toen alles nog goed was tussen Alex en mij waren er genoeg dagen waarop we elkaar niet zagen. Maar het is het vooruitzicht op een toekomst zonder haar, dát snijdt me door hart en ziel.'

Een traan rolde over haar wang. Haar stem bibberde maar was helder.

'Het idee dat ik ooit ga trouwen en dat het eerste gezicht dat ik zie nadat ik mijn jawoord heb gegeven niet het hare zal zijn. Dat onze kinderen, mochten we die ooit krijgen, nooit met elkaar zullen spelen. Die gedachten, de notie van *altijd*, die brengt zo'n ontzettende leegte met zich mee.'

Raf streelde haar haar en trok haar naar zich toe. Hij kuste haar teder op haar voorhoofd en op haar wang.

'Mijn lieve schat, ik kan je één ding vertellen. Vanuit de grond van mijn hart: jij bent er nog helemaal niet aan toe om je zus te verliezen.'

Die avond sliep Emma bij Raf. Zij in zijn bed, hij op de bank. 's Ochtends had hij haar met een kop thee en een beschuitje met aardbeien gewekt en haar nogmaals aangeboden om mee te gaan naar het appartement van haar zus.

'Ik blijf wel buiten wachten,' had hij aangeboden.

Emma had hem een dankbare kus op zijn wang gegeven en haar hoofd geschud.

'Dit moet ik alleen doen.'

Een half uurtje later sloeg ze Alex' straat in. Bij de draaideur zag ze Azziz al zitten.

'Dat is een tijd geleden!' Hij keek vrolijk op. Hij leek niet eens te weten dat er iets mis was.

Emma forceerde een glimlach.

'Ze is thuis, hoor!' onderbrak Azziz. 'Ga maar naar boven, zou ik zo zeggen.'

'Kun je me alsjeblieft níét aankondigen? Het is een verrassing!'

Azziz maakte een gebaar van instemming.

'Daar zal ze blij mee zijn. Het is natuurlijk maar stil voor haar, nu Fred zo lang met vakantie is. Hoe lang is hij nu al weg, drie maanden? Nou ja, het is maar goed dat ze haar familie nog heeft!'

Emma vroeg zich af waar Fred naartoe was. Naar Club Huis van Bewaring zeker. Opgelucht liep ze de brede trap op. De Perzische loper was vlekkeloos, zoals altijd. Het trappenhuis voelde nog steeds geborgen, veilig voor de buitenwereld. Voor wat er achter die andere deur kon gebeuren, daar was ze bang voor.

Emma luisterde naar de stilte in de ruimte achter Alex' voordeur. Toen hoorde ze iets wat ze direct herkende: het was haar zus die op haar met bont gevoerde sloffen door het huis schuifelde. Ook het neuriën klonk alsof ze het gisteren nog voor het laatst had gehoord. Waar wachtte ze nog op? Misschien zou ze eerst moeten nadenken over wat ze zou zeggen als Alex zou opendoen, maar dan kon ze daar wel tot sintjuttemis staan. Ze haalde diep adem en klopte.

Emma hoorde het geschuifel naar de deur toe komen en het plaatje voor het spionnetje weggeschoven worden. Hoe lang de stilte aanhield wist Emma niet, maar de deur bleef gesloten. Nogmaals klopte ze. Ze voelde dat Alex aan de andere kant van de deur met haar gezicht nog geen decimeters van het hare stond verwijderd.

'Alex, ik ben het,' zei ze zachtjes. 'Doe open, alsjeblieft?'

Ze hoorde de sloffen over het parket wegschuifelen.

Ditmaal bonsde ze op de deur.

'Ik weet dat je er bent, doe nou open!'

De voetstappen achter de deur klonken verder, harder, uitdagend. Ze hoorde Alex zelfs zingen.

'Alex, alsjeblieft, dit is belachelijk, ik ben je zus!'

Achter haar hoorde ze iemand de trap op lopen. Het was Azziz, vergezeld door een meneer in beveiligingstenue.

'Het spijt me, maar we moeten je vragen het pand te verlaten,' zei

Azziz met zijn ogen gegeneerd naar de grond geslagen.

Emma keek van hem naar de dichte deur en weer terug. De deur bleef zo gesloten als gesloten kan zijn. Ze slikte haar tranen weg en greep naar haar koffer.

'Laat mij, alsjeblieft,' bood Azziz aan en hij droeg haar spullen naar beneden.

Emma was dankbaar voor zijn geste. Haar buik voelde aan alsof er met kracht tegen geschopt was.

In de dagen die volgden gebruikte ze ieder moment waarop ze geen verplichtingen had om bij haar zus langs te gaan in de hoop de ruzie te kunnen bijleggen. Drie dagen op rij kwam ze niet verder dan de buitendeur en kreeg ze niet meer te zien dan Azziz, die met het schaamrood op de kaken mimede dat hij haar onder geen enkel beding binnen mocht laten.

De trein naar Oostscherwoude vertrok twee keer per uur. Oma huurde er sinds kort een aanleunflat naast het plaatselijk bejaardenhuis. Moeder en tante Teef hadden besloten dat het niet langer verantwoord was haar helemaal alleen te laten wonen. Het was een mooie flat, had moeder door de telefoon aan Emma verteld. Een tweekamerwoning met tuin, van alle gemakken voorzien, veel beter zou een mens het zich niet kunnen wensen, op z'n ouwe dag.

Er bekroop Emma een onaangenaam gevoel terwijl ze de entree in liep. Aan de wanden hingen geborduurde kunstwerkjes van honden en fruitschalen. Het oogde allemaal erg ouwelijk. Oma was daar toch veel te vlot voor? Emma meldde zich bij de balie. Haar oma's flat had wel een bel, had moeder verteld, maar die hoorde ze niet meer. Een receptioniste met een open, vriendelijk gezicht zette een bordje met IK BEN ZO TERUG op de balie en begeleidde Emma naar oma's flat.

De receptioniste stak de sleutel in het sleutelgat en draaide die om.

'Ja, ik kan wel kloppen, maar dat heeft niet zo veel zin,' verontschuldigde ze zich.

Emma had kippenvel toen de deur openzwaaide.

Oma zat in een grote okergele stoel dicht bij het raam naar buiten te staren. Haar grijze haar was dun en doorschijnend in het tegenlicht.

Voorzichtig liep Emma op haar af, hopend dat oma zou opmerken dat er iemand in haar huis was en ze niet al te veel zou schrikken. Ze legde haar hand op het kunstleren oker. Inderdaad draaide oma zich verontwaardigd om, maar toen ze haar kleindochter herkende begon ze te stralen. Levendige kraaloogjes in een gerimpeld koppie.

'Lieverd, wat ben ik blij dat je er bent!'

Zelfs haar stem was oud geworden.

'Ik ook,' lachte Emma terwijl ze vooroverboog om haar oma's wang te kussen. Oma's schoudertjes voelden beangstigend dun. Emma ging tegenover haar op een foeilelijk bankje zitten.

'Wat een prachtig uitzicht heb ik, hè?' merkte oma trots op. 'Lieve kind, er liggen koekjes in de koekjestrommel.'

Emma liep naar de open keuken. De snelkoker stond op het aanrecht, de theezakjes lagen ernaast. Ze keek naar haar oma, die haar stralend toelachte. Het enige lichamelijke wat nog helemaal leek te functioneren waren de lichtjes in die prachtige ogen.

'Hoe gaat het, oma?!' vroeg ze zo luid mogelijk.

'Och, kind, ik maak me zo'n vreselijke zorgen.'

'Waarom dan, oma?'

'Om Alex. Iedereen vertelt me dat die vreselijke verhalen in de krant niet waar zijn. Wil jij me alsjeblieft de waarheid vertellen?'

'Ik weet niet waar je het over hebt.'

'Dat Alex allerlei operaties laat doen terwijl haar niets mankeert!'

'Oma, ik woon natuurlijk in Parijs de laatste tijd en daar verkopen ze die Nederlandse bladen niet, dus ik heb die berichten niet gelezen. Maar mama vertelde me dat ze met haar hoofd tegen een glazen deur aan was gelopen, dat haar neus was gebroken en dat ze hem heeft laten rechtzetten. En daarna was hij toevallig wat kleiner uitgevallen. Niks belangrijks.'

'Maar waarom staan die leugens dan in de krant? Ik ben Lijpe Loetje niet!'

'Ja, dat weet ik wel, maar ik geef je mijn woord dat het merendeel van wat er in die blaadjes staat onzin is. Beloof je me dat je ze voortaan niet meer zult lezen?'

Oma haalde snuivend haar schouders op.

'Dat zegt Maïte ook. Maar al die ouwetjes hier vertellen me alles wat er wordt geschreven, dus ik kom er toch wel achter.'

De rest van de middag dronken ze thee en aten ze stroopwafels. Met pijn in haar hart zag Emma hoe de helft van de zoetigheid op oma's rok viel terwijl ze at. Haar hand bracht ze trillend naar haar mond. Zelfs haar kaken waren krachteloos. Over haar gezondheid wilde oma het vooral niet hebben.

'Och, lieve kind, wat heeft dat nou voor zin, daar wordt toch niemand blij van? Sommige dingen kun je nou eenmaal niet beter maken.'

Oma wilde liever alles weten over het leven in Parijs. Of het leuk was en spannend.

Terwijl Emma langs het hoge riet naar de bushalte liep, voelde ze zich verslagener dan ze zich in lange tijd had gevoeld. Ze woonde te ver weg om haar oma, in de tijd die haar nog restte, wat meer gezelschap te kunnen houden. Vlak voordat ze was weggegaan had oma haar nog in het oor gefluisterd dat, mocht ze haar zus nog zien, ze haar namens haar oma een dikke pakkerd moest geven. Emma had geknikt.

Sommige dingen kon je niet beter maken. Al deden ze nog zo veel pijn.

Die avond stond het eerste televisieoptreden van Les Muzes op het programma. Het was allemaal op de valreep geregeld en de andere muzen waren in allerijl op de Thalys gezet en bij aankomst op Amsterdam Centraal zouden ze direct naar de studio worden gebracht voor een repetitie. Emma zou tijdens de hele uitzending aan de gastentafel mogen plaatsnemen. Antoinette was in de zevende hemel. Dit gebeurde alleen maar met grote sterren, en het feit dat zij dit voor nieuwkomers had kunnen regelen zou niet onopgemerkt blijven.

Emma zat met een van de redacteuren, Arno, in de vergaderruimte. Arno zag er een beetje ongewassen uit en zo rook hij ook, naar oude sjekkies en nog oudere sokken.

'Ik kan natuurlijk niet instaan voor wat de andere gasten aan tafel vragen, maar ik heb duidelijk tegen Rob en Mart gezegd dat ze niet naar je zus vragen,' verzekerde hij haar nogmaals.

'Kun je het misschien ook tegen de andere gasten zeggen?'

Ze zag Arno's ogen naar het plafond draaien, alsof ze de ster uithing en om drie Wedgwood-schaaltjes gevuld met uitsluitend blauwe M&M's had gevraagd.

'Arno, het spijt me, ik begrijp dat dit vervelend is, maar ik zou het echt heel naar vinden als ik live op televisie moet zeggen dat ik het er liever niet over wil hebben. Ik vind het sowieso al eng om...'

De deur werd opengeknald. Onder luid gegil kwam Elodie binnenvallen.

'Ik kan niet geloven dat we hier zijn!' riep ze terwijl ze op Emma afstevende om haar een stevige knuffel te geven. 'Er schijnen iets van een miljoen mensen te kijken vanavond!'

Elodie draaide zich naar Arno en gaf hem twee zoenen, op iedere wang één. Camille en Anne-Sophie kwamen binnengelopen, Anne-Sophie met een of andere arme sloeber in haar kielzog die met een gelukzalige grijns haar cello voor haar droeg. Anne-Sophie wees naar de hoek waar hij haar instrument mocht neerzetten en hij gehoorzaamde haar alsof de Nederlandse galanterieën nooit door een feministische vloedgolf waren weggevaagd.

De redacteur leek opgelucht dat het gezelschap niet al te stug bleek te zijn. Het laatste wat hij wilde was een harkerig optreden voor de vrijdagavond.

De soundcheck werd gedaan, de plaatsen van camera's werden bepaald. Het klonk goed en ze maakten een mooi plaatje.

'Ze zijn reuze-enthousiast!' had Antoinette de meiden gerustgesteld. 'En Emma, zelfs de eindredacteur heeft mij met de hand op het hart beloofd dat ze echt niet naar je zus zullen vragen.'

De muzen sprongen opgetogen op en neer. Emma zat in een stoeltje naast Anne-Sophie's cello. Ze wilde dat ze wat rust had om zich geestelijk op het interview voor te bereiden, maar ze kon zich hun opwinding voorstellen. Het idee dat ze hun muziek aan een miljoen mensen zouden laten horen, zou voor iedereen genoeg reden zijn om een beetje hysterisch te worden. Bij haar was het het niet-muzikale gedeelte dat haar gespannen maakte.

'Kom op!' zei Camille toen ze Emma's wit weggetrokken smoeltje zag. 'Gewoon jezelf zijn, dan komt alles goed.'

Anne-Sophie was het met haar eens.

'Je zegt normaal gesproken toch ook nooit domme dingen? Geen van die presentatoren weet meer van muziek dan jij, hoor.'

Tegen de tijd dat ze op moest, geloofde Emma er zelf ook bijna in. Een meisje kwam haar ophalen om mee te komen naar de studio. De muzen wensten haar voor de laatste maal succes.

'En denk eraan: Les Muzes!' herinnerde Antoinette haar eraan dat ze de naam van hun kwartet zo veel mogelijk moest laten vallen.

Emma liep achter het meisje aan naar de studio. Aan de wanden hingen foto's van gasten die ze eerder in de show hadden ontvangen. Ze herkende Willeke Alberti, Wubbo Ockels en Johan Cruijff.

Haar hart ging als een dolle tekeer terwijl ze de studio betrad. Het zat bomvol met publiek. Ze zag teleurgestelde blikken terwijl ze plaatsnam. Geen hond wist natuurlijk wie zij was, en je ging niet een opname van *Mulder & De Jong* bijwonen om de buurvrouw te horen kakelen. Er werd Emma een plaats toegewezen tussen twee heren. Beide keken verveeld voor zich uit. De meneer naast haar was een oud-schaatser, even bekend om zijn wereldrecords als om zijn liefde voor vrouwen, de ander herkende ze niet. Als laatsten kwamen Mulder en De Jong de studio binnen. Ze werden onthaald op een luid applaus. In paniek probeerde Emma zich te herinneren wie wie nou ook weer was, ze haalde ze altijd door elkaar. Voordat Emma het goed en wel doorhad startte de intro. De lampjes naast de camera's brandden vervaarlijk rood en de meneer links begon er al in te praten. Hij sprak heel snel, met een stem die monotoon inzette en dan plots naar beneden viel, dat rare tv-toontje dat heel voormalig Hilversum zich nu in Aalsmeer had aangeleerd. Emma kon het nauwelijks volgen. De intonatie maakte op haar de indruk dat de strekking onlogisch was, maar desalniettemin van groot belang.

'Goedenavond dames en heren, welkom bij *Mulder & De Jong*, het is negen uur en de tijd is wederom aangebroken voor wat kunst, cultuur en wetenschap. Naast mij zit Geert Doezelaar, oud-wereldkampioen op de tien kilometer schaats, en hij heeft onlangs een boek uitgebracht. Rechts zit Hidde Konings, meesterdammer. Daarbij zit ook aan tafel Emma Weijman, zusje van Alex Weijman, zij zingt niet maar speelt viool, en met haar geweldige strijkkwartet zal zij voor ons optreden!'

Het compliment deed Emma blozen. Ten overstaan van een miljoen kijkers was hun kwartet 'geweldig' genoemd! De rechter meneer nam de spraakwaterval over. Ook op dat tv-toontje. Plots draaide hij zich naar Emma met een gewichtige blik.

'Emma Weijman. Violiste.'

Hij hield stil alsof de beurt aan haar was.

'Jij bent de zus van Alex Weijman en je leeft in de schaduw van je zus.'

Weer was het meer een statement dan een vraag. Uit de stilte die volgde maakte ze op ze wel werd geacht te antwoorden.

'Nou, dat ligt er maar aan hoe je het bekijkt,' probeerde ze de opmerking te omzeilen. 'Laat ik het zo stellen: ik sta niet op met het idee dat er een schaduw op mij ligt, maar het is wel zo dat anderen dat zo zien. Daar kan ik verder natuurlijk ook niet veel aan doen.'

De linker journalist (Mulder?) knikte goedkeurend. De rechter leek wat minder enthousiast.

'In ieder geval wil jij nu ook graag beroemd worden.'

'Dat valt wel mee, hoor.'

'Jawel, anders zou je geen cd opnemen!'

De logica ontging Emma ten enenmale. Als beroemdheid verwerven haar insteek zou zijn geweest, dan was het logischer geweest om iets op tv te doen, zoals zij.

'Je hebt een cd'tje uitgebracht met populaire vioolmuziek!' onderbrak de rechter.

'Ik weet niet of Schönberg zo blij zou zijn met die typering,' durfde ze nog net op te merken.

'Ik vond het een beetje saai!' vond de een.

'Ik viel erbij in slaap!' vond de ander.

Emma vroeg zich af of ze zich niet in de studio had vergist en per abuis bij de twee knorrige oude mannen van *The Muppet Show* terecht was gekomen.

'Ha! Nou, vreselijk!' riepen ze tegelijk.

Er viel niets op te antwoorden. Emma had de indruk dat ze zich in een partijtje levend schaak bevond. En ze stond mat. Het gesprek was niet voor- of achteruit te krijgen.

De Jong richtte zijn aandacht op Hidde Konings, de dammer.

'Maar is het niet een beetje raar dat je als volwassen kerel nog steeds bij je moeder woont?' vroeg de rechter.

Konings verborg zich steeds verder achter zijn handen, zijn hoofd voorovergebogen. Hoe groot zijn genie ook was, hij was voor geen meter gebekt.

Emma begreep waarom de show de naam *Mulder & De Jong* droeg. Dit was hun show, het had weinig met de gasten te maken. Geen vraag werd gesteld om het antwoord. Dit was oraal rukken. Klaarkomen op je eigen stemgeluid.

Tijdens het reclameblok werd Emma gevraagd bij haar vriendinnen op het podium plaats te nemen. Met tegenzin liep ze naar de verhoging toe. De muzen, die de Nederlandse taal niet machtig waren en geen flauw benul hadden van wat zich net had afgespeeld, lachten haar vrolijk toe.

'In ieder geval is ze wel een goede publiekstrekker,' hoorde Emma een meneer op de eerste rij fluisteren.

De vrouw naast hem knikte.

'Ja, een echte stoelenvuller. Eigenlijk is het een schande. Dat de tv commercieel wordt, alla. Maar van klassieke muziek zou je wel meer mogen verwachten.'

Emma verschoof haar schoudersteun nog eens.

Wie niet denken wilde, moest maar horen.

'En dan hebben we hier de vier strijkers. Inhoud heeft het niet, maar mooi zijn ze wel! Hier zijn ze dan: Les Luzes!'

Vlak na de uitzending waren Mulder en De Jong nog naar Emma toe gekomen. Ze was hun de volle honderd procent meegevallen, hadden ze gezegd.

'Wat een zelfbewustzijn, voor zo'n jonge vrouw,' had de rechter gezegd.

De linker knikte geestdriftig.

'Nou, wat een controle!'

Emma had hen expressieloos aangekeken. Het was mooi zo. Het moest maar eens afgelopen zijn, het geleuter.

'Heren, ik heb nog maar net mijn eigen stoelgang onder controle, maar verder heb ik geen grip op welke vorm van stront dan ook.'

Antoinette had haar gerustgesteld dat het helemaal niet zo slecht was gegaan. Met zijn tweeën hadden ze vijf keer haar leeftijd, het was hun show, en zij hadden jaren ervaring met televisie. Hoe had ze zich beter kunnen verweren?

Eigenlijk had ze nog gelijk ook, bedacht Emma zich toen ze de videoband bekeek. Op de kleuterschool was het al duidelijk: met zijn tweeën tegen één is niet eerlijk.

'*Maar mooi zijn ze wel! Hier zijn ze dan: Les Luzes...*'

Ze zette de videorecorder stil.

Bij Halo waren ze verbaasd dat het optreden geen effect had gehad op de verkoop van de cd's.

Dat verbaasde haar dan weer.

Storm in een glas water

De volgende maanden zagen Les Muzes elkaar iedere dag om hun repertoire uit te breiden. Voor hun volgende cd wilden ze wat zwaarder werk opnemen. Naast Tsjaikovski ook Mozart en Bach in plaats van Saint-Saëns.

Terwijl ze de brasserie op de hoek van Boulevard Raspail in stapten ging Anne-Sophie's mobieltje over. Zoals gebruikelijk nam ze op alsof ze op sterven lag en er ternauwernood nog een steunend 'allo?' kon uitpersen. De andere drie keken elkaar glunderend aan en produceerden gelijksoortige kreungeluidjes terwijl ze aan een tafeltje plaatsnamen. 'Oef...', 'O!', 'Hhhhmmmffff.'

Normaal gesproken negeerde Anne-Sophie deze imitatie, maar dit keer hield ze haar hand waarschuwend op. De meiden hielden stil en keken verbaasd toe hoe Anne-Sophie rood aanliep en met gebalde vuist zachtjes op tafel sloeg.

'*Bien sûr,*' zei ze met haar lome intonatie. '*Au revoir monsieur.*'

'Wat was dat?' vroeg Elodie zodra Anne-Sophie had opgehangen.

Anne-Sophie klapte haar mobieltje traag dicht.

'Dat was champagne.'

Ze schoof uit het bankje en begaf zich naar de bar.

Emma, Elodie en Camille keken haar met grote ogen na. Anne-Sophie die zomaar, uit zichzelf, naar de bar ging? Alcohol op een doordeweekse dag?

Een minuut of wat later was Anne-Sophie terug, een ober met vier champagneglazen in haar kielzog. Anne-Sophie pakte een van de glazen en hief het op.

'Mijn lieve muzen. Ik zou graag toosten op onze nominatie voor de Chambre d'Or.' Het gekwetter van de andere gasten hield onverminderd aan. Elodie sprong van haar stoel en begon op en neer te springen, haar kistjes raakten haar billen en haar zelfgemaakte rok vloog naar haar borst. Camille sloeg een hand voor haar mond en brak in tranen uit. Emma was verdoofd. Met ogen als schoteltjes zat ze stokstijf stil.

Chambre d'Or... Chambre d'Or... echode het in haar hoofd. Van voor naar achter en van links naar rechts voelde haar schedel als een grote leegte waarin zich niets anders bevond behalve die woordcombinatie, die alle kanten op kaatste.

Chambre d'Or... Chambre d'Or...

Eén maal in de twee jaar werd hij uitgereikt. Iedereen die hem ooit had gewonnen was haar grote voorbeeld. Om alleen al met die categorie geassocieerd te worden... Haar eigen kwart van een Chambre d'Or-nominatie...

Plots kon ze zich niet langer inhouden.

'Mocht iemand ooit nog zeggen dat ik maar een stoelenvuller ben, dan kan ik ze nu een gouden bokaal geven om in hun reet te steken!'

Ze hieven het glas.

Vader was zo mogelijk nog trotser dan Emma zelf.

'Meid, meid, meid,' bleef hij maar herhalen door de telefoon.

'Had je niet gedacht, hè?'

'Meid, meid, meid, meid...'

'Ik kan een mooie jurk voor haar maken!' riep moeder op de achtergrond.

'Helen, ik was mijn jongste dochter net aan het vertellen hoeveel ik naast mijn schoenen loop.'

'Wil ze weer zo'n jurk als ik met haar afstuderen heb gemaakt?'

'Helen, stíl nou toch eens!'

'Ja, nou, jij bent altijd zo lang aan de telefoon.'

Emma luisterde naar vaders gedempte voetstappen op het hout in de huiskamer en hoorde hem de tussendeur dichttrekken.

'Ik ben trots op je, dat mag je best weten.'

De kikker in zijn keel was nog mooier dan de woorden zelf.

'Zullen je moeder en ik naar Parijs komen voor de uitreiking?'

'We hebben helaas maar vier vrijkaartjes voor het hele kwartet.'

'O,' zei vader verbaasd. 'Dat zou je toch niet denken. Je zou toch denken dat een gevierd violiste...'

'Pap, ik maak deel uit van een kwartet dat genomineerd is, ik ben Anne-Sophie Mutter niet!'

'De bescheidenheid siert je, maar...'

'Laten we die prijs nou eerst maar zien te winnen, dan kom ik daarna zo snel mogelijk naar Nederland om hem te laten zien. Beloofd.'

'Wacht even,' zei vader. 'Ik heb het haakje op de tussendeur gedaan, anders liet je moeder me niet met rust. Maar meid, ik ben echt onnoemelijk trots op je.'

'Dank je pap.'

'O, en voor ik het vergeet, we kregen gister weer een raar telefoontje van een of andere radio-dj, iets over dat Alex tijdens een operatie waarvoor ze naar België zou zijn gegaan in haar narcose zou zijn gebleven. We hebben het je maar niet meteen verteld, want zolang we niks wisten zou je je toch alleen maar ongerust maken, maar ze heeft ons vanochtend teruggebeld en er is niks aan de hand. Ze was een weekendje naar Antwerpen met Sofie.'

'Sonja.'

'Ja, die bedoel ik. Nou het is maar dat je het weet. Je schrikt je toch iedere keer weer een ongeluk als je zoiets hoort.'

Emma hoorde op de achtergrond een deur opengaan.

'Hier heb je je moeder!'

'Schat, wat ben ik blij voor je! Maar zal ik een mooie jurk voor je maken? Je moet er natuurlijk wel op je best bijlopen met zo'n *award ceremony.*'

Award ceremony. Moeder sprak het uit alsof ze er zojuist flink op had zitten oefenen.

'Je bent een schat, maar dat lijkt me qua doorpassen niet handig, aangezien ik in Parijs zit en jullie in Eikelscha.'

'Ik heb ook de pietenpakjes gedaan voor de school dit jaar. Ja, je hoort het niet van jezelf te zeggen, maar ze waren heel goed gelukt, heb ik je dat verteld?'

'Ja, mam.'

'Ken jij Kendra nog van vroeger bij jou op school? Dat heel schattige meisje met al die vlechtjes? Pikzwart? Nou, die hadden we gevraagd om voor Piet te spelen. Handig, dachten we, hoefden we ook geen schmink te kopen. Maar dat wilde ze niet.'

'Mam!'

'En heeft je vader dat verhaal van Alex verteld?'

'Ja, mam.'

'Nou, dat was toch ook wat. Vierentwintig uur in de rats gezeten... Ja, we zouden zo langzamerhand beter moeten weten, maar we hebben stad en land afgebeld, niemand wist waar ze was. O, en heb je al gehoord van....'

Emma legde de hoorn naast het toestel en liep naar de snelkoker. Dit zou nog wel even gaan duren. Ze wachtte tot het water kookte, goot het over een zakje verveine en liep weer de telefoon, waardoor moeder onverminderd haar verhalen perste.

'Ja, niet één stoma, maar twee! Nou, daar moet je toch niet aan denken.'

'Nou,' zei Emma.

Ze blies in haar thee en genoot van de stoom die tegen haar gezicht sloeg. Ze glimlachte. Binnen drie weken zouden ze misschien een Chambre d'Or hebben gewonnen. Of niet.

De middag van de uitreiking hadden Emma en Elodie afgesproken om zich bij Elodie thuis klaar te maken voor de avond. Emma keek op haar horloge: het was iets voor drieën, mooi op tijd. Ze toetste de toegangscode van Emma's gebouw in en stapte de binnenplaats op. De jurk die ze van Anne-Sophie had geleend lag in plastic gewikkeld over haar schouder. Het was een klassiek eenvoudig, lang zwart gewaad, een Dior, een echte. Het was vreemd om een designjurk te mogen lenen van iemand anders dan Alex. Alex had het altijd zo leuk gevonden om samen een jurk voor haar te kiezen en haar op te maken en haar haar te doen. Als een moederkloek had ze altijd naar haar gekeken als ze er mooi uitzag en... Emma schudde met haar hoofd om de gedachten te verbannen. Wat niet meer was, was niet meer.

Elodie stond al in de deuropening. Ze kuste Emma uitgelaten op de wangen en noodde haar binnen te komen. Ze woonde in net zo'n kamer als Emma, een voormalig dienstbodevertrek van minuscule afmetingen. Aan de muren hingen lange slierten met gedroogde bloemen, een strandstoeltje stond voor het raam, het leek er op een piepklein vakantieoord.

Twee uur later wist Emma niet zeker of ze nou leek op Audrey Hepburn in *Breakfast at Tiffany's* of op een travestiet, maar één ding was zeker: ze was voldoende opgedoft om aan een gala-avond te kunnen deelnemen.

De uitreiking vond plaats in de buurt van Elodies woning. Toen ze het pand verlieten zagen ze in de verte de opgepoetste auto's al voorrijden. Mannen in rokkostuum overhandigden de sleutels van Jaguars en Mercedessen aan hoffelijke parkeerjongens. Een dame in een elegante zwarte robe met lange wit satijnen handschoenen en een overdaad aan diamanten werd door een meneer de limousine uit geholpen. Iemand nam een foto van haar.

Het was een drukte van jewelste. Emma stapte per ongeluk op een paar veren van Elodies gewaad toen ze (al even per ongeluk) in hetzelfde compartiment van de draaideur stapte.

'Maakt niet uit,' zei Elodie bij de aanblik van Emma's angstige gelaat. 'Daar! Die zaal moeten we hebben!'

Emma herkende Anne-Sophie Mutter en Gergiev. Het was er vergeven van de mensen van wie ze nooit had gedacht er een ruimte mee te delen. De zenuwen grepen haar bij de keel. Ze zag haar reflectie in de spiegel: een konijn dat in koplampen staart. Met rode konen baande ze zich een weg naar de bar.

Terwijl ze hun drankjes bestelde zag ze Marc Castaldi staan.

Emma voelde de scherpe elleboog van Elodie in haar zij.

'Castaldi,' mompelde Elodie tussen haar tanden.

'Dat weet ik ook wel,' mompelde Emma terug, bang dat ze op doorgeslagen fans zouden lijken. 'Normaal doen, normaal doen!'

'Denk je dat ik naar hem toe kan gaan om hem te vertellen hoeveel ik van zijn werk geniet?' smeekte Elodie.

'Natuurlijk niet!' wees Emma haar terecht. 'Die man is ook maar een mens! Hij zit er heus niet op te wachten dat wij hem gaan lastigvallen, dat krijgt hij vast elke dag al. En kijk nou alsjeblieft niet zo opvallend!'

Tot overmaat van ramp kwam Castaldi hun richting op lopen. Emma probeerde Elodie rustig te houden door aan haar arm te trekken, maar haar kwartetgenootje was in feite aan het stuiteren. Castaldi bestelde een whisky-cola bij de bardame.

Hij wachtte geduldig, legde een euromunt op het schaaltje als fooi en wendde zich opeens tot Emma en Elodie.

'Dames, ik wil niet de oude viezerik uithangen, maar ik wil jullie graag complimenteren met jullie werk. Het is prachtig jonge mensen zulk vakwerk te zien leveren. Succes vanavond.'

En weg was hij.

Wat er ook gebeurde, hun avond kon niet meer stuk.

Een meneer in jacquet luidde een koperen bel en gebood iedereen naar de Martinique-zaal te gaan en plaats te nemen. De ceremonie zou over vijf minuten beginnen.

Het leek uren te duren voordat ze bij de categorie voor beste kamermuziek waren aangekomen, de dankspeeches duurden een eeuwigheid. De genomineerden waren in de voorste rijen geplaatst, wat handig was als ze het podium moesten betreden. Marc Castaldi zat een rij achter hen. Emma keek nog eens om. Haar hart klopte in haar keel, ze wist zeker dat iedereen om haar heen het kon horen. Maar om in een rij voor Castaldi te worden geplaatst was een teken dat Lez Muzes wel heel serieus werden genomen.

'De Chambre d'Or voor beste kamermuziek gaat naar...' werd er plotseling meegedeeld.

Emma schoot overeind. De dame op het podium maakte de brief open en tuurde de zaal in naar de winnaars. Elodie kneep zachtjes in Emma's hand.

'Voltage!'

In een reflex wilde Emma opstaan. Godzijdank hield Anne-Sophie haar tegen. Het applaus steeg op.

'Dit is het moment dat je vriendelijk en sportief lacht,' fluisterde Anne-Sophie met haar liefste glimlach. Haar handpalmen vielen inderdaad allercharmantst op elkaar. 'Denk maar niet dat nu niemand naar ons kijkt.'

De spelers van Voltage bestegen het podium. Emma zag een van de camera's naar de muzen draaien. Haar linker hak duwde hard in de tenen van haar rechter voet terwijl ze dapper doorklapte.

De muzen werden aan meer mensen voorgesteld dan ze namen konden onthouden.

'Nee, hoor, Voltage heeft het absoluut verdiend!' straalde Emma terwijl ze voor de zoveelste keer door een volslagen vreemde werd gecondoleerd met haar verlies. 'Het is al een hele eer dat we überhaupt waren genomineerd.'

Ammehoela. Ze wist wel beter. Het was het enige houvast dat ze kon bedenken om te voorkomen dat ze als een tweejarige over de grond zou gaan rollen en gillen. Natasha kwam op haar af lopen. Een oudere heer liep aan haar zijde.

'Hoe gaat 't?' fluisterde Natasha haar in het oor terwijl ze haar gedag zoende.

'Geef me een trein en ik spring ervoor,' groette Emma zachtjes terug.

Natasha lachte charmant en schudde haar lange haar naar achter.

'Emma, mag ik je voorstellen...'

Op een gegeven moment kon ze het niet meer geloven dat niet iedereen zag hoe afgrijselijk ze zich voelde. Om zo dichtbij te zijn en dan de plank toch mis te slaan was niet iets om voor de trein te willen springen, maar een lang weekend te zonnebaden op de rails van een TGV-traject.

Emma fatsoeneerde haar haar in de spiegel boven de toilettafel en kneep in haar wangen om er wat minder wit uit te zien. Er kwam een dame naast haar staan. Ze keek Emma onderzoekend aan.

'Ben jij niet Emma Weijman?' zei ze met een Engels upperclass-accent.

'Ja, inderdaad.'

De vrouw deed een stapje dichterbij. Ze legde spontaan haar hand op Emma's schouder. Er lag een blik van medelijden in haar ogen. Het verbaasde Emma dat juist een vreemde de eerste was die leek te zien hoe ze zich voelde.

'Hoe is het met je zus? Ik hoop dat ze geen permanent letsel heeft opgelopen door die mislukte narcose?'

De vraag werkte als een glas water in haar gezicht, direct was Emma weer in de realiteit; de hele avond had ze nog niet aan Alex gedacht.

'O, goed hoor! Die verhalen zijn onzin,' zei ze terwijl ze met een handzwaai haar woorden kracht bijzette. 'Nooit enig sprake van enige narcose geweest, ze was een weekendje weg. Allemaal onzin.'

De mond van de Engelse viel open.

'Nee, echt niet? Nou, nou, nou, nou...'

De dame leek werkelijk met stomheid geslagen.

'God, wat vreselijk, ze verzinnen ook maar wat. Ik vroeg het me al af. Kijk, ik ben journaliste, dus ik weet wel een beetje hoe het gaat...'

Het woord 'journaliste' sloeg als een bom in en onwillekeurig deed Emma een stapje achteruit. Snel recapituleerde ze wat ze had gezegd. *Geen narcose. Geen narcose, geen probleem.*

'Er is dus echt helemaal niks van waar?' vroeg de vrouw.

'Geloof me, anders had ik hier echt niet gestaan,' zei Emma beleefd. 'Maar bedankt voor de belangstelling.'

De vrouw bleef vriendelijk kijken.

'Nou, mocht ik je ergens mee kunnen helpen, bel me dan alsjeblieft op,' bleef de dame maar doorgaan met vriendelijk zijn. 'Hier is mijn kaartje.'

En weg was ze.

Emma dacht terug aan het standje dat ze van Raf had gekregen, over journalisten die over oorlogen schreven, over misstanden in de wereld en de politiek. Wijze les voor mij, dacht ze nog. Je kunt beoefenaars van een beroepsgroep niet over één kam scheren.

Emma keek op het kaartje. Nog nooit van gehoord: *5 AM.*

De volgende morgen liep ze met de extra dikke zondagsuitgave van de Engelse tabloid *The Reflector* onder haar arm naar het terras van het café op de hoek van Avenue de la Bourdonnais, waar ze met Joffé zou gaan ontbijten. Ze had een dikke trui aangetrokken, haar zonnebril opgezet en was van plan om met een *café au lait,* een croissant en een roerei de dag goed te beginnen. Ze geneerde zich enigszins voor het tijdschrift, maar iets Nederlands was niet te krijgen en ze waagde zich nog niet aan Franse kranten. Dat deden ze wel vaker, met zijn tweeën ontbijten met de kranten erbij. Het was heerlijk om vertrouwd genoeg met iemand te zijn om niet te hoeven praten. Ze zag hem al zitten op hun vaste stekkie. Hij had zijn beige regenjas aan, zoals altijd, eronder een zwarte coltrui. Ze gaf hem een dikke pakkerd en ging zitten.

'*Merde alors!* van gister,' zei hij.

'Ach ja,' zei Emma en trok haar schouders op. 'Ik heb het er vanochtend met mijn vader over gehad. Hij blijft er maar op hameren dat het een eer is genomineerd te zijn geweest. Daarna had ik mijn moeder aan de lijn die me vertelde over de kat-van-de-buurvrouw-die-speelt-met-de-hond-van-een-mevrouw, en die mevrouw is net overleden, dus ik prijs me maar gelukkig.'

Joffé schoot in de lach.

'Zo mag ik het horen.'

Emma schoof het tafeltje wat naar achteren om te gaan zitten en wurmde zich op het rieten stoeltje. Joffé riep de ober. Hij kwam op hen af met een klein notitieblokje en met een expressieloos gezicht nam hij hun bestelling op. Het was fascinerend, ze kwamen er bijna iedere zondagochtend, Emma wist bijna vanbuiten wat alle reguliere klanten op de zondagochtend aten en wie er thee of koffie dronk, en de ober wendde volhardend voor dat hij hen nog nooit eerder had gezien.

'Merci, Gaston, alles goed met vrouw en kinderen?' zei Joffé en hij knipoogde naar Emma. 'Brengt u deze jongedame haar gebruikelijke bestelling?'

De ober keek Emma aan alsof ze iets mankeerde en liep weg.

'Heel grappig!' bestrafte ze Joffé met een tik tegen zijn krant.

Ze pakte haar eigen nieuwsblad en sloeg het open. Het was zo makkelijk nog niet om de enorme stapel open te vouwen zonder dat alle supplementen eruit vlogen.

De ober kwam terug met een *café au lait*, hij wist het dus best.

'Hé, kijk nou eens, dat bent u!' zei de ober.

Hij wees onthutst naar iets op de grond. Snel zette Emma haar koffiekopje op het tafeltje. De helft vloog eroverheen. Fronsend graaide ze naar een van de bijlagen die ze kennelijk op de grond had laten vallen. Op een pagina genaamd '5 AM' stond een halve foto van haar hoofd waarop ze weer een of andere psychische aandoening leek te hebben.

VIOOLZUSJE VERTELT
Voormalig ster Alex Weijman, bijna overleden na bezoek aan België voor liposuctie. 'Ik heb iedere dag aan haar bed gezeten,' zegt vioolzusje.

Godverdegodeverdegodeverdegod.
En wat was in jezusnaam een vioolzusje?

Thuis kwam Emma Marine tegen op de trap.
'Marine, mag ik je computer even lenen?' smeekte ze. 'Er is een verhaal in een Engelse krant over mijn zus, en ik...'
'Ho!' zei Marine en stopte haar vingers in haar oren.
'Het spijt me, maar ik moet me voorbereiden op een rol en kan even niet met de mensen uit mijn echte leven communiceren.'
Marine deed de deur naar haar kamer open en graaide haar laptop uit een hoek, haar hoofd afgewend zodat ze haar buurvrouw niet hoefde aan te kijken.
'Neem maar mee,' zei ze terwijl ze het oranje geval in Emma's handen propte. 'Ik ben me in May uit *Fool for Love* aan het transformeren en in die tijd hadden ze geen computers.'
Niet veel later zat Emma in kleermakerszit op bed met de laptop en bestudeerde Google-hits. 'Emma' + 'Alex' + 'Weijman' + 'liposuctie' had ze ingetikt. Het had tweeduizendtweehonderdtwintig resultaten opgeleverd, maar vooralsnog leken veel van de hits loze beloften te zijn van een naakte Alex Weijman.

Drie dagen later, eigenlijk net toen Emma dacht dat Joffé gelijk had gekregen met zijn voorspelling dat niemand dat soort berichtgeving serieus nam, verscheen het bericht op de site van *Popkrant*. Het interview dat ze ooit had gegeven bij het uitkomen van *Suite Lyrique* was uit de mottenballen gehaald. Ze had zelfs de cover gehaald. Haar maag kromp ineen toen ze een afbeelding van de voorpagina zag. Het was een grote foto van haarzelf, uit de tijd van het Alterium, met eronder de tekst: 'Hoe ik er altijd voor Alex zal zijn'.
Ze had zin om over haar nek te gaan.

> Wat mij betreft had ze nooit lipo hoeven doen. Ze was mooi zoals ze was. Maar ik ben en zal er altijd voor haar zijn. Tijdens haar hele ziekbed heb ik haar hand vastgehouden...

Emma keek nog eens goed naar de foto op de voorkant. Dus zo zag een 'vioolzusje' eruit. Breeduit lachend, met haar viool over haar schouder, het pad naar bekendheid aan het bewandelend over de rug van haar zus.

Trillend zat Emma achter een stapel roddelbladen, maandbladen, kranten en internetprints. Een blik op die artikelen deed haar bloed al koken. Ze wist dat ze beter niet kon kijken, maar ze kon het niet weerstaan.

Ze probeerde rustig te blijven ademhalen.

Het stuk dat ze voor zich had was een column, geschreven door ene Ellen van Groenen voor een dagblad. AFGELEIDE ROEM stond boven aan het stukje. Emma vloog door de tekst, die bestond uit een hoop blabla en eindigde met:

> Deze mensen hebben zelf geen enkel charisma, maar weten op deze wijze toch iemand te worden.

Het kutwijf. Alsof zij er wat aan kon doen dat ze een beroemde zus had! Of geen charisma.

Terwijl de column van Ellen doorratelde kon Emma alleen maar wensen dat Ellen voor haar zat, want ze had enorm veel zin om haar op de bek te slaan. Emma las het stukje nogmaals.

O, wat had ze zin om Ellen een pak slaag te verkopen. Haar handen jeukten om een reactie naar de krant te schrijven, maar ze wist dat dat alleen maar tot meer ellende zou leiden.

Het enige wat ze kon doen was de foto van Ellen op de muur prikken en een lekker potje te gaan darten.

Het duurde niet lang voordat Ellen een vriendinnetje naast haar op de muur had hangen: Sonja. Voorspelbaar genoeg had Sonja, mediageil par ecxellence, publiekelijk het woord voor Alex gedaan. Alex, de lafbek, was nog 'te fragiel', had Sonja 'met tranen in haar ogen gesproken'.

> Alex werd door god en iedereen verlaten op het moment dat ze geen succes meer had. Alex is, net als ikzelf, te genereus en te lief om er nog langer tegen te kunnen. Zelfs haar eigen zus heeft haar verraden.

Emma beet hard op haar lippen.

Wanneer zou het Alex bekoren haar bek eens open te trekken?

In het volgende artikel, in een Engels dagblad dit keer, stonden Sonja en Alex beiden in een piepkleine bikini op de cover. Ze zweefden van 'de duisternis naar het licht' lichtte de quote op de voorpagina toe. Waarom dat in zo'n kleine bikini moest was Emma niet helemaal duidelijk.

Ineens, na een jaar mediastilte, was Alex weer hot nieuws.

Dankzij mij, dacht Emma meewarig.

Alex' oude single werd weer voor de dag gehaald. De fotografen waren weer van de partij, de persmuskieten. Zelfs Emma moest eraan geloven.

Haar mobieltje ging af. Met tegenzin keek ze naar het piepende toestel. Nog drie dagen en dan kreeg ze een nieuw nummer.

'*Allo*?'

'Spreek ik met Emma Weijman?'

'Inderdaad.'

'Ik bel je voor wat informatie over Alex. Wat ik zou...'

'Sorry dat ik u onderbreek, maar ik beantwoord geen vragen over mijn zus.'

'Waarom niet?'

Het was fascinerend hoe stemmen zo snel konden omslaan. Ze begonnen altijd vrolijk, maar zo gauw ze nee hoorden werden ze venijnig als de pest.

'Waarom niet?' herhaalde hij.

'Omdat ik de agent van mijn zus niet ben,' reageerde Emma luchtig.

'Dan had je dat interview maar niet moeten geven!'

'Dat heb ik ook niet gedaan, meneer.'

'Je kunt mij wel om de tuin proberen te leiden, maar als je niet wilt dat er over je wordt geschreven, dan moet je ook geen interviews geven.'

'De enige interviews die ik ooit heb gegeven waren in verband met *Suite Lyrique*.'

'Nee hoor, ik heb je ook bij *Superstar* gezien. Je kunt niet eerst de pers opzoeken en dan zeggen dat je er niet om hebt gevraagd.'

Emma hing op. Ze keek nog eens goed naar de aan flarden gedarte foto van Ellen van Groenen. Ze liet haar gedachten nog eens gaan over het gesprekje van daarnet. Ze kreeg inderdaad eerder pers dan iemand anders. Had Ellen dan toch een beetje gelijk?

Emma mikte nog een pijltje. Ze begon er best goed in te worden, in darten. Het pijltje kwam midden in Ellens rechter neusvleugel.

Ze had geen buitengewoon charisma, dat wist Emma heus wel. En ze was ook geen Vengerov. Maar tegelijkertijd was Ellen geen Victor Hugo. En ook al was ze Victor Hugo, ze had het recht niet over haar te oordelen voordat ze haar had gesproken. Laat staan haar oordeel te publiceren.

Ellen kreeg er nog een te pakken, *flats*, in haar linkeroog ditmaal, midden in haar pupil. Emma gooide nog een pijltje hard in de muur, alsof die de gewetenloze grachtengordelkrant was die haar stukken publiceerde. Pers hoorde niet te oordelen maar te verslaan. Vrouwe Justitia was misschien blind, maar de pers was vaak blind, doof en dom van honger naar hun volgende loonstrookje of naam boven driehonderd zwaar bevochten woorden.

Emma hoorde het geluid van een nieuw binnengekomen e-mailbericht. Van wie zou dat nu weer zijn. Ze klikte op inbox.

AANVRAAG A&Q stond in het onderwerpbalkje. Ze was blij eindelijk de naam van een zinnig actualiteitenprogramma te zien. Misschien kon ze bij hen wel haar beklag doen over Ellen van Groenen. Haar vader keek veel naar A&Q. 'Het enige programma op de Nederlandse tv dat het waard was om naar te kijken,' zei vader altijd.

Het mailtje was langer dan de gemiddelde twee regels die ze ontving als mensen naar Alex op zoek waren. Dit beloofde een wat humanere aanpak. Met frisse moed ging Emma ervoor zitten.

Beste Emma,

Ten eerste dank voor het geven van je e-mailadres.

Emma fronste. Nooit geweten dat ze dat had gedaan.

Wij zouden jouw zus graag willen uitnodigen bij ons in de studio. Zoals je weet maken wij een integer programma met ervaren journalisten en zal alles smaakvol worden behandeld. Er is veel over haar geschreven en dit biedt haar wellicht een mogelijkheid om haar kant van het verhaal toe te lichten. Mocht ze nog niet in staat zijn naar de studio te komen, dan kunnen wij ook naar het ziekenhuis komen. Mocht ze helemaal nog niet te spreken zijn, dan zouden we jou graag in de studio ontvangen. Als je foto's hebt van Alex vlak na haar operatie zouden wij die graag van tevoren in ontvangst nemen. Graag zouden we van jou vernemen wat haar ertoe heeft gebracht haar operaties te ondergaan. Was de motivatie zuiver esthetisch, of zijn er psychologische redenen? Was ze als kind al ongelukkig met haar uiterlijk? Ik verneem graag snel van je.

Met vriendelijke groet,

Mat Stipec
0624439540

De telefoon ging over, hoorde ze vaag door het suizen van haar bloed heen. Snel wilde hij en snel zou hij krijgen. Ze had nog wel kunnen wachten totdat ze wat was bedaard, maar dat was onmogelijk voordat ze deze Mat had verteld wat voor zak stront hij was.

'Mat Stipec,' werd in de hoorn geblaft.

'Hallo, Mat. Je spreekt met Emma Weijman,' zei ze zo rustig mogelijk. 'Ik ontvang net een mailtje van je.'

'Ja, juist, fijn dat je belt. Ik hoor trouwens net dat Alex geen interviews doet, dus in dat geval willen we jou graag ontvangen. Heb jij materiaal van je zus na de operatie? Iets van in het ziekenhuis of vlak daarna, je weet wel, als de blauwe plekken nog goed zichtbaar zijn? Of buisjes, wellicht?'

'Mat, mag ik jou wat vragen?'

'Ja, natuurlijk.'

'Als mijn zus geen interviews wil geven, waarom zou ik het dan wel doen?'

'Het is mijn journalistieke plicht uit te pluizen wat er gaande is als ik aanvoel dat er zaken worden verzwegen.'

'Mat, mag ik jou dan eerst nog wat vragen?'

Er klonk een lichte aarzeling in zijn stem.

'Ja.'

'Ben jij getrouwd?'

'Ja.'

'Dan weet ik het goed gemaakt. Als jij mij een foto laat zien van je vrouw bij de gynaecoloog, dan geef ik jou alle sappige privédetails over mijn zus. Eerlijk oversteken. We laten allebei iets zien van iemand van wie we zielsveel houden, iets wat zij onder geen enkele voorwaarde ooit publiekelijk zouden willen laten zien, en dan kijken we wat er gebeurt als we dat op tv gooien.' Haar stem sloeg lichtjes over. 'En dan wil ik wel een goede foto met flits, lekker recht erin, anders doe ik het niet.'

'Je bent hysterisch.'

'Nee, ik ben helemaal niet hysterisch! Het ene verraad in ruil voor het andere!'

De telefoon gaf een raar piepje, waarschijnlijk omdat ze het apparaat steeds harder tussen haar vingers knelde. Mat bleef haar hysterisch noemen. De telefoon piepte door.

Misschien ben ik dat ook wel, een beetje hysterisch, bedacht Emma. Een hysterisch zusje-van.

Emma hing Mat op zonder gedag te zeggen en haalde een paar maal diep adem toen de volgende beller zich aandiende.

'*Allo*,' probeerde ze rustig te klinken.

'*Allo?* Nou jij begint al lekker Frans te klinken,' zei iemand met een Amsterdamse tongval. 'Em, met Raf.'

'Raf? Jeetje wat ben ik blij jouw stem te horen.'

'Ik probeer je al een tijdje te bereiken, maar je bent steeds in gesprek. Ik neem aan dat ik niet de enige ben die probeert contact met je te zoeken?'

'Belt, mailt, faxt, noem maar op. Laten we zeggen op alle mogelijke manieren behalve per postduif. Vertel, hoe komen jullie eigenlijk aan mijn nummer? Dat moet ik jullie journalisten nageven: jullie zijn een slim volkje.'

Hij kuchte.

'Via de Franse *Gouden Gids.*'

'Ah.'

'Emma, ik bel je met wat vervelends op, ik...'

'Ik geef geen interviews over mijn zus.'

'Nee, hè, hè, dat begrijp ik ook wel,' zei hij gekwetst.

'Sorry. Ik weet niet wat ik hiermee aan moet en ik word er gek van. Hoe kan ik hier nou op reageren? Alsjeblieft Raf, als journalist, ook al ben jij dan een goeie, hoe moet ik hier in hemelsnaam op reageren?!'

Even was het stil aan de andere kant van de lijn.

'Eerlijk? Je kunt niets doen. Wat je ook zegt, je bent per definitie de lul.'

Het was precies wat Emma niet wilde horen.

'Maar Em, hoe fijn ik het ook vind om je te spreken, daar bel ik niet voor. Ik moet je waarschuwen voor iets wat hier op de redactie is binnengekomen. Ene Sonja, ik neem aan dat je haar kent, die zegt niet al te aardige dingen over jou in interviews. Ik weet niet of er al iets naar buiten is gekomen, maar in principe geeft ze jou er de schuld van dat de carrière van je zus op zijn gat ligt. Je moet altijd een beetje oppassen met dat soort dingen, die kunnen een eigen leven gaan leiden. Ik dacht: ik laat het je maar even weten zodat je het kunt stoppen. Wat ze doet mag niet, je mag iemand niet zomaar van allerlei dingen beschuldigen zonder bewijs, daardoor kan ze flink in de problemen komen.'

'Hoe dacht je dat ik haar zou kunnen tegenhouden dan? Dat ik een vioolkist vol met duizendjes heb om een rechtszaak aan te spannen?'

Emma zuchtte.

'Weet je dat ik dat kind amper ken? Vriendin van Alex. Vreemd type, ze leek me altijd een beetje doorgeslagen.'

'Ja, dat kan wel kloppen. Ik heb wat rondgevraagd en volgens mijn bronnen is ze een beetje te ver doorgedraafd met een psychoanalyse terwijl ze nogal aan de drugs zat. Het geld dat ze daaraan heeft uitgegeven had ze volgens een bron beter kunnen gebruiken om haar hoofd operatief uit haar reet te laten verwijderen,' grinnikte hij. Serieus vervolgde hij: 'Ik weet dat het niet leuk is om te horen en ik weet dat je waarschijnlijk niet de middelen hebt om een rechtszaak te beginnen, maar ik dacht dat je het maar beter kunt weten, zodat je je er een beetje tegen kunt beschermen.'

Emma leunde met haar hoofd op haar schouder, haar mobieltje ertussen geklemd. Hoe vervelend de mededeling ook was, het was fijn Rafs stem te horen.

'Dank je.'

'Ik kan je er wel mee helpen als je wilt. Een collega van mij, Bea de Nijs, die weet alles van dit soort zaken. Ik zal je wel voorstellen.'

'Dank je.'

Buiten werd de verlichting van de koepel van de Tour des Invalides aangestoken. Gouden stralen stroomden haar kamer binnen.

'En Raf? Sorry dat ik dat zei, dat van dat ik geen interviews over mijn zus geef. Natuurlijk zou jij daar nooit om vragen, dat weet ik best.' Even was het stil. 'Weet je, het zijn misschien maar een paar journalisten die mij bellen of een stukje schrijven, maar voor mij voelt dat als een heleboel. Maar ik weet dondersgoed dat jij niet bij dat groepje hoort. En ik bagatelliseer je vak niet, hoor, je hebt gelijk, het is een mooi beroep. Maar een paar van jouw collega's zou ik de nek wel willen omdraaien.'

'Shhht,' suste hij. 'Wanneer kom je weer eens een keertje naar Nederland? Ik heb zo'n zin om samen weer eens een ondergescheten plee schoon te maken.'

Ze lachte.

'Nee, zonder dollen, ik wil je echt heel graag weer zien. Denk je dat je snel komt?'

Emma's hart miste een slag.

'Anders kan ik ook naar jou toe komen, als je me uitnodigt.'

'Ja.'

'Ja wat?' lachte Raf weer.
'Ja op allebei.'
'Beloofd is beloofd.'

Voor het eerst in dagen voelde ze zich vrolijk, bijna licht. Ze hoefde nog maar een paar berichten van Google Alert door te nemen en dan zou ze lekker wat gaan studeren. Aan Raf denken en spelen.

Er was weer een stukje geschreven in een Engelse krant.

MOVE OVER, ALEX! stond onder haar foto, met ernaast een afdruk van de cd-hoes van *Suite Lyrique*. In het stukje stond dat Alex uitgerangeerd was en Emma nu onder haar schaduw vandaan kroop.

Kutterdekutterdekut. Ook niet bevorderlijk voor de familiebanden.

De telefoon ging weer.

'Emma Weijman?'

De stem sprak haar naam accentloos uit. Een Nederlander.

'Bert Verburen van de *Nationale ontbijtshow*. Zou ik je wat vragen mogen stellen over je zus?'

Weg goede humeur.

'Nee.'

'Ik zou graag met haar in contact komen.'

'Sorry, daar kan ik je niet mee helpen.'

'In welk ziekenhuis ligt ze?'

'Zoals gezegd, ik kan je niet helpen.'

'Weet je, je kunt wel zwijgen, maar dan krijg ik de informatie wel via iemand anders, hoor.'

De meneer had nog niet opgehangen of de telefoon ging weer.

'Hallo, Albert Verboom van *Avenue*, het spijt me dat ik je zomaar bel, ik zou je graag een paar vragen stellen over jouw zus.'

Bij het horen van de naam *Avenue* was Emma al vertrokken. Ze wist dat ze zich in alarmfase knalrood begaf.

'Nee.'

'Oké. Mag ik je vragen waarom niet?'

'Nee.'

'Oké, dan mag ik daaruit dus opmaken dat jij nu als zus geen enkel commentaar geeft?'

'Precies.'

'En dat verhaal dat je bij haar bed zou hebben gezeten terwijl...'

'Complete lariekoek.'

'Jezus, wat lullig. Ja, ik begrijp dat je daarna je mond houdt. Hé, weet je wat, ik ga jou lekker met rust laten. Ik zou zeggen: trek de stekker er maar uit en schenk jezelf een groot glas wijn in.'

'Dank je,' zei Emma gemeend.

'O, en Emma, voor wat het waard is: ik heb echt naar je cd geluisterd, en ik vond hem geweldig.'

Leven

Moeders stem klonk vreemd aan de telefoon. Bibberig.

'Ja, lieverd, ik heb het je maar niet eerder verteld, want het is natuurlijk al zo vaak loos alarm geweest. Maar ik denk dat je oma niet veel langer te gaan heeft. Ze heeft de lust te leven verloren, ik denk dat het een kwestie is van dagen.'

Emma hoorde de woorden, maar ze kwamen niet aan.

'Zou je zo snel mogelijk naar Oostscherwoude kunnen komen, dat zou oma fijn vinden.

Verdoofd had ze wat spullen in een koffer gegooid en was ze naar Gare du Nord vertrokken. Ze keek op haar treinkaartje. In de namiddag zou ze er zijn.

Toen Emma bij de receptie om de sleutel vroeg klonk haar stem net als die van haar moeder eerder die dag. De receptioniste keek haar vol medelijden aan.

'De verpleegkundige is er sowieso, hoor, maar je kunt de sleutel gewoon gebruiken. Je moeder en tante zijn even koffiedrinken in de kantine.'

Emma liep hoofdschuddend naar haar oma's voordeur. Een receptioniste die eerder dan zij wist dat haar oma stervende was. Een verpleegkundige die haar binnen kon laten, terwijl ze voor háár stervende oma aan het zorgen was.

Over de wereld op zijn kop gesproken.

Volgens haar wens werd oma thuis verzorgd. Het ziekenhuisbed stond op haar lievelingsplek, voor het raam. Oma sliep. Emma pakte een kruk, ging zitten en streek over haar hand. Het oude handje was een en al bot. De huid was zacht en vol vlekken. Haar borstkas ging zwaar op en neer. Het gezicht was een klein, grillig landschap aan uitstekend bot en ingevallen grijs vel.

'Maak haar maar wakker, hoor, ze moet toch zo worden gewassen,' schrikte een opgewekte stem Emma op.

Een vrolijke verpleegkundige kwam met opgestroopte mouwen de badkamer uit gelopen.

'Jij bent zeker Emma?'

Ze knikte.

'Ineke. Ze heeft het veel over je. Volgens mij heeft ze op je gewacht.'

Het was vreselijk en mooi tegelijk. Zachtjes streelde Emma oma's hand.

'Hé, lieverd, word eens wakker...'

De mooie ogen openden zich langzaam en lichtten op toen ze haar herkenden.

Haar spraak was warrig, maar Emma begreep haar wel: ze was zo blij dat ze er was, en ze was zo moe.

Ze zaten samen in stilte. Niets dan een gedeelde blik. Het was mooi en vredig.

Er waren geen woorden nodig. Oma had haar met alle liefde de wereld in zien fladderen. Nu was het Emma's beurt om oma te laten gaan.

Oma trok haar hand voorzichtig uit de hare en gebaarde dat ze dorst had.

Onder het wakend oog van haar oma liep ze naar het wandmeubel en pakte een exemplaar uit de bonte verzameling lege mosterdglazen. Voor de bijpassende foeilelijke onderzettertjes trok ze de linker lade onder het wandmeubel open. Hij klemde een beetje. Met wat wrikken ging hij open. De onderzetters werden omhooggeduwd door wat krantenknipsels.

IK BEN ALLEEN UIT DE HEL GEKLOMMEN, las ze.

Eronder vond ze een hele collectie van de maar al te bekende trieste foto's met nog triestere bijschriften.

Het oude wijfie volgde Emma vanuit haar bed en wachtte tot ze uit zichzelf iets zou zeggen. Emma deed haar best, maar wist niks zinnigs te zeggen waardoor oma zich beter zou kunnen voelen. Ze realiseerde zich dat haar oma zou overlijden zonder te weten of het met haar oudste kleindochter goed zou komen. Met een knagend gevoel van hypocrisie draaide Emma zich om en deed ze alsof ze niets had gezien.

Na een paar slokjes met een rietje had oma genoeg gehad. Emma zette het glas op het raamkozijn. Het rimpelige handje reikte weer naar de hare.

'Mooi meissie,' mompelde ze nauwelijks verstaanbaar voordat haar ogen weer dichtvielen. 'Het is mooi geweest, hè?'

Ze viel weer in een diepe slaap.

Ja, oma, antwoordde Emma in gedachte terwijl haar ogen zich vulden met tranen. Het is heel mooi geweest.

Vanaf het perron belde Emma Raf huilend op.

'Waar ben je?'

'Centraal,' lukte het haar nog net uit te brengen.

'Ik kom je halen.'

Een half uur later zat ze bij Raf thuis op de bank onder een dekentje en met een grote kop thee in haar handen. Zijn hand lag troostend op haar knie. Hij zei niet veel maar luisterde.

'Denk je dat je zus het weet?'

'Ik neem aan dat mijn moeder het haar wel heeft verteld, maar ik denk niet dat het haar kan schelen. Alex is net zo tegen onze oma als tegen mij, ze wil haar ook niet meer zien of spreken. Het is alsof ze ons een straf heeft opgelegd. Ik begrijp dan misschien niet waarom ze geen contact meer met mij wil, maar ik weet zeker dat oma helemáál niks heeft gedaan wat slecht is.'

'Jij ook niet.'

'Hmmm... Weet je, dat is een van de rare dingen. Ik wéét dat ik haar nooit wat heb aangedaan, maar af en toe is het gewoon zo moeilijk voor te stellen dat iemand je zo makkelijk uit haar leven kan laten vallen dat ik me afvraag of...'

Ze schaamde zich te veel om haar zin af te maken.

'Wat? Of je niet toch wat verschrikkelijks hebt gedaan? Em, ik kan je één ding vertellen: er zit niets, maar dan ook helemaal niets slechts in jou.'

Hij liet haar huilen op zijn schouder en aaide door haar haren. Hij zette meer thee, kuste de tranen van haar wangen en zorgde ervoor dat het leven heel even net zo veilig voelde als vroeger.

Het laatste afscheid was droevig en mooi tegelijk. Niet veel van oma's vrienden hadden haar overleefd. Toch zat de zaal vol met mensen, van twintig tot tachtig. Allemaal mensen die van haar oma hadden gehouden. Zelfs met haar dood trok ze een volle bak. Emma wist dat het goed was zo, maar toch.

De tranen biggelden over haar wangen. Ze schaamde zich ervoor, ze was de enige die zo overstuur leek. Raf kneep nogmaals in haar hand om te laten voelen dat ze niet alleen was. En dat was ze ook niet. Emma voelde het. Ze voelde de aanwezigheid van iemand naar wie ze lang had verlangd. Voorzichtig had ze zich omgedraaid, zodat niemand het zou zien.

Achter in de zaal zag ze haar. Haar haren waren rood geverfd en ze droeg een grote zonnebril, maar het leed geen twijfel. Ze zat alleen, op het achterste bankje. Ze zag er chic uit, zoals in een film uit de jaren zestig. En eenzaam.

Geen van de gasten bleek te merken dat Alex was binnengeslopen, zelfs Raf niet, die wel achteromkeek om te zien wat Emma nou zo boeide, maar haar zus niet herkende.

Achter de katheder schraapte tante Maïte haar keel voordat ze een paar woorden over oma zou zeggen. Emma draaide zich terug en ving haar glimlach.

Haar rimpels deden Emma denken aan die van haar oma. Emma hoorde dat Maïte moeite had haar stem onder controle te houden.

'Bette zei altijd dat ze aan het eind van haar leven een zaal vol mensen wilde achterlaten. Mensen wier leven een stukje mooier was geworden omdat zij had bestaan. Als ik nu voor me kijk, zie ik dat ze tevreden op ons neer kan kijken. Ik ben verdrietig dat ze is heengegaan. Maar ik ben zo blij, zo blij dat ik haar heb mogen kennen.'

Zodra ze haar laatste woorden had uitgesproken barstte Maïte in tranen uit. Haar man stond op om haar naar haar zitplaats te begeleiden.

Emma keek nogmaals achterom en zag Alex een traan wegvegen. Voordat ze haar grote zonnebril weer opzette keek ze Emma's kant op. Emma dacht een glimlachje te bespeuren.

Gesnik vermengde zich met stilte.

Emma voelde haar oma's aanwezigheid in de ruimte. Hoog achterin, als een bal van energie leek ze in de lucht te hangen. *'Het is mooi geweest, hè meissie?'* leek die te zeggen.

Rafs linkerhand lag in de holte van haar rug, de andere stevig om de hare geklemd, terwijl de kist langzaam achter het gordijn verdween. Het fluweel van het gordijn bewoog nog één, twee maal licht van links naar rechts voordat het helemaal stil bleef.

Ja, oma, het is mooi geweest, dacht Emma.

Het leven was mooi en lelijk, wreed en vol verrassingen. Maar bovenal was het waard het leven te leven. Ze stond op en keek naar achter in de zaal om te zien of haar zus er nog zat. Nog net zag ze de jonge vrouw met te grote hoed en idem zonnebril de zaal uit glippen.

Emma liep achter haar ouders aan het crematorium uit. Ze schudde haar hoofd. Eén ding wist ze heel zeker: zij zou geen artikel onder een onderzettertje worden. De pijn van een ander zijn, omdat het leven soms onrechtvaardig was. Zolang ze ademde, zolang er bloed door haar aderen stroomde, was er maar één optie: leven.

Je was het de doden verschuldigd.

Zusjes

Uiteindelijk was het helemaal niet zo moeilijk geweest om weer met Alex in contact te komen. Te lang had ze het niet geprobeerd uit angst afgewezen te worden en uit een achterlijk soort respect voor Alex' privéleven. Het soort respect dat ervoor zorgt dat iemand van een brug kan springen zonder aan de haren te worden teruggesleurd.

Alex was beroemd en dus was Alex te vinden. Als een gemiddelde stalker het kon, kon zij het ook. Via internet was ze erachtergekomen dat Alex een optreden voor *MTV unplugged* zou doen. Onder normale omstandigheden vond ze het verwerpelijk dat iemand werk creëerde door de pers uit te melken, maar in dit geval kwam het haar wel gelegen.

De studio kende ze. Het deurbeleid was rampzalig strikt, maar ze zou haar viool meenemen en doen alsof ze ergens in een achtergrondorkestje zou spelen, of desnoods haar status als zusje-van in de strijd werpen.

Bij de ingang liep ze door de metaaldetector en liet haar paspoort zien. Ze begonnen net moeilijk te doen over het feit dat ze op geen enkele lijst stond, toen ze de beveiligingsman herkende die haar een aantal jaar geleden eruit had willen flikkeren.

'Breng je me even naar Alex toe?' zei ze met haar liefste glimlach, alsof er niets aan de hand was. 'Het is een verrassing. Sorry nog van de vorige keer. Als ik bescherming nodig zou hebben, dan zou ik door zo'n toegewijd man als jij beschermd willen worden.'

Alles was toegestaan in oorlog of liefde.

Alex deed de deur open. Het was merkwaardig om te merken dat ze er eigenlijk nog precies hetzelfde uitzag. Alsof Emma's afwezigheid geen enkele invloed op haar leven had gehad.

Emma's keel kneep dicht.
'Ik had een brief aan je geschreven.'
'Ik heb hem gelezen.'
Er viel een stilte. Emma keek naar haar zus en had het gevoel dat het muntje beide kanten op kon vallen.
'Daarom ben ik hier. Wij zijn meer moeite waard.'
Alex leek te twijfelen. Alsof ze de verzoening wilde, maar hem niet wilde maken.
'Ik weet niet wat je denkt hier te zoeken, maar het interesseert me niet. Ik bel de beveiliging.'
Emma voelde de moed in de schoenen zakken, maar ze vermande zich. Alles was toegestaan, hielp ze zichzelf herinneren. Ze stapte naar binnen en trok met een ruk de draad van de telefoon uit de muur. Alex keek haar vol ongeloof aan.
'Ik heb me lang genoeg laten buitensluiten. Die brief, die heb ik honderd keer herschreven. Ik heb thuis een speciale doos voor ze.'
Er werd op de deur geklopt en een man van middelbare leeftijd stak zijn hoofd om de hoek.
'Alex, de pianist hangt nog steeds boven het toilet, hij heeft waarschijnlijk iets verkeerds gegeten. Je zult het toch echt a capella moeten doen. Het publiek roept om je, er is geen andere mogelijkheid.'
Alex trok wit weg. De man haalde zijn schouders op.
'We halen het nooit meer om een andere instrumentalist te vinden.'
Emma deed een stap naar voren en stak haar hand uit.
'Emma Weijman, Alex' kleine zusje. Violiste. Ik ken haar muziek, ik denk dat ik wel aan de eisen voldoe.'
'Niks ervan,' zei Alex tegen de meneer. 'Ik ga niet met haar optreden. Bel de beveiliging.'
De meneer krabde zich achter de oren.
'Alex, als jouw zusje echt violiste is, dan zou ik je familieruzie maar een andere keer uitvechten. Vijf minuten.'
En weg was hij.
'Waarom zou ik met jou willen optreden?'
'Heb je een keuze?'
'Jij vindt dit leuk, hè?'

Stiekem wel.

'Zie het als een teken. Of je gaat a capella het leven door, of je laat je begeleiden. Je vindt het misschien niet geweldig, maar ik ben toch echt de enige die je nu tot je beschikking hebt.'

'Je wilt mij gewoon gebruiken om op televisie te komen,' zei Alex walgend.

'Geloof me, het gaat mijn carrière geen goed doen om op MTV te komen.'

'Zonder mij besta jij helemaal niet!'

Emma moest hard op haar lip bijten om rustig te blijven.

'Zonder jou bestaat er een deel van mij niet. Een deel dat lange tijd van mijn leven het belangrijkst was. Ik wil niets van je, behalve dat je mijn zus bent. Geloof me, het interesseert me geen fluit om hier vanavond met jou op te treden. Wat ik wil is weer lachen zoals we dat deden. Om twee handen op een buik te zijn. Ik mis het meisje dat op een grotere jongen afstapte en hem een tand door zijn lip sloeg als hij gemeen tegen mij was, niet iemand om mij hier op een podium te helpen. Ik mis mijn grote zus.'

Alex lachte schamper.

'Zelfs je viool heb je van mij gekregen!'

Die moest ze even wegslikken.

'Ja, inderdaad. En ik deed alles voor je. De prijs voor die viool was dat ik mezelf moest wegcijferen. We hebben allebei fouten gemaakt. We hadden ons allebei meer in elkaars situatie kunnen inleven. Maar als we elkaar missen, als de liefde die we vroeger voor elkaar hadden echt was, dan is die er nog steeds.'

'Niemand houdt echt van mij. Iedereen wil Alex de ster.'

'Sommigen misschien, maar dat is geen liefde, dat is verafgoding. En geloof me: jíj, gewoon zoals je bent, of je nou beroemd bent of niet, jij bent het meer dan waard om van te houden. En niet alleen door mij.'

Alex keek naar de grond.

'Hier hebben we het een andere keer nog wel over,' antwoordde ze beklemd. 'Ik kan mijn publiek niet laten wachten.'

Tegen de tijd dat ze de studio had gevonden, was Alex al begonnen. In de kleedkamer hing een jurkje dat ze snel had aangeschoten voor het geval iemand niet geloofde dat ze 'erbij hoorde'. Het rokje viel maar net over haar onderbroek en de oude gympen eronder pasten er volstrekt niet bij, maar het deerde haar niet. Ze was niet van plan zich te laten wegsturen, niet door Alex en al helemaal niet door de beveiliging. In de koude betonnen coulissen die nog net uitzicht gaven op het podium, keek niemand haar argwanend aan. Het feit dat ze een instrument droeg legitimeerde haar aanwezigheid waarschijnlijk. Ze besloot te wachten op het juiste moment om in te vallen.

Alex zag er een beetje verloren uit, zo helemaal in haar eentje op het podium. Met een te korte en te druk met stras bezette jurk op een eenvoudige kruk. De eerste woorden van het lied herkende het publiek meteen en het begon te applaudisseren, maar het gejoel hield niet aan. Er vielen stiltes waar de pianist had moeten soleren.

Al na het eerste couplet was de sfeer omgeslagen. Emma zag een paar mensen op de eerste rij met elkaar fluisteren. Alex zong door.

Heeft ze het nou zelf niet door? dacht Emma hoofdschuddend. Of denkt ze dat dit alles is wat ze kan.

Het was net goed genoeg om niet uitgejoeld te worden. Maar voor Alex' kunnen was het zwaar onder de maat.

Emma zette haar viool op haar schouder.

Of Alex zou haar dit voor de rest van haar leven kwalijk nemen, of dit zou goed uitpakken. Emma had weinig te verliezen. Ze haalde een keer heel diep adem, deed een paar passen het podium op en liet haar stok over de snaren glijden. Het was hoog tijd een duet aan te gaan.

Alex keek verbluft op. Emma keek haar recht in de ogen. Ze speelde langzaam en gestaag, rustig een spanning opbouwend. Ze had geen idee wat het publiek dacht. Ze zou binnen drie seconden rotte tomaten naar haar hoofd geslingerd kunnen krijgen. Zelfs popviool bleef behoorlijk klassiek. Alex zong onverstoorbaar door, alsof ze nog steeds in haar eentje op het podium stond. Het werkte Emma op de zenuwen. Hard haalde ze uit. Ze speelde fel en meedogenloos om Alex aan te moedigen hetzelfde te doen, en eindigde haar zelfopgelegde solo door de precieze noten die anders door de piano werden gespeeld in een moordend tempo te tokkelen. Zodra ze klaar was, legde ze haar hand al even snel op de snaren om Alex te laten zien dat de beurt aan haar was. Iemand uit het publiek begon te klappen. Alex stond op van haar kruk en liep langs het publiek om wat handen aan te raken terwijl ze op dezelfde manier als tevoren haar woorden inzette. Emma begreep niet wat ze aan het doen was. Ze stonden op hetzelfde podium, het was nou niet bepaald alsof ze zou kunnen doen alsof ze er niet was. Emma zette opnieuw in en speelde de rest van de melodielijn gelijk met Alex. Het klonk beter. Terwijl de woorden van het couplet op raakten, maakte Emma precies dezelfde lijn nog een keer. Ze haalde hoger uit en bracht wat variaties aan. Het gaf net dat beetje extra, de speciale uitvoering van een al zo bekend liedje, precies wat ze van haar zus verwachtte.

De hoge C die Emma's spel bijviel leek uit een onbekende te komen. Het was zuiver en doordringend. Heel even kon Emma zich niet voorstellen dat haar zus hem had gezongen. Alex keek Emma met een twinkeling aan. Alle ogen in de zaal draaiden zich van de ene zus naar de andere.

Het was een uitdaging die Emma niet links kon laten liggen. Dezelfde hoge C kon zij ook produceren. Hoger, compacter. Ze knalde hem eruit.

Was Emma bij haar binnenkomst op het podium nog een rode lap voor een futloze stier geweest, nu stonden de zussen als twee volwaardige partners tegenover elkaar.

Hun klanken sneden door de lucht. Nam de één een stap naar voren, dan wendde de ander zich af. Stapte de een terug, dan werd er gelijk ingevallen. Ze probeerden zichzelf en elkaar te overtreffen, aan te wakkeren, om daarna in de rustige gedeeltes een wat gevoeliger snaar te raken. Het publiek werkte als een jury die direct liet weten dat hun samenspel in meervoud beter was dan hun solowerk. Er werd gejoeld en geklapt dat het een lieve lust was.

Emma speelde alsof haar leven ervan afhing. Hoe dichter het einde van het lied naderde, hoe harmonieuzer ze door elkaar heen speelden. Iedere toon werd door de ander versterkt, verzacht of zelfs weggegeven. Emma merkte dat de ader op Alex' voorhoofd rood opzwol, Alex zag Emma op haar tenen staan en vooroverbuigen bij een zachte uithaal.

Het was het gevecht voor hun bestaan. Ze speelden op elkaar in, zongen met elkaar in cadans.

De laatste tonen waren een verstrengeling van noten die hand in hand wegebden. Ze keken elkaar strak in de ogen. Geen van beiden wilde wegkijken.

Emma schrok van het applaus. Ze was de menigte voor zich bijna vergeten.

'Dames en heren, nogmaals applaus voor Alex Weijman!' klonk het door een luidspreker. 'En om te laten zien dat je het echt van je familie moet hebben: haar zus op viool!'

Het was een ruig applaus, met veel gejoel en gefluit tussen tanden.

'Zus-jes, zus-jes, zus-jes!' werd er gescandeerd.

Alle armen gingen de lucht in en Emma keek in de oprechte gezichten van honderden oprechte aanbidders.

Alex' zachte vingers tegen de hare veroorzaakten stroomstoten.

Ieder geluid viel weg toen ze de hand van haar zus in de hare voelde glijden.

De tranen stonden in haar ogen terwijl ze langzaam opzijkeek. Alex grijnsde de haar zo vertrouwde, levensgrote lach. Emma's lach terug was bescheidener, meer timide, zoals die van haar altijd was geweest. Haar ogen straalden meer dan ooit tevoren. Samen brachten ze de twee handen in één zwaai, trots omhoog.

Zo eenvoudig stonden ze daar.

Oog in oog. Hand in hand.

Twee handen op een buik.

Zusjes.